BLAZE

RICHARD BACHMAN

BLAZE

WSTĘP

STEPHEN KING

Przełożył
Michał Juszkiewicz

Prószyński i S-ka

Tytuł oryginału:
BLAZE

Copyright © 2007 by Stephen King
Foreword copyright © 2007 by Stephen King
All Rights Reserved

Projekt okładki: John Fulbrook III

Ilustracja na okładce: Mark Dye (dom),
Londie Padelsky/ImageState/Jupiter Images (ślady)

Redaktor serii: Renata Smolińska

Redakcja: Magdalena Koziej

Korekta: Andrzej Massé

Redakcja techniczna: Elżbieta Urbańska

Łamanie: Aneta Osipiak, Ewa Wójcik

ISBN 978-83-7469-609-8

Wydawca:
Prószyński i S-ka SA
ul. Garażowa 7, 02-651 Warszawa
www.proszynski.pl

Druk i oprawa:
ABEDIK SA
ul. Ługańska 1, 61-311 Poznań

Dla Tommy'ego i Lori Spruce'ów

Jak również z myślą o Jamesie T. Farrellu

Oto są slumsy serca.

John D. MacDonald

UJAWNIENIE FAKTÓW

Szanowny Notoryczny Czytelniku,

Żeby było jasne: to jest powieść z szuflady. Chcę, byś o tym wiedział, dopóki jeszcze nie wyrzuciłeś paragonu i zanim zachlapiesz którąś stronę mięsnym sosem albo lodami. Bo wtedy trudno będzie zwrócić książkę do księgarni, a może nawet okaże się to niemożliwe[1]. A więc jest to powieść z szuflady, poprawiona i odświeżona, ale wciąż powieść z szuflady. Widnieje na niej nazwisko „Bachman", ponieważ jest to ostatnie dzieło tego pana ze szczytowego okresu jego twórczości literackiej, który przypadł na lata 1966–1973.

W owych latach byłem tak naprawdę dwiema różnymi osobami. Stephen King pisał (i sprzedawał) opowiadania grozy do obleśnych świerszczyków w stylu *Cavaliera* albo *Adama*[2], gdy tymczasem spod pióra Bachmana wychodziły powieści, których pies z kulawą nogą nie chciał kupić. Nosiły one następujące tytuły: *Rage*[3], „Wielki marsz", „Ostatni bastion Barta Dawesa"

---

[1] Kierując do ciebie ostrzeżenie tej treści, zakładam, że jesteś taki jak ja, a zatem kiedy zasiadasz do stołu (albo choćby coś przekąsasz), to najczęściej masz gdzieś pod ręką aktualnie czytaną książkę.

[2] Z pewnym wyjątkiem: Bachmanowi udało się sprzedać jedno opowiadanie z gatunku czarnego kryminału napisane pod pseudonimem John Swithen. Nosiło ono tytuł „Piąta ćwiartka".

[3] Nakład tej książki jest już wyczerpany. I bardzo dobrze.

i „Uciekinier"[4]. Wszystkie, co do jednej, ukazały się w oprawie broszurowej.

„Blaze" to ostatnia z owych wczesnych powieści... piąta ćwiartka, jeśli chcecie ją tak nazywać. Ale jeśli bardzo wam zależy, to niech będzie: jest to powieść z szuflady innego znanego autora. Powstała na przełomie lat 1972 i 1973. Dopóki ją pisałem, wydawała mi się znakomita. Przeczytana po ukończeniu okazała się absolutną kupą. Pamiętam, że nigdy nie zaniosłem jej do żadnego wydawcy, nie pokazałem maszynopisu nawet u Doubledaya, gdzie przyjaźniłem się z facetem nazwiskiem William G. Thompson. To właśnie Bill odkrył później Johna Grishama; on również kupił moją następną książkę, tę, którą napisałem po ukończeniu „Blaze'a" – pokręconą, aczkolwiek przyjemną opowieść o balu na koniec roku w pewnej szkole w stanie Maine[5].

Na kilka lat zapomniałem o powieści zatytułowanej „Blaze", aż w końcu, kiedy już wszystkie wczesne Bachmany ukazały się drukiem, wyciągnąłem ją i przejrzałem. Po mniej więcej dwudziestu stronach doszedłem do wniosku, że pierwsza opinia na jej temat była słuszna i tak książka powróciła za zasłonę pardy*. Do stylu co prawda nie miałem specjalnych zastrzeżeń, ale sama fabuła przypomniała mi, co kiedyś powiedział Oscar Wilde, a mianowicie, że dickensowskiego „Magazynu osobliwości" nie sposób czytać, nie płacząc przy tym ze śmiechu jak bóbr[6]. Powieść

---

[4] Następna powieść Bachmana nosiła tytuł „Chudszy" i nic dziwnego, że zostałem wtedy zdemaskowany, bo w rzeczywistości jej autorem był Stephen King; nikt nie dał się nabrać na tamto fałszywe zdjęcie na obwolucie.

[5] Moim zdaniem jestem jedynym autorem w historii anglojęzycznego gawędziarstwa, który za kamień węgielny swojej kariery ma podpaski higieniczne; ta część mojej spuścizny jest niezaprzeczalnie prawdziwa.

* Parda (pers.) – w krajach hinduskich i muzułmańskich: obyczaj nakazujący odosobnienie kobiet od niespokrewnionych mężczyzn oraz zakrywanie twarzy i ciała przed ich wzrokiem (przyp. tłum.).

[6] Ja miałem tak samo podczas lektury „Everymana" Philipa Rotha, „Judy nieznanego" Thomasa Hardy'ego, a także „Córki opiekuna wspomnień" Kim Edwards – w pewnym momencie po prostu zaczynałem trząść się ze śmiechu, wymachiwać rękami i wołać: „I jeszcze nowotwór! I jeszcze niech oślepnie! Tego jeszcze nie było!".

„Blaze" została zatem skazana na niepamięć, jednakże nie przepadła bezpowrotnie. Po prostu upchnęli ją w jakimś kącie biblioteki im. Raymonda H. Foglera na uniwersytecie stanowym w Maine razem z resztą dorobku Stephena Kinga/Richarda Bachmana, jaki mieli na stanie.

Kolejne trzydzieści lat spędziła w ciemnicy[7]. Aż zdarzyło się pewnego razu, że napisałem cienką książeczkę zatytułowaną „Colorado Kid", która ukazała się w miękkiej oprawie nakładem wydawnictwa Hard Case Crime, w serii mającej w założeniu publikować wznowienia dawnych czarnych kryminałów oraz współczesne powieści z tego gatunku. Pomysł ów zrodził się w głowie pewnego bardzo bystrego i bardzo równego faceta nazwiskiem Charles Ardai. Moje dziełko, jak na kryminał, było zdecydowanie zbyt białe, ale Charles i tak je wydał; dostało okładkę w pięknym stylu dawnych paperbacków[8]. Cały projekt poszedł błyskawicznie... oprócz tantiem, które jakoś nie chciały szybko spływać[9].

Mniej więcej rok później przyszło mi do głowy, że warto byłoby przeżyć jeszcze jedną przygodę z Hard Case – najlepiej, gdyby to była książka o nieco bardziej zdecydowanym charakterze. I tak w moich myślach po raz pierwszy od wielu lat zagościła powieść pod tytułem „Blaze", ale wraz z nią przypętał się ten cholerny cytat z Wilde'a, komentarz na temat „Magazynu osobliwości". „Blaze", tak jak ja go zapamiętałem, to nie był twardy, czarny kryminał, ale co najwyżej maleńki wyciskacz łez, taki na trzy chusteczki higieniczne. W każdym razie, powiedziałem sobie, nie zaszkodzi rzucić okiem. A dokładniej: nie zaszkodziłoby, gdybym tylko wiedział, gdzie jest ta książka. Miałem w pamięci tamten karton i lekko kwadratowy krój czcionki (to była maszyna do pisania Tabithy, mojej żony, stara, jeszcze z czasów studenckich; walizkowa Olivetti, sprzęt absolutnie nie do zdarcia), ale za skarby

---

[7] Ale nie w szufladzie; w kartonowym pudle.
[8] Niewiasta o oczach pełnych troski oraz – jak można przypuszczać – w bieliźnie pełnej błogości.
[9] Teraz, gdy o tym myślę, dochodzę do wniosku, że był to kolejny relikt złych czasów dawnych paperbacków.

świata nie mogłem sobie przypomnieć, co się stało ze schowanym w kartonie maszynopisem. Mógł równie dobrze podzielić los dinozaurów[10].

Nie podzielił. Marsha, jedna z moich dwóch nieocenionych asystentek, odnalazła go w Bibliotece im. Foglera. Ale nie przekazała mi oryginału (bo ja, hm... jestem gubiący), tylko kserokopię. Taśma, którą miałem w maszynie, pisząc tę książkę, musiała chyba już być na wykończeniu, bo tekst okazał się prawie nieczytelny, a notatki na marginesach rozmazane i trudne do odcyfrowania. Mimo to zasiadłem do lektury, szykując się na męczarnie wstydu, jaki potrafi człowiekowi zgotować tylko jego młodsze, bardziej przemądrzałe wcielenie.

Książka okazała się jednak całkiem niezła, a z całą pewnością lepsza od „Ostatniego bastionu Barta Dawesa", którą w owym czasie uważałem za mainstreamową amerykańską powieść. Chodziło tylko o to, że nie można jej było nazwać czarnym kryminałem. Wydawała się raczej bliższa naturalizmowi w opisywaniu zbrodni, który uprawiali w latach trzydziestych XX w. James M. Cain i Horace McCoy[11]. Bardziej niż główna linia fabuły podobały mi się retrospekcje. Przypominały trylogię Jamesa T. Farrella o młodym Loniganie, a także zapomniane (lecz smakowite) *Gas-House McGinty*. Miejscami, co oczywiste, objawiał się syndrom RGPS[12], ale w końcu pisał to młody facet (miałem wtedy dwadzieścia pięć lat), święcie przekonany, że TWORZY WIEKOPOMNE DZIEŁO.

Wydawało mi się, że „Blaze'a" będzie można przerobić i wydać bez wielkiego wstydu, ale w Hard Case Crime, jak się okaza-

---

[10] W trakcie całej pisarskiej kariery udało mi się zawieruszyć nie jedną, ale dwie całkiem dobrze zapowiadające się powieści. „Pod kopułą" dociągnąłem tylko do pięćdziesięciu stron, lecz „Kanibale", w momencie, gdy zaginęli w akcji, mieli ich już ponad dwieście. Nie zachowały się żadne kopie. To było przed erą komputera, a pierwszych wersji swoich książek nigdy nie pisałem przez kalkę – wydawało mi się to jakieś takie... zarozumiałe.

[11] Rzecz jasna, jest to również hołd złożony *Myszom i ludziom* – z jakiegoś powodu trudno to przeoczyć.

[12] Rumieńce, galopujący puls, sapanie.

12

ło, książka ta nie znalazła uznania. W pewnym sensie przecież to wcale nie był kryminał. Moim zdaniem, poddana pewnym bezlitosnym poprawkom, mogła uchodzić za tragedię z nizin społecznych. W tym celu przyswoiłem sobie oschły, beznamiętny styl, którym cechują się najlepsze czarne kryminały, a żebym nie zapomniał, co próbuję osiągnąć, do pisania wybrałem krój czcionki o nazwie American Typewriter. Narzuciłem sobie szybkie tempo pracy, a jednocześnie przestałem wyglądać w przyszłość i oglądać się za siebie, mając w tym dodatkowy cel: uchwycić i oddać ów nieopanowany pęd na oślep, który mają tamte dawne powieści (myślę tutaj bardziej o Jimie Thompsonie i Richardzie Starku niż o Cainie, McCoyu czy Farrellu). Korekty zamierzałem wprowadzić na samym końcu – ołówkiem, nie na komputerze, tak jak to dzisiaj jest w modzie. Skoro ta książka i tak miała być pamiątką z przeszłości, starałem się odtworzyć ową przeszłość, nie widząc powodu, aby przed nią uciekać. Postanowiłem sobie również, że pisząc, zdławię w sobie wszelkie sentymenty; chciałem, aby ta powieść była naga jak pusty dom bez chociażby dywanika na podłodze. Moja matka powiedziałaby: „Żeby była z gołą twarzą na wierzchu". Tylko czytelnik będzie w stanie ocenić, czy mi się udało.

Jeżeli cię to interesuje (a nie powinno, bo chciałeś przecież tylko dostać dobrą historię do przeczytania i miejmy nadzieję, że się nie zawiedziesz), to wiedz, że cały dochód ze sprzedaży tej książki zasili konto The Haven Foundation, założonej w celu wspomagania niezależnych artystów, którym nie poszczęściło się w życiu[13].

I jeszcze jedna sprawa, dopóki mam cię w swojej mocy. Starałem się, na ile tylko było to możliwe, zamazać ramy czasowe tej powieści, aby nie sprawiała wrażenia jakiejś ramoty[14]. Nie mo-

---

[13] Więcej informacji na temat The Haven Foundation możesz znaleźć na mojej stronie, czyli pod adresem www.stephenking.com.

[14] Nie podobał mi się pomysł, że Clay Blaisdell dorastał w powojennej Ameryce; odnoszę teraz wrażenie, że tamte czasy są już niewiarygodnie zamierzchłe, chociaż w 1973 r., kiedy mieszkałem z żoną i dwójką dzieci w przyczepie kempingowej, gdzie w wielkich bólach powstawała ta książka, wydawały się całkiem w porządku (zresztą prawdopodobnie takie właśnie były).

głem jednak usunąć wszystkich przestarzałych elementów, ponieważ niektóre z nich były fabularnie istotne[15]. Jeśli umieścisz akcję tej książki „nie tak dawno temu w Ameryce", to powinno być w porządku.

Mogę na koniec powrócić do punktu wyjścia? A więc jest to stara książka, ale w sumie chyba wcale nie taka zła, jak mi się pierwotnie wydawało. Masz prawo się ze mną nie zgodzić... ale na pewno nie jest to „Dziewczynka z zapałkami". Jak zawsze, Notoryczny Czytelniku, przyjmij moje najlepsze życzenia oraz podziękowania za to, że chciałeś poznać tę opowieść. Mam nadzieję, że ci się spodoba. Nie powiem: „Mam nadzieję, że uronisz choć łezkę", ale...

No dobrze. Dobrze, powiem. Tylko żeby to nie było ze śmiechu.

Stephen King (w imieniu Richarda Bachmana)
Sarasota, Floryda
30 stycznia 2007 r.

---

[15] Gdybym pisał to dziś, na pewno trzeba by się było zastanowić nad umieszczeniem w książce komórek i aparatów telefonicznych z funkcją identyfikacji dzwoniącego.

ROZDZIAŁ 1

Gdzieś w tych ciemnościach był George. Blaze nie widział go, ale słyszał dobrze i wyraźnie jego głos, szorstki i odrobinę zachrypnięty. Ten głos zawsze brzmiał tak, jakby George był akurat przeziębiony. Pamiątka po wypadku z dzieciństwa. George nigdy nie mówił, co się stało, ale na grdyce miał fenomenalną bliznę.

– Nie ten, matole, chyba widzisz, że cały oblepiony naklejkami. Bierz chevroleta albo forda. Granatowego albo zielonego. Ma mieć dwa lata. Dokładnie dwa, ani więcej, ani mniej. Taki samochód nikomu nie wpadnie w oko. I żeby nie miał żadnych naklejek.

Blaze minął nieduże auto ze zderzakiem oklejonym nalepkami i poszedł dalej. Nawet tutaj, na samym końcu parkingu, słychać było stłumione, dudniące basy dobiegające z piwiarni. W sobotnie wieczory, takie jak ten, knajpa pękała w szwach. Na dworze było diablo zimno. Blaze podjechał do miasta autostopem, ale już od czterdziestu minut wałęsał się po dworze i uszy zmarzły mu tak, że przestał je czuć. Zapomniał czapki. Bez przerwy o czymś zapominał. Chciał wyjąć ręce z kieszeni, żeby zasłonić uszy, ale George mu nie pozwolił. Możesz je sobie odmrozić, powiedział, ale rąk nie możesz. Nie potrzebujesz uszu, żeby odpalić samochód na krótko. Na dworze było minus szesnaście.

– Ten – wskazał George. – Po prawej.

Blaze odwrócił głowę i zobaczył saaba. Z naklejką. Nie nadawał się zupełnie do wzięcia.

– To jest lewa – objechał go George. – Mówiłem: po prawej, matołku. Prawa ręka to ta, którą dłubiesz w nosie.

– Przepraszam, George.

Tak jest, znów zrobił z siebie matoła. Dłubać w nosie potrafił obiema rękami, ale wiedział dobrze, że prawa to ta, którą się pisze. Pomyślał o tej ręce i spojrzał w tamtą stronę. Ciemnozielony ford.

Blaze podszedł do niego, stąpając ze starannie udawaną swobodą. Obejrzał się przez ramię. Ta piwiarnia, do której należał parking, to był bar studencki. Nazywał się Worek. Głupio, bo przecież worek się ma z jajami. Knajpa mieściła się w suterenie. W piątki i soboty grała tam kapela. W środku na pewno było tłoczno i ciepło, a na parkiecie skakało mnóstwo dziewczynek w krótkich spódniczkach. Gdyby tak tam zajrzeć, tylko rzucić okiem…

– Co ty mi tu odstawiasz? – parsknął George. – Niedzielny spacerek z rodziną? Mojej ślepej babci byś nie nabrał. Rób, co masz robić, tak?

– Dobrze, ja tylko…

– Jasne. Wiem. Ty tylko. Skup się na robocie.

– Dobra.

– Kto ty jesteś, Blaze?

Zwiesił głowę i pociągnął nosem, połykając gila.

– Matoł.

George zawsze mówił, że matolstwa nie ma się co wstydzić, ale fakt jest faktem i trzeba się z nim pogodzić. Matoł nie nabierze nikogo, że ma nie wiadomo ile oleju we łbie. Wystarczy spojrzeć i wiadomo: światło się pali, ale w domu pusto. Matoł zawsze ma tylko zrobić swoje i spadać. A jak go złapią – od razu przyznać się do wszystkiego, byle nie sypał tych, co z nim byli. Bo całą resztę i tak w końcu z niego wycisną. George mówił, że matoły kłamią jak pierdoły.

Blaze wyjął ręce z kieszeni i dwa razy rozprostował dłonie. Kostki strzeliły w mroźnym powietrzu.

– Jesteś gotowy, byku? – zapytał George.

– Tak.

– To idę na piwo. Bierz się do roboty.

Blaze poczuł, jak panika ściska go za gardło.

– Ej, no nie, przecież ja tego nigdy nie robiłem. Zawsze tylko się przyglądałem, jak ty robisz.

– No to dziś koniec tego przyglądania. Działaj.

– Ale…

Urwał. Gdyby chciał mówić dalej, musiałby krzyczeć, więc nie miało to sensu. Śnieg skrzypiał twardo, kiedy George szedł w stronę piwiarni. Po chwili miarowy puls basu zagłuszył odgłos jego kroków.

– Jezu… – jęknął Blaze. – O, Jezu Chryste.

I jeszcze do tego zaczęły marznąć mu palce. Przy takiej temperaturze będą sprawne tylko przez pięć minut. Góra pięć. Podszedł do drzwi od strony kierowcy, pewien, że będą zamknięte. Gdyby się tak okazało, to samochód jest spalony, bo Blaze nie miał wytrycha. To George zawsze nosił wytrych. Tylko, że drzwi były otwarte. Pociągnął za klamkę, pogmerał chwilę w środku, znalazł rączkę do otwierania maski i lekko szarpnął. Potem przeszedł na przód samochodu, wsadził palce pod maskę i podniósł ją, namacawszy drugi zamek.

Wyciągnął kieszonkową latarkę, którą miał przy sobie, włączył i skierował promień na silnik.

Znajdź przewód od zapłonu.

Ale to wyglądało zupełnie jak micha z makaronem. Kable od akumulatora, jakieś wężyki, przewody od świecy zapłonowej, przewód paliwowy…

Stał tak i zlewał się potem, który zamarzał mu na policzkach. Wiedział, że nie da rady. W życiu nie da sobie z tym rady. I nagle wpadł na pewien pomysł. Może niespecjalnie błyskotliwy, ale pomysły miewał tak rzadko, że kiedy już jakiś się trafił, to trzeba się było go trzymać. Wrócił do drzwi kierowcy i otworzył je z powrotem. Zapaliło się światło, ale na to już nie mógł nic poradzić. Ktoś, kto by go teraz zobaczył, pewnie pomyślałby, że nie może odpalić silnika i chyba nic dziwnego: wieczorem, w taki ziąb… Nawet George nie mógłby się przyczepić do takiego rozumowania. Gdyby nie chciał.

Blaze opuścił daszek przeciwsłoneczny nad kierownicą, mając wariacką nadzieję, że spadnie mu do ręki zapasowy kluczyk; niektórzy chowali je w tym miejscu. Ale właściciel tego samochodu trzymał tam tylko starą skrobaczkę do lodu i to ona spadła zamiast kluczyka. Blaze poszperał z kolei w schowku na rękawiczki. Było w nim pełno jakichś papierzysk. Wywalił wszystkie na podłogę, klękając na siedzeniu kierowcy i dysząc obłoczkami pary. Oprócz papierów znalazł pudełko Junior Mints, miętówek w czekoladzie, ale kluczyków nie było.

No i masz, cholerny matole, usłyszał w myśli głos George'a. *Jesteś zadowolony? To teraz może chociaż spróbujesz odpalić na krótko?*

Mogę spróbować, pomyślał Blaze. Przynajmniej wyrwę parę drutów i zetknę je razem, tak jak robił George. Zobaczymy, co się stanie. Zamknął drzwi i zgarbiony ruszył z powrotem na przód forda, ale nagle stanął w miejscu. Przyszedł mu do głowy jeszcze jeden pomysł. Wrócił, otworzył drzwi, pochylił się, uniósł wycieraczkę. I znalazł. Na kluczyku nie było napisane FORD ani w ogóle nic, bo był dorobiony, ale miał kwadratowy uchwyt i wszystko co potrzeba.

Blaze podniósł go z podłogi i ucałował zimny metal.

Otwarty samochód, pomyślał, a potem: Otwarty samochód i klucz pod wycieraczką. A potem jeszcze: Są tu dzisiaj głupsi ode mnie, George.

Usiadł za kierownicą, zatrzasnął drzwi, wsunął klucz do stacyjki – wszedł jak w masło – i zauważył, że nie widać parkingu, bo nie opuścił maski. Rzucił szybko okiem w lewo, a potem w prawo, żeby sprawdzić, czy przypadkiem George nie postanowił wrócić, by mu pomóc. Ciosałby Blaze'owi kołki na głowie do sądnego dnia, gdyby tak zobaczył tę maskę. Ale George'a nigdzie nie było widać. Na całym parkingu nic, tylko samochody, gęsto jak drzewa w tundrze.

Blaze wysiadł i zatrzasnął maskę. Potem wrócił do drzwi i nagle zamarł z dłonią wyciągniętą w stronę klamki. A George? Czy nie trzeba teraz iść po niego do tej knajpy? Przysiadł bokiem na siedzeniu, spuścił głowę i zmarszczył brwi. Lampka pod sufitem żółciła mdłym światłem jego wielkie dłonie.

Wiesz co, pomyślał wreszcie, prostując się z powrotem. Kij mu w ryj.

– Kij ci w ryj, George – powiedział na głos. George kazał mu przyjechać tutaj stopem. Umówił się z nim, a teraz znów sobie poszedł i zostawił go, żeby sam odwalił całą brudną robotę. Udało się, bo jakimś głupim fartem Blaze znalazł zapasowy klucz, więc George'owi teraz kij w ryj. Niech sobie połapie stopa, kiedy jest minus szesnaście.

Blaze zamknął drzwi, włączył bieg i wyjechał z parkingu, a gdy już wyprowadził forda na jezdnię, wcisnął gaz do dechy. Samochód szarpnął się, zarzucając tyłem po twardo ubitym śniegu, a Blaze nadepnął z całej siły na hamulec, porażony nagłym atakiem paniki. Co ja wyprawiam, zapytał sam siebie. Co ja sobie myślę? Jechać bez George'a? Złapią mnie, zanim ujadę pięć kilometrów. Albo nawet jeszcze szybciej, na najbliższych światłach. Nie mogę jechać bez George'a.

Ale przecież George nie żyje.

Pieprzenie! Przed chwilą z nim gadałem. Poszedł do knajpy na piwo.

Nie żyje.

– O rany, George – jęknął Blaze, garbiąc się nad kierownicą. – Ja nie chcę, żebyś nie żył. Żyj, proszę cię.

Przez chwilę siedział nieruchomo. Silnik pracował bez zarzutu, nie stukał ani nic, chociaż był zimny. Strzałka paliwa pokazywała trzy czwarte baku. We wstecznym lusterku kłębił się dym z rury wydechowej, biały i lodowaty.

George nie wyszedł z piwiarni. Nie mógł wyjść, bo nie wszedł. George nie żyje. Od trzech miesięcy. Blaze poczuł, że zaczyna dygotać.

Po jakimś czasie wziął się w garść, wdepnął gaz i ruszył. Na najbliższych światłach nikt go nie zatrzymał, na następnych też nie. Wyjechał z miasta i też go nikt nie zatrzymał. Kiedy mijał rogatki Apex, robił już osiemdziesiąt kilometrów na godzinę. Od czasu do czasu samochód trafiał kołem na zamarzniętą kałużę i ślizgał się lekko, ale Blaze'owi to nie przeszkadzało. Pozwalał się nieść poślizgowi. Jeździł po oblodzonych drogach już jako nastolatek.

Poza miastem dodał gazu do dziewięćdziesięciu pięciu i dopiero zaczęła się jazda. Reflektory obmacywały drogę jasnymi palcami długich świateł, a zaspy po obu stronach odpowiadały roziskrzonymi odblaskami. Kurde, ale się student zdziwi, jak przyprowadzi swoją studentkę do samochodu, a tam tylko puste miejsce. I co od niej wtedy usłyszy? Ty matole. Ostatni raz gdzieś z tobą poszłam. Ostatni raz.

– Poszedłam – powiedział głośno Blaze. – Jak studentka, to powie: poszedłam.

Uśmiechnął się na tę myśl, a uśmiech odmienił jego twarz nie do poznania. Włączył radio. Było ustawione na jakąś rockową stację. Zaczął kręcić gałką, aż znalazł country. Zanim dojechał do chałupy, zdążył się już rozśpiewać na cały głos i kompletnie zapomnieć o George'u.

ROZDZIAŁ 2

Ale rano wszystko sobie przypomniał.

To właśnie jest przekleństwo matołów: rozpacz zawsze dopada ich znienacka, bo nigdy nie pamiętają o ważnych rzeczach. Tylko pierdoły trzymają im się głowy. Na przykład ten wierszyk, którego pani Selig uczyła w piątej klasie: „Gdzie bujny kasztan ściele cień, widnieje wiejskiej kuźni dach". I po co to komu? Po co takie bzdury komuś, kto ni z tego, ni z owego łapie się na tym, że obrał kartofli na dwie porcje i wszystko nagle wali mu się na łeb, bo dociera do niego, że nie musiał tyle obierać? Nie musiał, bo ten drugi już nigdy nie zje choćby i pół kartofla?

Chociaż w sumie może to wcale nie była rozpacz. To słowo jakby nie do końca pasowało. Jeśli rozpacz oznacza wielki płacz i walenie głową w ścianę, to nie. Dla takich jak George nie robi się nic z tych rzeczy. Ale samotność – jak najbardziej. I strach.

George by powiedział: „Jezu, włożysz ty w końcu czystą bieliznę? To, co masz na sobie, można już o ścianę oprzeć. Ohyda.".

George by powiedział: „A drugi but kto ci zawiąże, głupolu?".

George by powiedział: „Weź się, kurwa, odwróć, bo widzę, że sam się porządnie nie przykryjesz. Niańczę chłopa jak dzieciaka".

Następnego dnia po kradzieży forda z parkingu pod piwiarnią George siedział rano w drugim pokoju. Blaze nie mógł go zobaczyć, ale wiedział, że siedzi jak zwykle w swoim głębokim, zapadniętym fotelu, a głowę ma zwieszoną tak nisko, że prawie dotyka brodą piersi. Jego pierwsze słowa brzmiały tak:

21

– Znowu dałeś dupy, King Kongu. Gratulacje-sracje.

Blaze syknął, kiedy jego stopy wylądowały na zimnej podłodze. Znalazł buty i wcisnął je na nogi. Zerwał się z łóżka goły – oprócz tych butów – i podbiegł do okna. Na podwórku nie było samochodu. Odetchnął z ulgą – z ust uleciał mu widoczny obłoczek pary.

– Nie dałem dupy – powiedział. – Wstawiłem go do szopy, tak jak kazałeś.

– Ale śladów to już nie pozamiatałeś, co? A może wywiesisz tabliczkę, co, Blaze? Napisz na niej: KRADZIONY SAMOCHÓD – TUTAJ. Mógłbyś go pokazywać ludziom za pieniądze. No jak, nie chcesz?

– Jeny, George...

– Jeny, George, jeny, George. Wyjdź i pozamiataj ślady.

– Dobra. – Blaze ruszył do drzwi.

– Blaze?

– Co?

– A może byś tak najpierw włożył gacie?

Blaze oblał się piekącym rumieńcem.

– Jak dziecko – westchnął George z nutą rezygnacji w głosie. – Dziecko, co już się goli.

George dobrze wiedział, jak dogryźć człowiekowi. Tylko że znalazł się jeden facet, któremu George dogryzł za mocno i jeszcze to powtórzył. Jak się tak robi, można dostać czapę i to jest koniec cwaniackich tekstów. Teraz George był sztywny, a Blaze zmyślał sobie, że słyszy jego głos i sam podsuwał mu niezłe odzywki. George umarł w tym magazynie, do którego poszli grać w kości.

Chyba mi odbiło, że w ogóle próbuję z tym planem, pomyślał Blaze. Taki baran jak ja.

Mimo wszystko wciągnął bokserki (sprawdził najpierw uważnie, czy nie mają plam), potem podkoszulek z długim rękawem, a na to flanelową koszulę i parę grubych sztruksów. Jego traperki walały się pod łóżkiem, a parka z demobilu wisiała na klamce u drzwi. Ciepłe rękawiczki z jednym palcem znalazł po dłuższych poszukiwaniach w kuchni połączonej z pokojem dziennym, na półce wiszącej nad starym, zdezelowanym piecykiem na drewno. Na głowę wciągnął swoją kraciastą czapkę z nausznikami, pamiętając o tym, żeby daszek był odrobinę w lewo, na szczęśliwą stronę. Następnie wyszedł na dwór i wziął miotłę opartą o futrynę. Poranek był słoneczny i dojmująco mroźny. Zaraz za progiem Blaze poczuł, jak cała wilgoć, którą miał w nosie, w jednej chwili zamarza z trzaskiem. Skrzywił się, kiedy wiatr dmuchnął mu w twarz śnieżnym pyłem, drobnym jak cukier puder. George'owi to łatwo rozkazywać, pomyślał. Siedzi sobie w domu, grzeje się przy piecu i popija kawę. A wczoraj wieczorem poszedł na piwo i zostawił mnie, żebym sam zrobił ten samochód. I dalej by siedział w knajpie, żeby nie mój czysty głupi fart z tymi kluczykami, co je znalazłem pod wycieraczką czy tam w schowku, nie pamiętam. Blaze czasami odnosił wrażenie, że George wcale nie jest aż takim dobrym przyjacielem.

Usunął miotłą ślady opon, ale zanim zaczął, najpierw przez kilka minut stał i je podziwiał. Bieżnik wyciosał w śniegu maleńkie, idealnie kształtne ścianki, które rzucały mikroskopijne cienie. Zabawne, że doskonałość może być aż tak drobna, że nikt jej nigdy nie zauważa. Patrzył sobie na nie do woli, aż w końcu się zmęczył tym patrzeniem (żaden George go nie pędził do roboty), więc zabrał się do zamiatania krótkiego podjazdu aż do samej drogi. W nocy przejechał tędy pług śnieżny, odgarniając wydmy białego puchu, którym wiatr zawsze zasypuje te wiejskie trakty, mające po obu stronach szerokie, otwarte pola. Pług zatarł resztę śladów opon ukradzionego samochodu.

Blaze podreptał z powrotem do chałupy. Teraz już tam nie marzł. Kiedy wstał z łóżka, było mu zimno, ale po powrocie z dworu zrobiło się ciepło. To też było zabawne – jak różnie można odczuwać każdą rzecz. Zdjął kurtkę, buty i flanelową koszulę. Usiadł za stołem tylko w podkoszulku i sztruksach. Włączył radio i zdziwił się, kiedy zamiast rocka, którego słuchał George, z głośnika polały się ciepłe dźwięki country. To była Loretta Lynn; śpiewała o tym, jak dobre dziewczyny się psują. George, gdyby to usłyszał, pewnie by się uśmiał i powiedział coś w stylu: „Jasne, kotku – możesz mi się zepsuć prosto na twarz!". A Blaze też by się roześmiał, ale gdzieś w głębi serca przy tej piosence zawsze robiło mu się smutno. Jak przy wielu innych piosenkach country.

Kiedy kawa była już gorąca, zerwał się i napełnił dwa kubki. Do jednego dodał sporo śmietanki i krzyknął:

– George! Kawa czeka, mistrzu! Bo ci wystygnie!

Cisza.

Spojrzał na stojącą przed nim białą kawę. On przecież zawsze pił czarną, więc po co mu to? No po co? Nagle coś ścisnęło go za gardło i mało brakowało, żeby złapał tę cholerną białą kawę George'a i pieprznął o ścianę, ale w końcu się pohamował. Zamiast tego wylał ją do zlewu. To się nazywa: panować nad sobą. Dorosły facet musi nad sobą panować, bo inaczej narobi sobie kłopotów.

Blaze siedział w chałupie do obiadu. Po obiedzie wyprowadził ukradziony samochód z szopy i pojechał. Zatrzymał się tylko na chwilę przy schodkach do kuchni, żeby wysiąść i obrzucić tablice rejestracyjne pigułami ze śniegu. To było sprytne zagranie. Trudno je będzie teraz odczytać.

– Co ty wyprawiasz, na miłość boską? – zapytał George; jego głos dobiegał z chałupy.

– Nie interesuj się – odpowiedział Blaze. – I tak jesteś tylko głosem w mojej głowie. – Wsiadł do forda i wyjechał na drogę.

– Mało to rozważne, co robisz – skomentował George. Teraz słychać go było z tylnego siedzenia. – Prowadzisz trefny samochód. Nieprzemalowany, na starych numerach, nic przy nim nie zrobiłeś. Dokąd cię niesie?

Blaze milczał.

– Nie jedziesz chyba do Ocoma, co?

Blaze milczał.

– No żeż kurwa, jedziesz do Ocoma – zgrzytnął George. – Ja pierdolę. Nie wystarczy, że pojedziesz tam raz, jak przyjdzie pora?

Blaze milczał. Nabrał wody w usta.

– Posłuchaj mnie, Blaze. Wracaj. Jak cię złapią, to wszystko szlag trafił. Wszystko. Cały plan.

Blaze wiedział, że George ma rację, a jednak nie zawrócił. Co to jest, że George zawsze musi rządzić? Nawet po śmierci mu rozkazuje. Jasne, plan był jego: ten jeden duży numer, o którym śni każdy drobny macher. „Każdy inny by poległ, ale nam się uda", mawiał George, ale najczęściej był wtedy albo pijany, albo na haju; nigdy nie brzmiało to tak, jakby naprawdę wierzył w swoje słowa.

Zajmowali się głównie małymi przekrętami, a George'owi na ogół to wystarczało – nieważne, co mówił po pijaku czy kiedy był najarany. Kto wie, może ten planowany numer w Ocoma Heights to była dla niego zabawa albo „mentalna masturbacja", jak mówił czasami, kiedy zobaczył w telewizji, że jacyś goście w garniturach nawijają o polityce. Blaze wiedział, że George był bystrzakiem. Wątpił tylko zawsze w jego osobistą odwagę.

Ale teraz, kiedy już nie żyje, czy pozostał w ogóle jakiś wybór? Zdany na własne siły Blaze był absolutnie do niczego. Po śmierci George'a jeden jedyny raz próbował podszyć się pod domokrążcę, żeby wcisnąć jakiejś babce zamówienie na męską odzież i musiał spieprzać jak zając, żeby go nie zgarnęli. A przecież zrobił wszystko dokładnie tak samo jak George: wybrał nazwisko tej kobiety ze strony z nekrologami, zafundował jej taką samą gadkę i pokazał rachunki dla nabywcy płacącego kartą kredytową (mieli ich w chałupie całą torbę, i to z najlepszych sklepów). Potem przeprosił, że zjawia się w takiej chwili i zapewniał, że jest mu bardzo przykro, ale interes to interes, a ona na pewno go rozumie. Powiedziała, że rozumie. Zostawiła Blaze'a w przedpokoju i poszła, jak mówiła, po portfel. Do głowy mu nie przyszło, że zadzwoni na policję. Gdyby nie wróciła do niego z tym rewolwerem, to pewnie dalej by czekał w przedpokoju i tak by go zastali gliniarze. Nigdy nie miał zbyt dobrego poczucia czasu.

Ale wróciła i wzięła go na muszkę. Widział dokładnie jej broń: srebrny damski rewolwer, z inkrustacjami na bokach i rękojeścią wykładaną perełkami.

– Policja już tu jedzie – poinformowała Blaze'a – ale zanim się zjawią, masz się wytłumaczyć. Chcę się dowiedzieć, co to za szumowina z marginesu przychodzi obrobić wdowę, nad której mężem jeszcze się nawet ziemia dobrze nie zamknęła.

Blaze miał gdzieś te wyjaśnienia, których od niego zażądała. Odwrócił się na pięcie i rzucił do drzwi. Wybiegł na ganek, a z ganku po schodach na alejkę. Biegał całkiem szybko, kiedy już się rozpędził, ale tak już miał, że wolno się rozpędzał, a tego dnia dodatkowo obezwładniła go panika. Gdyby tamta babka pociągnęła za cyngiel, mogła mu wpakować kulkę prosto w potylicę – a cel był spory, bo łeb miał jak sklep – albo odstrzelić ucho albo na przykład w ogóle chybić; z taką krótką lufą nigdy nic nie wiadomo. Ale nie strzeliła za nim.

Kiedy dotarł w końcu do chałupy, miał ściśnięty żołądek i pojękiwał ze strachu. Nie bał się aresztu ani pierdla, nie bał się nawet policji, chociaż wiedział, że jak zaczną go pytać, to na pewno pomieszają mu w głowie na amen, zawsze tak było. Przestraszył się tego, jak łatwo tamta kobieta go przejrzała. Jakby to było dla niej zupełnie oczywiste. George bardzo rzadko miewał takie wpadki, a poza tym zawsze wiedział, że klient się skapnął i umiał wyciągnąć siebie i Blaze'a z tarapatów.

A teraz ten cały plan. Blaze wiedział, że nie ujdzie mu to na sucho – wiedział, ale mimo wszystko brnął dalej. Może chciał wrócić za kratki. Może wcale nie byłoby tam tak źle, teraz, kiedy George nie żyje? Niech ktoś inny za niego myśli i daje mu żarcie.

Może przyjechał dziś do Ocoma Heights ukradzionym samochodem właśnie po to, żeby go złapali? Sunął bezczelnie środkiem miasta, pod samym domem Gerardów.

Nowa Anglia w zimie jest jak zamrażalnik, a ten dom przypominał lodowy pałac. W Ocoma Heights mieszkali „starobogaccy" (tak mówił George), a ich domy to były całe rezydencje. Ogromne trawniki, które zieleniły się wokół nich latem, teraz przypominały pola śniegowe. Zima była surowa tego roku.

Dom rodziny Gerardów był najlepszy ze wszystkich. George mówił, że wybudowano go w stylu „kolonialno-zasralnym", ale Blaze'owi wydawał się piękny. George powiedział mu, że Gerardowie dorobili się na transporcie morskim i że pierwsza wojna dała im pieniądze, a druga zrobiła z nich żywych świętych. Słońce odbite od śniegu lśniło zimnym ogniem w oknach ich domu. Okien było dużo. George mówił, że mają tam ponad trzydzieści pokojów. We wrześniu robił rozeznanie, podszywając się pod pracownika kompanii energetycznej Central Valley Power, który niby to odczytuje liczniki. Blaze jeździł wtedy z nim; prowadził furgonetkę, która nie była kradziona, tylko raczej pożyczona, chociaż gdyby policja ich złapała, to pewnie by było, że ją ukradli. Na trawniku pod boczną ścianą domu jacyś ludzie grali w krokieta; było tam kilka ładnych dziewczyn, na oko ze szkoły średniej albo może już z college'u. Blaze przyglądał się im, aż w pewnym momencie zaczął się podniecać. Kiedy wrócił George i kazał jechać, opowiedział mu o tych ładnych dziewczynach, których już wtedy nie było widać, bo przeszły na tył domu.

– Widziałem je – powiedział George. – Takim to się wydaje, że są lepsze od wszystkich. Że niby ich gówno nie śmierdzi.

– Ale i tak są ładne – upierał się Blaze.

– A kij z tym, ładne czy nieładne – warknął George marudnym tonem, krzyżując ręce na piersi.

– Czy ciebie w ogóle nie kręcą laski, George?

– Takie jak tamte? Raczysz żartować. Zamknij się już i jedź.

Blaze przypomniał sobie tę rozmowę i nie mógł powstrzymać uśmiechu. George był jak ten lis, co nie mógł dosięgnąć winogron, więc mówił wszystkim, że są kwaśne. Panna Jolison czytała im tę bajkę w drugiej klasie.

To była duża, liczna rodzina. Byli starsi państwo Gerardowie – starszy pan Gerard miał osiemdziesiąt lat, a potrafił jeszcze codziennie obalić pół litra; tak mówił George. Oprócz nich byli młodsi i najmłodsi państwo Gerardowie. Najmłodszy pan Gerard nazywał się Joseph Gerard III i naprawdę był młody, bo miał tylko dwadzieścia pięć lat. Jego żona była parmenką. George mówił, że jak się pochodzi z Parmy, to znaczy, że się jest makaroniarzem. Blaze zawsze myślał, że makaroniarze to tylko Włosi.

Na końcu ulicy zawrócił i przejechał pod domem Gerardów jeszcze raz, próbując sobie wyobrazić, jak to jest wziąć ślub, kiedy się ma dwadzieścia dwa lata. Minął rezydencję i jechał dalej, do domu. Co za dużo, to niezdrowo.

Joseph Gerard III nie był jedynym potomkiem młodszych państwa Gerardów, ale jego rodzeństwo było nieważne. Ważne było dziecko. Joseph Gerard IV. Wielkie nazwisko jak dla takiego szkraba. Kiedy Blaze i George we wrześniu odczytywali liczniki, miał zaledwie dwa miesiące, więc teraz będzie miał, momencik, od września do stycznia jest raz-dwa-trzy-cztery, czyli teraz ma sześć miesięcy. Był to jedyny prawnuk pierwszego Josepha Gerarda.

– Jak chcesz kogoś porwać, to tylko niemowlaka – mówił George. – Taki mały dzieciak cię nie rozpozna, więc nie musisz go kropnąć. Nie spróbuje ci zwiać ani przekazać komuś listu do rodziny, żadnych gównianych numerów. Niemowlak tylko leży i nic nie robi. Nawet nie wie, że ktoś go porwał.

Ta rozmowa toczyła się u nich w chałupie, przy piwku, przed telewizorem.

– Ile mogą dać za takiego dzieciaka? – zapytał Blaze.

– Tyle, że już nigdy nie będziesz musiał w zimie sprzedawać lewych prenumerat ani kwestować na Czerwony Krzyż, odmrażając sobie przy tym dupsko – odparł George. – Może być?

– Ale powiedz, ile im zawołasz?

– Dwa miliony – rzucił George. – Jeden dla mnie i jeden dla ciebie. Nie trzeba być chciwym.

– Chciwy zawsze wpadnie – powiedział Blaze.

– Chciwy zawsze wpadnie – przytaknął George. – Tak cię uczyłem. A robotnik do czego ma prawo, Blejziu? Tego też cię uczyłem.

– Do wypłaty.

– Otóż to – George pociągnął łyk piwa. – Robotnik ma, kurwa, prawo do wypłaty.

Tak więc Blaze wracał do tej nędznej chałupy, w której zamieszkał razem z George'em po wyprowadzce z Bostonu na północ. Jechał z postanowieniem, że zrobi to, co wymyślił jego kumpel.

Pewnie go złapią, ale... dwa miliony dolarów! Z taką kasą można wyjechać w jakieś ciepłe strony, żeby nigdy w życiu już nie marznąć. A jak złapią? To najwyżej posadzą na dożywocie. I też już się nigdy w życiu nie zmarznie.

Blaze schował ukradzionego forda do szopy i tym razem nie zapomniał, że trzeba pozamiatać ślady opon. George będzie zadowolony.

Na obiad usmażył sobie hamburgery.

– Naprawdę chcesz to zrobić? – zapytał George z drugiego pokoju.

– Leżysz w łóżku, George?

– Nie, stoję na głowie i walę konia. Pytałem cię o coś.

– Spróbuję. Pomożesz mi?

George westchnął.

– Chyba nie mam wyjścia. Muszę teraz z tobą zostać. Ale wiesz co?

– Co?

– Bierz tylko milion. Chciwy zawsze wpadnie.

– Dobra, tylko milion. Chcesz hamburgera?

Nie doczekał się odpowiedzi. George znowu nie żył.

ROZDZIAŁ 3

Jeszcze tego samego wieczoru zaczął się zbierać, żeby pojechać po dzieciaka; im szybciej, tym lepiej. George zatrzymał go w pół kroku.

– Co robisz, bezjajcu?

Blaze, który właśnie miał iść do szopy i odpalić kradzionego forda, stanął w miejscu.

– Zbieram się i jadę. Chcę to zrobić, George.

– Co chcesz zrobić?

– Porwać dzieciaka.

George zaśmiał się tylko.

– Z czego się śmiejesz, George?

Jakbym nie wiedział, dodał w myślach.

– Z ciebie.

– Dlaczego?

– Jak zamierzasz go porwać? Powiedz mi.

Blaze zmarszczył brwi, przez co jego twarz, i tak już brzydka, zaczęła przypominać gębę trolla.

– Chyba tak, jak planowaliśmy. Wyniosę go z jego pokoju.

– Który to pokój?

– Ee, no…

– Jak się tam dostaniesz?

To akurat pamiętał.

– Przez któreś okno na piętrze. Tam są tylko zwykłe zatrzaski. Sam to zauważyłeś, George, jak robiliśmy za kolesiów od liczników. Pamiętasz?

– Masz drabinę?

– Ee, no…

– Jak już będziesz miał tego dzieciaka, to gdzie go położysz?

– W samochodzie, George.

– No, do jasnej, kurwa, ciasnej. – George mówił tak tylko wtedy, gdy sięgnął absolutnego dna i kompletnie brakowało mu słów.

– George… – zaczął Blaze.

– No chyba wiem, że w samochodzie, przecież nie przyniesiesz go tu na barana. Pytałem, co zrobisz, jak już będziesz miał go tutaj. Gdzie go położysz?

Blaze pomyślał o tym, jak wygląda chałupa. Rozejrzał się.

– Ee, no…

– A pieluchy? A butelki? A jedzenie dla dzieci? Czy może myślałeś, że niemowlak zje na obiad hamburgera i popije go piwem?

– Ee, no…

– Zamknij się! Bo się porzygam, jak jeszcze raz to powtórzysz!

Blaze usiadł przy kuchennym stole i spuścił głowę. Twarz go paliła.

– I wyłącz tę gównianą muzykę! Ta baba śpiewa tak, jakby za chwilę miała pęknąć!

– Dobrze, George.

Blaze wyłączył radio. Stary japoński telewizor, który George kupił od kogoś, kto wyprzedawał używane rzeczy, był popsuty.

– George?

Cisza.

– George, daj spokój. Nie odchodź. Przepraszam. – Sam wyraźnie słyszał strach w swoim głosie. O mały włos się nie pobeczał.

– Dobra – powiedział George, kiedy Blaze już prawie dał za wygraną. – Plan jest taki: musisz zrobić mały skok. Nie jakiś wielki napad. Malutki skok. Może być ten sklepik przy zjeździe z szosy numer jeden, tam, gdzie zawsze stawaliśmy na browara. Ten, co go prowadzą mama z tatkiem.

– No i co?

– Masz jeszcze colta?

– Pod łóżkiem, w pudełku na buty.

– Weź go. I włóż pończochę na głowę, bo inaczej ten facet z nocnej zmiany cię rozpozna.

– No.

– Pojedziesz tam w nocy z soboty na niedzielę, jak już będzie zamykał. Powiedzmy: za dziesięć pierwsza. Oni nie przyjmują czeków, więc powinieneś zgarnąć ze dwieście albo trzysta dolców.

– Jasne! Super!

– Jeszcze jedno, Blaze.

– Co, George?

– Wyjmij kule z rewolweru, dobrze?

– Jasne, George. Przecież wiem. Wszystko zrobię tak, żeby było po naszemu.

– Właśnie. Po naszemu. Jak będzie trzeba, to przywalisz gościowi, ale tak, żeby w gazetach napisali o tym najwyżej na trzeciej stronie. I w stanowej, i w lokalnej.

– Zrozumiano.

– Jesteś dupkiem, Blaze. Wiesz o tym, prawda? Nigdy ci nie wyjdzie ten numer. Może będzie lepiej, jak cię zwiną teraz, przy tym małym skoku.

– Nie zwiną mnie, George.

Cisza.

– George?

Cisza. Blaze wstał i włączył radio. Przy kolacji zapomniał się i postawił na stole dwa talerze.

ROZDZIAŁ 4

Clayton Blaisdell junior urodził się w mieście Freeport w stanie Maine. Trzy lata później jego matka przechodziła z zakupami na drugą stronę Main Street i wpadła pod ciężarówkę. Zginęła na miejscu. Kierowca, jak się okazało, był pijany i prowadził bez prawa jazdy. W sądzie powiedział, że żałuje. Płakał. Obiecał, że z powrotem zacznie chodzić na spotkania AA. Sędzia ukarał go grzywną i wsadził na sześćdziesiąt dni do paki. Mały Clay też dostał wyrok: życie z ojcem. Ojcem, który w piciu był ekspertem, nie miał natomiast pojęcia, co oznacza skrót AA. Clayton senior pracował na stanowisku sortowacza w fabryce tekstylnej Superior Mills w mieście Topsham. Koledzy mówili, że podobno czasami zdarza mu przyjść do roboty na trzeźwo.

Kiedy Clay poszedł do pierwszej klasy, umiał już czytać i bez trudności dodawał dwa jabłka do trzech. Już wtedy był duży jak na swój wiek i choć życie w mieście Freeport nikogo nie pieściło, nie miał problemów na podwórku, mimo że rzadko kiedy widywano go bez książki w dłoni albo pod pachą. Ale ojciec był większy od niego i dzieciaki w każdy poniedziałek z zaciekawieniem czekały, aż Clay Blaisdell przyjdzie do szkoły, żeby zobaczyć, gdzie ma nowe bandaże, a gdzie nowe siniaki.

– To będzie cud, jeśli ten chłopak dożyje pełnoletności, w każdym razie bez trwałych uszczerbków na zdrowiu – powiedziała kiedyś pani Sarah Jolison w pokoju nauczycielskim.

Cud się jednak nie zdarzył. Pewnego sobotniego poranka, kiedy właściwie nic się nie działo, Clayton senior, dręczony ciężkim kacem, wytoczył się z sypialni; mieszkali wtedy z synem w kamienicy, na drugim piętrze. Clay siedział po turecku przed telewizorem w dużym pokoju, oglądał kreskówki i zajadał jabłkowo-cynamonowe chrupki śniadaniowe.

– Ile razy mówiłem, że nie wolno ci tutaj żreć tego gówna? – zapytał starszy Clayton, a potem złapał młodszego, wyniósł z mieszkania i zrzucił ze schodów. Chłopiec upadł na głowę. Ojciec zszedł po niego, podniósł, przytaszczył na górę i znowu zrzucił. Za pierwszym razem Clay nie stracił przytomności. Za drugim zgasło mu światło. Ojciec ponownie zszedł po niego, podniósł, przytaszczył na górę i obejrzał.

– Żeż sukinkot jebany – warknął i zrzucił go jeszcze raz. – Masz – powiedział do leżącej bezwładnie u stóp schodów kupki nieszczęścia, która była jego synem, obecnie w stanie śpiączki. – Od dzisiaj dwa razy się namyślisz, zanim przyniesiesz mi do pokoju to zasrane gówno.

Niestety, Clay od tej pory zaczął mieć problemy z myśleniem. Trzy tygodnie przeleżał nieprzytomny w szpitalu Portland General. Lekarz, który go prowadził, był już zdania, że będzie tak leżał jak warzywo, dopóki nie umrze. W końcu jednak chłopiec odzyskał przytomność, ale okazało się, że jest teraz słaby na umyśle. I skończyło się noszenie książek pod pachą.

Urzędnicy opieki społecznej, zapoznawszy się z opisem obrażeń odniesionych przez Claya, nie chcieli uwierzyć jego ojcu, który twierdził, że syn spadł ze schodów tylko raz. Nie przekonały ich też jego wyjaśnienia dotyczące czterech na wpół zaleczonych śladów po przypalaniu papierosami, które odkryto na klatce piersiowej chłopca, a które żadną miarą nie przypominały „jakiejś tam łuszczącej choroby skóry”.

Clay już nie wrócił do mieszkania na drugim piętrze. Oddano go pod opiekę władz stanowych. Prosto ze szpitala trafił do domu dziecka, gdzie odbyła się inauguracja jego sierocego życia: dwóch chłopaków na podwórku wykopało mu spod pach kule i uciekło, chichocząc jak czarty. Clay podniósł się i z powrotem oparł na kulach. Nie płakał.

Jego ojciec próbował trochę protestować: najpierw złożył skargę na komisariacie we Freeport, potem chodził po różnych adwokatach w tym samym mieście. Odgrażał się, że odzyska syna, choćby miał podać sprawę do sądu. Nie zrobił tego. Twierdził, że kocha Claya i może nawet nie kłamał, ale jeśli faktycznie mówił prawdę, to jego miłość była z gatunku tych, które bolą. Chłopcu lepiej się działo z daleka od niego.

Lepiej, co nie znaczy dobrze. Hetton House w South Freeport to była tylko biedna farma dla sierot. Dzieciństwo Claya nie przypominało sielanki, chociaż zyskało nieco, kiedy już wyzdrowiał, bo przynajmniej mógł teraz popędzić najgorszych łobuzów, którzy zaczepiali go na podwórku; wziął też pod opiekę kilkoro młodszych dzieci, które przyszły do niego po pomoc. Dla tamtych był „przygłupem", „trollem" i „King Kongiem", ale nie obrażał się za to i nie zaczepiał ich, jeśli dawali mu spokój, a nie było z tym problemu, od kiedy spuścił jednemu z drugim porządny łomot. Nie miał złośliwego charakteru, ale sprowokowany stawał się groźny.

Te dzieciaki, które się go nie bały, wymyśliły mu od nazwiska ksywkę „Blaze" i tak właśnie zaczął o sobie myśleć*.

Pewnego dnia przyszedł list od ojca. Zaczynał się od słów *Kochany Synu*, a dalej było: *No i jak tam u Ciebie. U mnie w porzondku. Mam robotę w Lincoln w tartaku. I byłoby fajnie, gdyby te …syny nie kantowały nas na nadgodzinach, no! Jak już znajdę jakieś mieszkanko, to wtedy przyślę po Ciebie. No to skrobnij do Staruszka, jak Ci tam leci. A jakieś zdjęcie byś przysłał.* List był podpisany: *Całusy, Clayton Blaisdell.*

Blaze nie mógł wysłać ojcu zdjęcia, bo żadnego nie miał, ale napisałby do niego – pan od muzyki, który przychodził we wtorki, na pewno by mu pomógł – tylko, że na brudnej kopercie nie było adresu zwrotnego, a list zaadresowano po prostu: „Clayton Blaisdell junior, Dom Sieroty, FREEPORT, MAINE".

To był ostatni raz, kiedy Blaze miał wiadomości od ojca.

Podczas swojej kadencji w Hetton House był w kilku rodzinach zastępczych. Chętni zawsze przyjeżdżali do domu dziecka na je-

---

*Blaze (ang.) – ogień, płomień, błysk, wybuch (emocji) (przyp. tłum.).

sieni. Trzymali go tak długo, dopóki była robota przy zbiorach, a potem przy odśnieżaniu dachów i podwórek. Wiosną, kiedy przychodziła odwilż, okazywało się, że jakoś im ten chłopak nie leży i odsyłali go z powrotem. Niektórzy nie byli tacy źli, ale zdarzały się naprawdę potworne typy, na przykład rodzinka Bowie, właściciele tej koszmarnej hodowli psów.

Kiedy Blaze pożegnał się już na dobre z sierocińcem, ruszył w samotną włóczęgę po Nowej Anglii. Czasami czuł się szczęśliwy, ale nie tak, jak sobie wymarzył; nie było to szczęście, które widział u ludzi. W końcu osiadł w Bostonie (można tak powiedzieć, ale właściwie nigdy nie zapuścił tam korzeni), zrobił to jednak dlatego, że na wsi dokuczała mu samotność. Czasami, kiedy spał w jakiejś szopie, budził się w nocy, wychodził i patrzył na gwiazdy; wiedział, że były przed nim i że będą po nim i to wydawało mu się jednocześnie straszne i wspaniałe. Czasami, kiedy stał na drodze i łapał okazję, a zbliżał się już listopad, powiew wiatru łopotał jego nogawkami; ogarniał go wtedy żal za czymś, co już nie wróci, jak ten list, który przyszedł bez adresu. Czasami spoglądał wiosną w niebo i widział lecącego ptaka; często czuł się wówczas szczęśliwy, ale równie często ściskało go w środku, jakby coś miało w nim zaraz pęknąć.

Niedobrze tak się czuć, myślał wtedy. Chyba nie powinienem patrzeć na ptaki, skoro tak mi się potem robi. Ale mimo wszystko czasem spoglądał w niebo.

Boston był w porządku, ale czasami Blaze bał się, tak jak kiedyś. To miasto miało milion mieszkańców, może nawet więcej, a Clay Blaisdell nie obchodził absolutnie nikogo. Jeśli ktoś w ogóle go zauważył, to tylko dlatego, że był wyrośnięty i miał zapadłe czoło. Czasem Blaze kręcił się po mieście i szukał rozrywki, a czasem po prostu stał i się bał. Pewnego razu, kiedy próbował robić to pierwsze, ktoś zapoznał go z George'em Rackleyem. Od tej pory było mu już lepiej.

ROZDZIAŁ 5

Sklep nazywał się „Minutka", a mamusia i tatko, jego właściciele – Tim i Janet. Większość półek w głębi uginała się pod ciężarem kartonów piwa i wielkich butli z tanim winem. Całą tylną ścianę zajmowała gigantyczna chłodziarka, a połowę regałów – same przekąski. Obok kasy stał słój wielkości małego dziecka, pełen marynowanych jaj. Tim i Janet sprzedawali też takie artykuły pierwszej potrzeby jak papierosy, podpaski, hot dogi i sprośne książki.

Na nocnej zmianie pracował pryszczaty facet, który miał za sobą studia na uniwersytecie stanu Maine w Portland. Jego specjalizacją była hodowla zwierząt, a nazywał się Harry Nason. Kiedy za dziesięć pierwsza do sklepu wszedł ten wielki typ z zapadniętym czołem, Nason czytał akurat książkę podebraną z regału. Miała tytuł „Duży i twardy". O tej porze fala nocnych klientów zdążyła już osłabnąć do rozmiarów strużki z cieknącego kranu. Nason postanowił, że kiedy typ kupi swoje wino albo sześciopak, zamknie sklep i pójdzie do domu. I może weźmie tę książkę, żeby zrobić sobie dobrze. Właśnie wybrał sobie fragment, który szczególnie mu przypasował – o wędrownym kaznodziei i dwóch napalonych wdowach – kiedy wielki typ podstawił mu pod nos rewolwer i powiedział:

– Dawaj wszystko, co masz w kasie.

Nason upuścił książkę. Myśli o samogwałcie wyparowały mu z głowy. Stał i gapił się prosto w lufę. Otworzył usta, żeby powiedzieć coś inteligentnego. Jakiś tekst, który w telewizji mógłby rzucić aktor w scenie napadu z bronią w ręku – gdyby akurat ten aktor był głównym bohaterem. Ale z otwartych ust wyszło mu tylko „aaa".

– Dawaj wszystko, co masz w kasie – powtórzył wielki typ. Jego wklęśnięte czoło robiło przerażające wrażenie. Było na oko tak głębokie, że mogłoby robić za sadzawkę.

Harry Nason przypomniał sobie wtedy – jak przez lodowatą mgłę – instrukcje, które otrzymał od swojego szefa na okoliczność napadu: oddać bandycie wszystko bez gadania. Interes był w stu procentach ubezpieczony. Sprzedawca ni stąd, ni zowąd poczuł, że ma wyjątkowo delikatne i wrażliwe ciało, pełne jakichś pustych jam i kanałów, w których krążą płyny. Jego pęcherz zrobił się nagle bardzo tkliwy. Uświadomił sobie też z całą dosadnością, że dupę ma aż ciężką od gówna.

– Nie słyszałeś, facet, co do ciebie mówię?

– Aaa – kiwnął głową Nason i wbił pięścią klawisz NS.

– Włóż mi tę forsę do jakiejś torby.

– Dobra. Spoko. Jasne. – Zaczął grzebać w stosiku papierowych toreb ułożonym pod ladą, wywalając prawie wszystkie na podłogę. W końcu udało mu się złapać jedną. Pootwierał przegródki w szufladzie kasy i zaczął wrzucać banknoty do środka.

W tym momencie otworzyły się drzwi i do sklepu weszli chłopak z dziewczyną, prawdopodobnie parka studentów z college'u. Na widok rewolweru stanęli w miejscu.

– Co się dzieje? – zapytał chłopak. W zębach miał cygaretkę, a na piersi przypięty znaczek z hasłem: PALIĆ ZIOŁO JEST WESOŁO.

– To jest napad – wyjaśnił Nason. – Proszę... ee... nie zaczepiać tego pana.

– No, ile można? – powiedział chłopak z ziołowym znaczkiem. Wyszczerzył zęby i wycelował palec w Nasona. Miał żałobę pod paznokciem. – I teraz ten koleżka was oskubie.

Facet z rewolwerem odwrócił się do niego.

– Dawaj portfel – rozkazał.

– Kolego – odparł Zioło, nie przestając się uśmiechać – jestem z tobą. Tutaj mają takie ceny, że... No i wszyscy wiedzą, że Tim i Janet Quarles to największe prawicowe mendy od czasów Adolfa...

– Dawaj portfel, bo rozwalę ci łeb.

Zioło nagle zdał sobie sprawę z powagi sytuacji; dotarło do niego, że to nie jest film. Jego uśmiech zgasł, a elokwencja gdzieś się ulotniła. Na gwałtownie pobladłych policzkach brzydko wybiły się pryszcze. Sięgnął do kieszeni dżinsów i wyłowił czarny portfel.

– Gdzie jest policja, jak ich potrzeba? – syknęła zimno dziewczyna, która weszła razem z nim. Była ubrana w długi brązowy płaszcz i czarne skórzane buty. Kolor włosów miała – przynajmniej w tym tygodniu – dobrany do butów.

– Wrzuć mi tutaj ten portfel – zarządził facet z rewolwerem, wyciągając torbę w ich kierunku. Sprzedawca Harry Nason zawsze marzył, że kiedy zdarzy się napad, on – właśnie w takim momencie – rozwali bandycie głowę tym słojem z marynowanymi jajami i w taki sposób zostanie bohaterem. Tylko że głowa tego bandyty sprawiała wrażenie twardej. Bardzo twardej.

Portfel zniknął w torbie.

Facet z rewolwerem ominął ich łukiem, kierując się w stronę wyjścia. Jak na człowieka tej postury był bardzo zwinny.

– Ty świnio – powiedziała dziewczyna.

Wielki typ stanął jak wryty. Przez chwilę dziewczyna była już pewna (tak później mówiła policjantom), że zaraz się odwróci, zacznie strzelać i wszyscy nakryją się nogami. Kiedy na miejsce zdarzenia przyjechała policja, troje świadków, próbując opisać sprawcę, nie mogło się zgodzić co do tego, jakiego koloru miał włosy (brązowe, rudawe, blond), karnację (jasną, rumianą, bladą) czy ubranie (krótki marynarski płaszcz, wiatrówkę, wełnianą koszulę w kratę), ale wszyscy zapamiętali jego wzrost – wielki typ – i ostatnie słowa przed wyjściem ze sklepu. Był to właściwie jęk, skierowany, jak się wydawało, wprost do pustych drzwi, za którymi czerniła się mroźna noc:

– Jeezu, George! Pończocha! Zapomniałem!

I już go nie było. Mignął tylko w zimnym białym świetle dużej reklamy piwa Schlitz wiszącej nad wejściem. Chwilę później po drugiej stronie ulicy ryknął silnik, a za oknem sklepu przejechał samochód. Zauważyli, że był to sedan, ale żadne z nich nie rozpoznało marki ani modelu. Zaczynał padać śnieg.

– No to piwo mamy z głowy – zauważył Zioło.

– Idź do chłodziarki i weź sobie jedno. Nie musisz płacić – powiedział Harry Nason.

– Powaga? Na pewno?

– Na pewno, na pewno. I twoja laska też niech se weźmie. Co mi tam, mamy ubezpieczenie. – Po tych słowach zaczął się śmiać.

Wypytywany przez policjantów, powiedział, że nigdy wcześniej nie widział faceta, który obrobił sklep. Dopiero po jakimś czasie przyszło mu do głowy, że właściwie to mógł go już kiedyś widzieć, konkretnie zeszłej jesieni, a ten koleś był w towarzystwie chudego człowieczka o szczurzej twarzy, który kupował wino i bez przerwy kłapał dziobem.

ROZDZIAŁ 6

Następnego dnia rano, kiedy Blaze wstał z łóżka, zaspy sięgały okapu, a ogień zgasł. Wystarczyło dotknąć stopami podłogi, żeby pęcherz odezwał się bolesnym skurczem. Blaze poleciał do łazienki na samych piętach, krzywiąc się i zionąc obłoczkami białej pary. Przez jakieś pół minuty mocz leciał wysokim łukiem do muszli, aż wreszcie ciśnienie powoli opadło. Blaze westchnął, strząsnął i puścił sobie wiaterki.

Tymczasem na zewnątrz szalał i wył prawdziwy wiatr. Sosny rosnące za kuchennym oknem kołysały się, przygięte jego podmuchem. Blaze widział w nich grupę zwiewnych kobiet zebranych na czyimś pogrzebie.

Ubrał się i wyszedł tylnymi drzwiami i przebrnął wokół domu do stosu drewna na opał, ułożonego pod okapem od południowej strony. Podjazd kompletnie zniknął pod śniegiem, a widoczność spadła do najwyżej półtora metra. Sprawiło mu to szaloną radość. Upajał się ziarnistym dotykiem śniegu oblepiającego mu twarz.

Na podpałkę miał całe dębowe polana. Nabrał ich w ręce, ile tylko mógł, i wrócił jak najszybciej do domu, przystając tylko na chwilę, żeby otupać buty ze śniegu. Nie zdjął kurtki, dopóki nie rozpalił ognia. Potem napełnił dzbanek do kawy. Na stole postawił dwa kubki.

Nagle zamarł, marszcząc brwi. Tknęło go, że o czymś zapomniał...

Forsa! Nie przeliczył przecież forsy.

Ruszył biegiem do pokoju. Głos George'a osadził go w miejscu.

– Dupek. – George był w łazience.

– George, m...

– George, jestem dupkiem. Możesz to powiedzieć?

– Mam...

– Nie. Powiedz: „George, jestem dupkiem, który zapomniał włożyć pończochę".

– Mam for...

– Powiedz to.

– George, jestem dupkiem. Zapomniałem.

– O czym?

– Że mam włożyć pończochę.

– A teraz powiedz tak: „George, jestem dupkiem, który chce, żeby go złapali".

– Nie! To nieprawda! George, to jest kłamstwo!

– To jest święta prawda. Chcesz wpaść, trafić do Shawshank i robić w więziennej pralni. Taka jest prawda, cała prawda i tylko prawda. Czysta, żywa prawda. Jesteś głupi jak but.

– Nieprawda, George. Nie jestem głupi jak but. Przysięgam.

– Idę sobie.

– Nie! – Blaze zadławił się panicznym strachem. Kiedyś, jak był mały i krzyczał, ojciec zakneblował go rękawem flanelowej koszuli; to było coś podobnego. – Nie, nie idź, zapomniałem, jestem matołem, bez ciebie nigdy nie spamiętam, co trzeba kupić...

– Trzymaj się, Blejziński – powiedział George; jego głos, chociaż wciąż jeszcze dobiegał z łazienki, zaczął jakby słabnąć. – Miłej wpadki i odsiadki. Baw się dobrze przy prasowaniu prześcieradeł.

– Zrobię wszystko, co każesz. Już więcej nie dam dupy.

Nastała długa cisza, aż Blaze zaczął myśleć, że George naprawdę sobie poszedł.

– Może wrócę. Ale wątpię – odezwał się w końcu jego głos.

– George! Hej, George?

Kawa była już gorąca. Napełnił jeden kubek i poszedł do sypialni. Brązowa papierowa torba z forsą leżała schowana pod materacem, po tej stronie, gdzie sypiał George. Wysypał wszystko prosto na pościel, której wciąż zapominał zmienić. Spał w niej już od trzech miesięcy. Odkąd umarł George.

Z kasy wpadło dwieście sześćdziesiąt dolarów. Student miał w portfelu osiemdziesiąt. Taka sumka spokojnie wystarczy mu na...

Na co? Co miał kupić?

Pieluchy. Pieluchy to podstawa. Jak się chce porwać niemowlaka, to trzeba mieć pieluchy. Inne rzeczy też, ale tych innych rzeczy już nie mógł sobie przypomnieć.

– Co miałem kupić oprócz pieluch, George? – rzucił swobodnym tonem, niby od niechcenia, mając nadzieję, że George da się zaskoczyć i odpowie. Ale on jakoś się na to nie złapał.

Może wrócę. Ale wątpię.

Włożył pieniądze z powrotem do brązowej torby i wziął sobie portfel studenta; jego własny był już wysłużony, podarty i pocięty. Blaze miał w nim dwa zatłuszczone banknoty dolarowe, wyblakłe zdjęcie swoich starych, czule przytulonych i fotę z automatu, którą kiedyś zrobił sobie z Johnem Cheltzmanem, jedynym prawdziwym kumplem, jakiego miał w Hetton House. Oprócz tego nosił tam jeszcze swoją szczęśliwą półdolarówkę z Kennedym, stary rachunek za tłumik samochodowy (do tego starego, rozklekotanego pontiaka bonneville, którym kiedyś jeździli z George'em) i złożone zdjęcie z polaroidu.

Ze zdjęcia spoglądał uśmiechnięty George. Mrużył oczy, bo słońce świeciło mu prosto w twarz. Był ubrany w dżinsy i robocze buty, a czapkę miał na bakier, daszkiem w lewo. Zawsze ją tak nosił. Mówił, że lewa to szczęśliwa strona.

Zrobili razem dużo numerów. Większość z nich – w tym wszystkie najlepsze – to były całkiem proste przekręty. W jednych chodziło o umyślne wprowadzenie kogoś w błąd, inne opierały się na ludzkiej chciwości albo na strachu. George mówił na nie „szybkie kanty". Te, które opierały się na strachu, to były szybkie kanty tak zwane „zawałowe".

– Lubię proste rzeczy – mawiał. – Dlaczego lubię proste rzeczy, Blaze?

– Bo nie mają dużo ruchomych części.

– Otóż to! Nie mają dużo ruchomych części.

Najlepsze kanty zawałowe wyglądały tak: George, zrobiony, jak to mówił „prawie na bóstwo", ruszał w objazd po specjalnych knajpach, które znał w Bostonie. Nie były to ani bary stricte gejowskie, ani lokale tylko dla heteryków. George miał dla nich własną nazwę: „heterogejniczne". Zawsze było tak, że klient sam do niego podchodził. George nigdy nie musiał się o nic starać. Blaze'owi parę razy dało to do myślenia i próbował wziąć to na rozum (chociaż nie bardzo miał na co), ale niczego nie wymyślił.

George miał nosa do zakamuflowanych pedziów i rozrywkowych biseksów, którzy wyskakują na łowy najwyżej raz czy dwa w miesiącu, chowając obrączki głęboko w portfel. Hurtownicy na dorobku, agenci ubezpieczeniowi, dyrektorzy szkół, błyskotliwi młodzi bankierzy; George mówił, że można ich wyczuć węchem. I był dla nich dobry. Podsuwał właściwe słowo, kiedy widział, że się krępują. A potem mówił, że ma pokój w dobrym hotelu. Nie w jakimś nie wiadomo jak świetnym, ale w dobrym. Bezpiecznym.

Hotel był położony niedaleko Chinatown i nazywał się „Imperial". George i Blaze mieli umowę z recepcjonistą z drugiej zmiany i głównym portierem, szefem boyów. Nie dostawali za każdym razem tego samego klucza, ale pokój, który brali, zawsze był na końcu korytarza i w pewnej odległości od innych zajętych numerów.

Blaze siedział na dole w holu od trzeciej do jedenastej, wystrojony w ciuchy, których normalnie by nie włożył za żadne skarby świata. Włosy zawsze miał wypomadowane na wysoki połysk. Czekał na George'a i czytał sobie komiksy. Nigdy mu się nie dłużyło.

Prawdziwy geniusz George'a objawiał się w tym, że klient przyprowadzony do hotelu rzadko kiedy okazywał nerwy. Był przejęty, owszem, ale nigdy zdenerwowany. Blaze dawał im piętnaście minut, a potem szedł na górę.

– Ty nie wchodzisz do pokoju – tłumaczył mu George. – Nie myśl tak o tym. Pojawiasz się na scenie. Jedyną osobą, która nie wie, że to wszystko gra, jest klient.

Blaze otwierał drzwi własnym kluczem, wchodził na scenę i wygłaszał swoją pierwszą kwestię: „Hank, kochanie, jak się cieszę, że już wróciłem". Potem miał w roli napad szału, z którym radził sobie całkiem, całkiem, chociaż w Hollywood prawdopodobnie by się z tym nie przebił: „O Jezu, nie! Ja go zatłukę! Zatłukę jak psa!". Po tych słowach rzucał się z całym impetem swoich stu trzydziestu kilogramów żywej wagi na łóżko, gdzie leżał dygoczący z przerażenia klient (z reguły był już wtedy tylko w skarpetkach). George stawał pomiędzy gołym i niewesołym facetem a swoim rozjuszonym „partnerem", starannie zgrywając się w czasie, żeby zdążyć w ostatniej chwili. Klient myślał sobie pewnie, że to raczej nędzna osłona przed taką furią. O ile w ogóle był w stanie myśleć. A George z Blaze'em odstawiali telenowelę.

GEORGE
Dana, posłuchaj. To nie tak, jak myślisz.

BLAZE
Zabiję go! Zejdź mi z drogi i daj mi go zabić! Wyrzucę go przez okno!

(Przerażone piski klienta/klientów – było ich w sumie ośmiu albo dziesięciu).

GEORGE
Proszę cię, pozwól mi wyjaśnić.

BLAZE
Urwę mu jaja!

(Klient zaczyna błagać o życie i o nietykalność dla swoich organów płciowych, niekoniecznie w takiej właśnie kolejności).

GEORGE
Nic mu nie urwiesz. Zejdziesz spokojnie na dół do holu i poczekasz tam na mnie.

W tym momencie Blaze ponownie rzucał się na klienta. George powstrzymywał go – z ledwością – a Blaze łapał spodnie tamtego i wyrywał z kieszeni portfel.

BLAZE
Wiem, jak się nazywasz, fiucie! Wiem, gdzie mieszkasz! Dzwonię do twojej żony!

W tym momencie prawie każdy klient przestawał myśleć o życiu, jak również o całości swoich narządów, koncentrował się natomiast na osobistych świętościach: honorze oraz reputacji u znajomych i sąsiadów. Blaze nigdy nie mógł się temu nadziwić, ale fakt był faktem. Kolejnych zaś faktów dostarczał portfel klienta, który przedstawiał się George'owi jako Bill Smith z New Rochelle, a nazywał się, oczywiście, Dan Donahue i pochodził z miasta Brookline.
Tymczasem podejmowano zawieszoną akcję: spektakl musi przecież trwać.

GEORGE
Idź na dół, Dana. Bądź kochanym chłopakiem i poczekaj na mnie na dole.

BLAZE
Nie!

GEORGE
Idź, bo inaczej już nigdy się do ciebie nie odezwę. Mam już po dziurki w nosie twojej zaborczości i tych twoich napadów gniewu. Mówię poważnie!

W tym momencie Blaze wychodził, przyciskając portfel do piersi, ciskając pod nosem groźby i piorunując klienta złowrogim spojrzeniem.
Kiedy tylko zamknęły się za nim drzwi, klient robił George'owi wielką scenę. Musiał odzyskać portfel. Był gotów na wszystko,

byle tylko go odzyskać. Nie chodziło mu o pieniądze, ale o dokumenty. Gdyby Sally się dowiedziała... I Junior! Och, Boże, pomyśl tylko, co ten mały Junior...

George uspokajał klienta. Był w tym dobry. Być może, mówił, Dana da się przekonać. A nawet prawie na pewno. Trzeba mu tylko dać kilka minut, niech ochłonie, a potem on, George, porozmawia z nim w cztery oczy. Przekona go. I trochę dopieści, wielkiego przygłupa.

Blaze, rzecz jasna, nie czekał w holu hotelowym. Był w pokoju na drugim piętrze. George przychodził do niego i razem liczyli urobek. Najgorsza noc przyniosła im czterdzieści trzy dolary. Najlepsza – pięćset pięćdziesiąt, zabrane kierownikowi dużej sieci restauracji.

Każdy klient dostawał tyle czasu, ile potrzeba, żeby się porządnie spocić i złożyć sobie kilka smętnych obietnic. Dostawał ten czas od George'a, który zawsze wiedział, ile komu dać. To było niesamowite. Jakby miał w głowie zegar, nastawiony inaczej dla każdego klienta. Kiedy wreszcie wracał do pokoju z portfelem, mówił tak: Dana posłuchał w końcu głosu rozsądku, ale nie chciał oddać pieniędzy. I tak zrobiłem wszystko, co mogłem, żeby zwrócił karty kredytowe. Przykro mi.

Ale w tej chwili pieniądze liczą się dla klienta tyle, co zeszłoroczny śnieg. Gorączkowo grzebie w portfelu, sprawdzając, czy ma jeszcze prawo jazdy, ubezpieczenie zdrowotne, ubezpieczenie na życie, zdjęcia. Wszystko jest na swoim miejscu. Dzięki Ci, Boże, wszystko jest. Uboższy, lecz mądrzejszy, klient ubiera się i znika, żałując zapewne, że w ogóle istnieje coś takiego jak popęd płciowy.

Przez cztery lata, od momentu, kiedy się poznali, do wpadki, która zakończyła się dla Blaze'a drugim wyrokiem, robili ten numer wielokrotnie i zawsze im wychodziło. Nigdy nie mieli najmniejszych problemów z policją. Blaze, chociaż ciężko było u niego z pomyślunkiem, grał doskonale. Oprócz George'a miał w życiu tylko jednego prawdziwego przyjaciela, więc wystarczyło sobie wyobrazić coś takiego: ten facet próbuje wmówić George'owi, że on, Blaze, jest do niczego. Że szkoda na niego czasu i rozlicznych talentów George'a. Nie dość, że matoł, to jeszcze patałach i frajer. Kiedy Blaze uwierzył w to wszystko, jego szał był jak najzupełniej autentyczny. Gdyby George odsunął się na bok, połamałby klientowi obie ręce. Albo go zabił.

A teraz siedział, obracając w palcach zdjęcie z polaroidu i czuł w sobie wielką pustkę, tak jak wtedy, gdy widział gwiazdy na nocnym niebie albo ptaka z rozwianymi piórami siedzącego na drucie telefonicznym czy jakimś kominie. George umarł, a on dalej miał tak samo mało oleju w głowie. Był w kropce i nie widział wyjścia z tej sytuacji.

A gdyby tak pokazał George'owi, że starczy mu rozumu choćby na sam początek? Że wcale nie chce, żeby go złapali? Ale jak to właściwie zrobić?

Jak? Trzeba kupić pieluchy. I co jeszcze? Jezu kochany, co jeszcze?

Blaze zapadł w myślowy letarg. Łamał sobie głowę przez cały poranek, który krztusił się wiatrem i sypiącym śniegiem.

ROZDZIAŁ 7

Do sklepu o wdzięcznej nazwie „Dziecięce Królestwo", mieszczącego się na jednym z pięter centrum handlowego Hager's Mammoth Departament Store, Blaze pasował mniej więcej tak samo, jak ogródek skalny do wytwornego salonu. Miał na sobie dżinsy, robocze buciory zawiązane na rzemienne sznurówki, flanelową koszulę i czarny skórzany pas z klamrą zsuniętą na lewy bok, czyli na szczęśliwą stronę. Tym razem nie zapomniał o czapce, tej kraciastej z nausznikami. Trzymał ją teraz w dłoni, stojąc na samym środku zalanego światłem pomieszczenia zdominowanego przez kolor różowy. Spojrzał w lewo – stoliki do przewijania. W prawo – wózki. Jakby wylądował na planecie Dzidziuś.

W sklepie było mnóstwo kobiet. Jedne miały ogromne brzuchy, inne – malutkie dzieci. Wiele dzieci płakało, natomiast wszystkie kobiety mierzyły Blaze'a nieufnym spojrzeniem, jakby spodziewały się, że za chwilę wpadnie w dziki szał i zabierze się do pacyfikacji planety Dzidziuś, drąc w strzępy poduszeczki i wypruwając wnętrzności z pluszowych misiów. Wreszcie podeszła do niego sprzedawczyni. Był jej wdzięczny, że się nim zainteresowała, bo krępował się odezwać do kogokolwiek. Potrafił wyczuć, że ludzie się go boją i wiedział, kiedy nie pasuje do otoczenia; był tępy, ale nie aż tak.

Sprzedawczyni zapytała, czy może w czymś pomóc. Odpowiedział, że tak. Pomimo długotrwałych wysiłków nie zdołał ogarnąć myślami wszystkiego, co musi kupić. Jedynym wyjściem z sytuacji był w jego przekonaniu fortel, co dla niego oznaczało jakiś kant.

– Dopiero co wróciłem. Wyjeżdżałem do innego stanu – oznajmił sprzedawczyni, szczerząc do niej zęby; takim uśmiechem z powodzeniem można by płoszyć pumy. Kobieta wykazała się odwagą i również się uśmiechnęła. Czubek jej głowy znajdował się prawie na wysokości mostka Blaze'a. – No i właśnie się dowiedziałem, że jak mnie nie było, to żona mojego brata urodziła dzieciaka... dziecko. No to chciałem mu kupić wyprawkę. Wszystko co tam trzeba.

Sprzedawczyni pojaśniała.

– Rozumiem. Śliczny prezent. Bardzo hojny. Czy ma pan na myśli coś konkretnego?

– Nie wiem. Ja się tam nie wyznaję... nie znam... na małych dzieciach.

– A ile ma pański bratanek?

– Co?

– Dziecko pańskiego brata.

– A! Kapuję! Sześć miesięcy.

– Sama słodycz. – Sprzedawczyni rozpromieniła się profesjonalnie. – Jak ma na imię?

Blaze'a zatkało na moment. Wreszcie wypalił:

– George.

– Śliczne imię. To z greki, wie pan? Oznacza „ten, który uprawia ziemię".

– Tak? Niezła jazda.

– Prawda? – Sprzedawczyni nie przestawała się uśmiechać. – No dobrze. Proszę mi powiedzieć, co pańska bratowa już ma dla dziecka?

Na to pytanie Blaze był przygotowany.

– Chodzi o to, że te rzeczy, co teraz mają, nie są wcale najlepsze. U nich jest raczej cienko z kasą.

– Rozumiem. Więc pan chce... kupić im wszystko od nowa?

– No. Szybko pani łapie.

– To naprawdę bardzo hojny prezent. Zacznijmy zatem w Puchatkowej Alejce, w Zakątku Słodkich Snów. Mamy akurat bardzo ładne drewniane łóżeczka...

Blaze był w szoku, widząc, ile potrzeba, żeby utrzymać przy życiu jeden mały strzępek ludzkiego istnienia. Urobek z nocnego sklepu wydawał mu się całkiem przyzwoity – a mimo to z wyprawy na planetę Dzidziuś powrócił z portfelem odchudzonym niemal do zera.

Kupił łóżeczko firmy Dreamland, kołyskę Seth Harney, wysokie krzesełko Happy Hippo, składany stolik do przewijania, plastikową wanienkę, osiem koszulek nocnych, osiem par majteczek z gumowanej tkaniny, osiem podkoszulek dziecięcych (firmowych ze sklepu Hager's) zapinanych na zatrzaski, których nie umiał rozpiąć, trzy prześcieradła z gumką wyglądające jak stołowe serwety, trzy kocyki, zestaw „łóżeczkowych zderzaków" mających chronić niemowlę przed rozbiciem głowy, gdyby miało niespokojny sen, sweterek, czapeczkę, kapciuszki, parę czerwonych bucików z dzwoneczkami na języku, dwie pary spodenek i dwie dobrane do nich koszulki, cztery pary skarpetek, do których nie mógł wcisnąć nawet palców, komplet butelek dla dzieci firmy Playtex (jednorazowe foliowe wkłady do tych butelek wyglądały dokładnie jak torebki, w których George kupował trawkę), jakieś pudełko, na którym było napisane „Similac", karton Dziecięcych Przecierów Owocowych, karton Dziecięcych Obiadków i karton Dziecięcych Deserów, a do tego dziecięce nakrycie ze smerfami.

Żarcie dla dzieci było do dupy. Spróbował po powrocie.

W miarę jak rósł stos paczek odkładanych w kącie, młode matrony krążące po „Dziecięcym Królestwie" zaczęły rzucać w stronę Blaze'a nieco inne spojrzenia: dłuższe i zaintrygowane. To już było wydarzenie, które należało zakarbować sobie w pamięci – wielki, przygarbiony chłop ubrany jak prosto z lasu chodzi za filigranową sprzedawczynią od półki do półki, łowi każde jej słowo, a potem kupuje to, co ona mu powie. Sprzedawczyni nazywała się Nancy Moldow. Pracowała na prowizji, a tego popołudnia jej oczy lśniły wprost nieziemskim blaskiem. Kiedy w końcu podliczyła należność, a Blaze wręczył jej pieniądze, dorzuciła mu jeszcze cztery paczki pampersów.

– To był piękny dzień – powiedziała. – Kto wie, czy nie pierwszy dzień mojej wielkiej kariery w branży dziecięcej?

– Dziękuję pani – mruknął Blaze. Cieszył się, że dostał te pampersy, bo w końcu i tak zapomniał o pieluchach.

Kiedy ładował swoje zakupy do dwóch wózków (kartony z wysokim krzesełkiem i łóżeczkiem wziął pomocnik sklepowy), Nancy Moldow zawołała:

– Tylko proszę przyprowadzić do nas tego młodzieńca, zrobimy mu zdjęcie!

– Dobrze, proszę pani – wymamrotał Blaze. Nie wiedzieć czemu błysnęło mu w głowie wspomnienie policyjnego zdjęcia, które miał zrobione po swoim pierwszym aresztowaniu. Przypomniał sobie też gadkę gliniarza, który go ustawiał przed aparatem: „A teraz odwróć się bokiem i przykucnij jeszcze raz, drągalu. Jezu, na czym ty tak urosłeś?".

– To zdjęcie będzie na koszt firmy Hager's! – powiedziała sprzedawczyni.

– Tak, proszę pani.

– Sporo masz tego towaru, stary – powiedział pomocnik sklepowy, chłopak najwyżej dwudziestoletni, któremu dopiero schodził z twarzy nastoletni trądzik. Pod szyją miał zapiętą małą czerwoną muchę. – Gdzie zaparkowałeś?

– Z tyłu sklepu – odpowiedział Blaze.

Poszedł za chłopakiem, który uparł się, że będzie pchał jeden wózek, a potem narzekał, że źle się go prowadzi po ubitym śniegu.

– Tutaj na tyłach nie sypią soli i wszystko lepi się do kółek, a wózki łapią poślizg. Trzeba uważać, bo można się tak walnąć w kostkę... Mówię ci. Ja tam się nie skarżę, ale...

To w takim razie, co robisz, mistrzu olimpijski, Blaze usłyszał wyraźnie kpiący głos George'a, chwalisz się, jaką masz fajną pracę?

– Już – powiedział Blaze. – Tutaj stoi mój samochód.

– Dobra. Co wrzucić do kufra? Krzesełko, łóżeczko czy oba razem?

Blaze nagle przypomniał sobie, że nie ma klucza do bagażnika.

– Połóżmy wszystko na tylnym siedzeniu.

Chłopak wytrzeszczył oczy.

– Ee, tam to się chyba nie zmieści. Chyba raczej na pewno…

– Niektóre rzeczy pójdą na przód. Ten karton z łóżeczkiem postawi się na podłodze po stronie pasażera. Zaraz złożę siedzenie.

– Ale dlaczego nie do kufra? Nie będzie prościej?

Blaze już chciał ściemnić i powiedzieć, że bagażnik ma załadowany innymi rzeczami, ale cały kłopot z oszukaństwem polega na tym, że jedno kłamstwo rodzi następne i tak dalej, a człowiek ani się obejrzy i sam już nie wie, gdzie jest. „Kiedy tylko mogę, zawsze mówię prawdę", uczył go George. „To jest jak przejażdżka po własnej okolicy".

Tak więc Blaze pokazał chłopakowi zapasowy, dorobiony klucz do forda.

– Zgubiłem kluczyki – wyjaśnił. – Dopóki ich nie znajdę, mam tylko ten jeden.

– Aha – powiedział pomocnik sklepowy, patrząc na niego jak na idiotę, ale że nie była to dla Blaze'a pierwszyzna, więc się nie obraził. – No to kanał…

W końcu udało im się załadować całe zakupy do środka. Okazało się to niemałą sztuką. Trzeba też było dopychać kolanem, ale dali radę. We wstecznym lusterku przez chwilę widać nawet było trochę świata za tylną szybą, ale pudło ze złożonym stolikiem do przewijania położyło kres tym widokom.

– Fajny wóz – powiedział pomocnik sklepowy. – Stary, ale jary.

– No – przytaknął Blaze, a potem dodał jeszcze coś, co czasami słyszał od George'a: – Miłość do tych maszyn żyje w sercach naszych.

Zaczął się zastanawiać, czy ten chłopak przypadkiem na coś nie czeka. Bo takie sprawiał wrażenie.

– Ile ma silnik? Pięć litrów?

– Pięć i pół – odpowiedział Blaze automatycznie.

Chłopak skinął głową. I stał dalej.

Z tylnego siedzenia forda dobiegł głos George'a (nie było tam miejsca, ale jakoś mu to nie przeszkadzało):

– Jak nie chcesz, żeby tutaj stał do usranej śmierci, to daj mu napiwek i niech spada.

Napiwek. Jasne.

Blaze wyciągnął portfel, przejrzał swoją niezbyt bogatą kolekcję banknotów i z ociąganiem wyjął piątkę, która zniknęła w dłoni chłopaka.

– W porządku, stary – usłyszał na pożegnanie. – Buduj pokój.

– Niech będzie – burknął w odpowiedzi. Wsiadł do forda i włączył silnik. Pomocnik sklepowy zabrał oba wózki i prowadził je z powrotem. W połowie drogi do drzwi przystanął i obejrzał się. Blaze'owi nie podobało się jego spojrzenie. Tak się patrzy, kiedy się chce coś zapamiętać.

– Powinienem szybciej sobie przypomnieć o tym napiwku, prawda, George?

George nie odpowiedział.

Po powrocie do domu Blaze schował forda w szopie i wtaszczył cały ten dziecięcy szajs do chałupy. Łóżeczko skręcił w sypialni, a obok postawił złożony stolik do przewijania. Nie musiał przy pracy zaglądać do instrukcji; wystarczyło, że przyjrzał się zdjęciu na pudełku i ręce same robiły, co trzeba. Kołyska stanęła w kuchni, obok pieca – ale nie za blisko. Resztę rzeczy upchnął w szafie w sypialni, żeby zniknęły mu z oczu.

Kiedy skończył, dotarło do niego, że w sypialni zaszła jakaś zmiana. Nie chodziło jedynie o nowe meble. Razem z nimi pojawiło się coś jeszcze. Zmienił się nastrój. Jakby w pokoju uobecnił się duch – ale nie kogoś, kto umarł i odszedł, tylko kogoś, kto dopiero miał nadejść.

Blaze czuł się z tym dziwnie.

ROZDZIAŁ 8

Następnego dnia Blaze postanowił, że musi wreszcie skombinować jakieś bezpieczne numery do swojego trefnego wozu i wieczorem ukradł tablice rejestracyjne z volkswagena zaparkowanego pod spożywczakiem „U Jima Jarosza" w Portland, a w ich miejsce założył tablice z forda. Zanim właściciel volkswagena zorientuje się, że jeździ na nie swoich numerach, może upłynąć kilka tygodni albo nawet miesięcy, bo na naklejce rejestracyjnej była siódemka, co znaczyło, że termin odnowienia rejestracji jest wyznaczony dopiero na lipiec. Zawsze sprawdzaj naklejkę; to George go tego nauczył.

Pojechał do sklepu, gdzie sprzedawali towary z rabatem. Czuł się bezpieczny, jadąc na tych nowych numerach i wiedział, że poczuje się jeszcze bezpieczniejszy, kiedy ford zmieni skórę. Kupił cztery puszki lakieru w kolorze „błękit skowronka" oraz pistolet do malowania. I wrócił do domu – spłukany, ale zadowolony.

Kolację zjadł, siedząc przy piecu i bębniąc piętami po startym linoleum w rytm piosenki „Okie from Muskogee". Śpiewała ją Merle Haggard. Stara Merle naprawdę umiała się podlizać tym zasranym hipisom.

Pozmywał i zabrał się do roboty. Najpierw przeciągnął do szopy przedłużacz (poklejony w wielu miejscach taśmą) i zawiesił żarówkę na belce. Blaze uwielbiał malować, a błękit skowronka to był jeden z jego ulubionych kolorów. Taka nazwa musi się podobać. Kiedy coś ma taką barwę, to znaczy, że jest błękitne jak ptak. Jak skowronek.

Wrócił do domu i przyniósł stertę starych gazet. George codziennie kupował gazetę, i to do czytania, a nie tylko do przeglądania dowcipów rysunkowych. Czasem czytał też Blaze'owi artykuły wstępne, bluzgając przy tym ile wlezie na republikańskich wsioków. Mówił, że republikanie nienawidzą biednych. Prezydenta nazywał „cholernym mięczakiem z Białego Domu".

George był zagorzałym demokratą; przed dwoma laty on i Blaze mieli prodemokratyczne naklejki wyborcze na zderzakach trzech kolejnych samochodów, które ukradli.

Wszystkie te gazety były już bardzo stare; normalnie Blaze zasmuciłby się, widząc stare gazety, ale tego dnia był zbyt podekscytowany malowaniem samochodu. Okleił nimi okna i koła, szczególnie starannie zasłaniając chromowane listwy i zderzaki.

O dziewiątej szopę wypełnił bananowy zapach farby w sprayu, a o jedenastej było już po wszystkim. Blaze zerwał gazety i poprawił gdzieniegdzie, a potem stanął, aby podziwiać swoje dzieło. Uznał, że wykonał dobrą robotę.

Poszedł spać; nawdychał się oparów, więc czuł się na lekkim haju, a rano bolała go głowa.

– George? – zagadnął z nadzieją w głosie.

Cisza.

– George, jestem spłukany. Nie mam już ani centa.

Cisza.

Przez cały dzień snuł się po domu, nie wiedząc, co teraz robić.

Facet z nocnej zmiany czytał książkę zatytułowaną „Herod-balleriny", kiedy nagle pod nos podjechała mu lufa colta. To był ten sam colt. I ten sam burkliwy głos:

– Dawaj wszystko, co masz w kasie.

– O nie – jęknął Harry Nason. – O Jezu.

Podniósł wzrok. Stał przed nim chiński upiór z płaskim nosem pod kobiecą nylonową pończochą, która spływała mu po plecach jak długi ogon przy czapce z pomponem.

– To znowu ty? – szepnął sprzedawca. – Tylko nie to.

– Dawaj wszystko, co masz w kasie. I włóż do torby.

Tym razem nikt nie wszedł do sklepu, a ponieważ to był dzień powszedni, w kasie zebrało się mniej gotówki niż wtedy. Wychodząc, facet z rewolwerem przystanął i odwrócił się. „I teraz mnie zabije", pomyślał Harry Nason. Ale tamten, zamiast strzelić, powiedział tylko:

– Tym razem nie zapomniałem włożyć pończochy.

Zza nylonowej maski błysnął jakby szeroki uśmiech.

A potem faceta już nie było.

ROZDZIAŁ 9

Kiedy Clayton Blaisdell junior trafił do Hetton House, rządziła tam dyrektorka. Zamiast jej nazwiska zapamiętał tylko siwe włosy, ogromne szare oczy wyglądające zza szkieł okularów i to, że czytała im Biblię, a każdy poranny apel kończyła słowami: „Bądźcie grzeczne, dzieci, a niczego wam nie zabraknie". Aż nagle pewnego dnia to jej zabrakło, bo dostała udaru. Blaze, kiedy słyszał, jak inni o tym mówili, najpierw myślał, że dostała radaru, ale w końcu zrozumiał, że wymawiają „udar". To był taki ból głowy, który trzyma i nie chce puścić. Na miejsce dyrektorki przyszedł pan Martin Coslaw. Jego nazwisko Blaze dla odmiany zapamiętał doskonale, i to nie tylko dlatego, że dzieciaki mówiły na niego Koślaw. Ten człowiek wbił mu się w pamięć na zawsze, ponieważ uczył arytmetyki.

Lekcje arytmetyki odbywały się w sali siódmej na drugim piętrze. W zimie był tam taki mróz, że nawet kurkowi na dachu odmarzłyby jaja. Na ścianach wisiały portrety George'a Washingtona, Abrahama Lincolna i siostry Mary Hetton. Siostra Hetton była blada i miała czarne włosy sczesane do tyłu i związane w coś, co przypominało gałkę do drzwi. Oczy też miała ciemne; Blaze czasami w trakcie ciszy nocnej widywał te oczy w myślach – lśnił w nich wtedy niemy wyrzut. Najczęściej siostra miała pretensję o to, że Blaze jest tępy. Za tępy, żeby iść do szkoły średniej. To samo zresztą mówił Koślaw.

W sali numer siedem były stare, żółte podłogi i zawsze pachniało tam pokostem, przez co Blaze, choćby wszedł wyspany i przytomny, natychmiast robił się śpiący. Pod sufitem wisiało dziewięć kulistych lamp, upstrzonych przez muchy; zapalano je w deszczowe dni, a ich światło było słabe i smutne. Na ścianie przed rzędami pulpitów wisiała stara tablica, a nad nią, na zielonych tabliczkach, wypisano alfabet stylem z elementarza Palmera: razem wielka litera i jej mniejsza koleżanka. Za alfabetem były cyfry od zera do dziewiątki, a takie piękne i kształtne, że od samego patrzenia człowiek czuł się głupkiem, co bazgrze jak kura pazurem. Pulpity ławek pokrywało mnóstwo zachodzących na siebie napisów i inicjałów, w dużej mierze zatartych przy kolejnych piaskowaniach i lakierowaniach, ale nigdy nieusuniętych całkowicie. Ławki były przyśrubowane do podłogi, a każda miała własny kałamarz z atramentem Cartera. Karą za rozlanie atramentu było lanie; wymierzano ją w umywalni. Za pozostawienie czarnych śladów na żółtej podłodze tak samo było lanie. Podobnie za wygłupy w klasie, tylko że na wygłupy mówiło się „złe sprawowanie". Laniem karano jeszcze za wiele innych rzeczy; Martin Coslaw wierzył, że efekty wychowawcze zapewni mu jedna rzecz: Decha. Jego Decha była największym postrachem podopiecznych Hetton House; bano jej się bardziej nawet niż licha, które chowa się pod łóżkami najmłodszych chłopaków. Była to cienka łopatka z brzozowego drewna z wywierconymi czterema otworami w celu zmniejszenia oporu powietrza. Koślaw grał w kręgle. Należał do drużyny o nazwie Mocarze z Falmouth i w piątki czasami przychodził do szkoły w granatowej drużynowej koszulce ze swoim imieniem – Martin – wyszytym złotą kursywą nad kieszenią na piersi. Dla Blaze'a te litery wyglądały prawie (ale nie całkiem) jak alfabet Palmera wypisany nad tablicą. Koślaw mawiał, że życie jest jak gra w kręgle: trzeba zawsze zbić wszystko, co jest do zbicia, nieistotne, czy w pierwszym, czy w drugim rzucie. Rękę miał silną, wyrobioną od tych wszystkich rzutów, pierwszych i drugich; kiedy lał kogoś Dechą, bolało jak diabli. A wymierzając tę karę za wyjątkowo złe sprawowanie, przygryzał język, czasami bardzo mocno, aż do krwi. Był kiedyś w Hetton House jeden chłopak, który zaczął z tego powodu lansować przezwisko „Drakula", ale szybko go wyniosło i więcej już nie wrócił. Że kogoś „wyniosło", mówiło się, kiedy trafił do rodziny i przyjął się tam albo na przykład go adoptowali. Martina Coslawa nienawidziło i bało się całe Hetton House, ale Blaze nienawidził i bał się go najbardziej ze wszystkich. Blaze był bardzo słaby z arytmetyki. Udało mu się nauczyć z powrotem, ile jest dwa jabłka dodać trzy jabłka, ale okupił to wielkim wysiłkiem, a dodanie jednej czwartej jabłka do połowy jabłka na zawsze miało już pozostać poza granicą jego możliwości. On liczył jabłka tylko i wyłącznie na kęsy. I właśnie w arytmetyce (ściślej: podstawach arytmetyki) Blaze zrobił swój pierwszy w życiu kant. Pomógł mu w tym jego przyjaciel, John Cheltzman. John był chudy jak patyk, wysoki jak tyczka, brzydki jak siedem nieszczęść i nienawidził wszystkiego. Ta nienawiść rzadko dawała o sobie znać. Na co dzień kryły ją jego grube, poklejone plastrem okulary i tępy wieśniacki rechot, który brzmiał mniej więcej tak: juk-juk-juk. Z takimi warunkami John był idealną ofiarą dla starszych, silniejszych chłopaków. Znęcali się nad nim na wszelkie możliwe sposoby. Był nacierany błotem (wiosna i jesień) i śniegiem (zima). Darli na nim koszule. Spod wspólnego prysznica wychodził z tyłkiem obitym marchewami z mokrych ręczników. I zawsze tylko ocierał twarz z błota i śniegu, zatykał sobie podartą koszulę z powrotem w spodnie albo masował puchnące siedzenie i śmiał się głupawo: juk-juk-juk. Mało kto się domyślał buzującej w nim nienawiści. Albo tego, że ma łeb nie od parady. Nauka szła mu nieźle – nawet całkiem dobrze, zresztą nie mógł nic na to poradzić – ale w tej szkole jakakolwiek ocena powyżej czwórki była rzadkością, do tego niemile widzianą. W Hetton House obowiązywała zasada, że piątki są dla frajerów. Nie mówiąc już o tym, że za piątkę można było dostać pięć kopów.

W tym czasie Blaze zaczął rosnąć. Miał jedenaście czy dwanaście lat i było już po nim widać, jaki będzie wielki. Dorównywał wzrostem niektórym starszym chłopakom. I nigdy się nie przyłączał do bicia młodszych na podwórku ani do lania ręcznikami pod prysznicem. Pewnego dnia podszedł do niego John Cheltzman; Blaze stał sobie przy płocie w najdalszym kącie podwórka i nie robił nic konkretnego, patrzył tylko, jak wrony siadają na gałęziach i podrywają się z powrotem. John zaproponował Blaze'owi układ.

– W tym półroczu znów masz przesrane z matmy – powiedział.

– Robimy dalej ułamki.

– Nie cierpię ułamków – zgrzytnął Blaze.

– Będę ci odrabiał prace domowe, jeśli nie dasz tym gnojom robić sobie ze mnie worka treningowego. Nie na piątkę, żeby Koślaw się nie domyślił, ale tak, że spokojnie wszystko zdasz. I nie postawi cię do kąta.

Stanie w kącie było trochę lepsze niż lanie, ale tylko trochę. Stawało się w sali numer siedem, twarzą do ściany. Nie wolno było oglądać się na zegar.

Blaze przemyślał propozycję Johna Cheltzmana i pokręcił głową.

– Będzie wiedział. Wyrwie mnie do tablicy i od razu zgadnie.

– Wystarczy, że rozejrzysz się po sali, tak jakbyś się namyślał – odparł John. – A ja już się tobą zajmę. ›

I dotrzymał słowa. Rozwiązywał zadania domowe, a Blaze przepisywał je własną ręką, starając się stawiać takie ładne cyfry jak te nad tablicą. Ale jakoś nigdy mu to nie wyszło. Czasami Koślaw wzywał go do odpowiedzi, a wtedy Blaze wstawał i rozglądał się po całej sali, unikając tylko wzroku nauczyciela; to było w porządku, bo każdy tak się zachowywał wywołany do tablicy. Kiedy się tak rozglądał, zerkał na Johnny'ego Cheltzmana, rozwalonego za swoim pulpitem tuż obok drzwi do schowka na książki. Johnny trzymał dłonie na widoku. Jeśli wynik był nie wyższy niż dziesięć, pokazywał go na palcach. Jeśli to był ułamek, zaciskał pięści, a potem je otwierał. Robił to bardzo szybko. Lewa dłoń to była górna część ułamka, a prawa – dolna. Jeśli liczba na dole była wyższa niż pięć, Johnny znów zaciskał pięści i pokazywał ją na palcach obu rąk. Blaze czytał te znaki bez najmniejszego trudu, chociaż niejednemu taki kod wydawałby się pewnie bardziej skomplikowany niż same ułamki.

– No i co, Clayton? – pytał Koślaw. – Czekamy.

A Blaze odpowiadał: jedna szósta.

Nie musiał za każdym razem odpowiedzieć dobrze. George, kiedy o tym usłyszał, z aprobatą kiwnął głową.

– Śliczny kancik – powiedział. – Kiedy się wydało?

Wydało się już w trzecim tygodniu nowego półrocza; Blaze domyślił się (umiał myśleć – po prostu musiał poświęcić na to trochę czasu i ciężkiej pracy), że Koślaw od samego początku zwęszył coś podejrzanego w tym, że arytmetyczny matoł tak nagle podciągnął się z matmy. Ale nie dał nic po sobie poznać. Czekał i pomagał mu kręcić stryczek na własną szyję. Wreszcie zrobił kartkówkę bez zapowiedzi. Blaze poległ z kretesem: dostał ocenę zero, bo na kartkówce były same ułamki. Jej celem było jedno i tylko jedno – przyłapać Claytona Blaisdella juniora. Poniżej zera na kartce Blaze'a widniał dopisek jaskrawym czerwonym kolorem. Nie mógł go odcyfrować, więc poszedł z tym do Johna.

John przeczytał i z początku nie odezwał się ani słowem, a potem powiedział tak:

– Tu jest napisane: „John Cheltzman znowu zacznie zbierać cięgi".

– Co? Jak to?

– A pod spodem: „Zgłosić się do mojego gabinetu o szesnastej".

– Po co?

– Bo zapomnieliśmy o sprawdzianach – westchnął John. – Nie, ty nie zapomniałeś – dodał zaraz. – To ja. Wiesz dlaczego? Bo myślałem tylko o jednym: jak się obronić przed tą bandą oprychów. A teraz ty się na mnie wyżyjesz, potem dostanę lanie od Koślawa, a w końcu tamto bydło z powrotem się do mnie dobierze. Jezu, wolałbym umrzeć. – I faktycznie wyglądał, jakby tylko o tym marzył.

– Nie będę się na tobie wyżywał.

– Nie? – John spojrzał na niego tak, jakby nie mógł uwierzyć w to, co słyszy, chociaż bardzo by chciał.

– Nie mógłbyś napisać za mnie sprawdzianu, prawda?

Martin Coslaw urzędował w sporym gabinecie z tabliczką DY-REKTOR na drzwiach. Naprzeciwko okna wychodzącego na ponure podwórko Hetton House stała nieduża tablica, przyprószona kredowym pyłem i od góry do dołu zapisana ułamkami – zmorą Blaze'a. Kiedy chłopak wszedł, pan Coslaw siedział za biurkiem i bez widocznego powodu marszczył brwi. Obecność Blaze'a dała mu powód ku temu.

– Zapukaj – powiedział dyrektor.

– Proszę?

– Wyjdź i najpierw zapukaj.

– Aha. – Blaze odwrócił się, wyszedł z gabinetu, zapukał i wszedł jeszcze raz.

– Dziękuję.

– Nie ma sprawy.

Pan Coslaw spojrzał na niego i zmarszczył brwi. Wziął w palce ołówek i zaczął nim postukiwać w blat biurka. To był czerwony ołówek, ten od wystawiania ocen.

– Clayton Blaisdell junior – wycedził z namysłem. – Takie długie nazwisko, a taki krótki rozum.

– Chłopaki mówią na mnie...

– Nie obchodzi mnie, jak na ciebie mówią chłopaki. Chłopak to niedorosły mężczyzna, a niedorośli ludzie używają mnóstwa głupich słów, które dla mnie są wszystkie warte tyle samo, czyli nic. Jestem nauczycielem arytmetyki. Mam za zadanie przygotować młodych ludzi, takich jak ty, do nauki w szkole średniej. O ile to w ogóle jest możliwe. Mam też obowiązek wpoić im, co jest dobre, a co złe. Gdybym był tylko nauczycielem arytmetyki, sprawy wyglądałyby zgoła inaczej. Czasami, a właściwie całkiem często, żałuję, że jestem również dyrektorem. A skoro jestem dyrektorem, muszę wpajać uczniom, co jest dobre, a co jest złe. *Quod erat demonstrandum*. Czy wie pan, co to znaczy „*quod erat demonstrandum*", panie Blaisdell?

– Nie – powiedział Blaze. Poczuł, że się łamie, a do oczu napływają mu łzy. Był duży jak na swój wiek, ale teraz wydał się sobie mały. Bardzo mały i coraz mniejszy. Wiedział, że Koślaw tego właśnie chce, ale wcale mu to nie pomogło.

– Nie wie pan. I nigdy się pan nie dowie, ponieważ nawet jeśli pańska edukacja w szkole średniej nie zakończy się na pierwszej klasie, w co szczerze wątpię, to geometrii pan nawet nie liźnie, nie powącha choćby z daleka. – Koślaw złożył dłonie, stykając czubki wyprostowanych palców i odchylił się w tył razem z krzesłem. Na oparciu wisiała jego granatowa drużynowa koszulka, która zaczęła się bujać. – *Quod erat demonstrandum* znaczy „co było do wykazania", panie Blaisdell, a kartkówka, którą urządziłem, wykazała, że jest pan oszustem. Oszust to człowiek, który nie wie, co jest dobre, a co złe. *Quod erat demonstrandum*. I tak oto doszliśmy do kwestii kary.

Blaze wbił wzrok w podłogę. Usłyszał skrzypnięcie otwieranej szuflady. Coś z niej wyjęto, a potem wraz z kolejnym skrzypnięciem szuflada wsunęła się z powrotem. Nie musiał podnosić głowy, żeby wiedzieć, co Koślaw trzyma teraz w ręce.

– Brzydzę się oszustwem – oznajmił dyrektor – ale jestem świadomy pańskich ograniczeń umysłowych, panie Blaisdell, co każe mi przypuszczać, że w tej intrydze maczał palce jakiś inny łotr, gorszy od pana. To on podsunął panu ten pomysł, bo przecież ktoś tak tępy jak pan z pewnością by na to nie wpadł. Współpracowaliście ze sobą. Czy pan nadąża?

– Nie – odpowiedział Blaze.

Pan Coslaw wysunął koniuszek języka i mocno zacisnął na nim zęby. Równie mocno, jeśli nie mocniej, zacisnął palce na rączce Dechy.

– Kto odrabiał za ciebie prace domowe?

Blaze milczał. Nie wolno sypać. We wszystkich komiksach, serialach i filmach zawsze mówią to samo: nie wolno sypać. Zwłaszcza swojego jedynego przyjaciela. Blaze czuł też coś jeszcze, coś na razie nieokreślonego. To coś domagało się, żeby je rozpoznać, zdefiniować.

– Nie zasłużyłem na lanie – wydusił z siebie w końcu.

– Czyżby? – Pan Coslaw był autentycznie zdumiony. – Tak pan powiada? A czemuż to, panie Blaisdell? Proszę eksplikować. Zaintrygował mnie pan.

Blaze nie rozumiał takich wielkich słów, ale za to dobrze znał to spojrzenie.

– Pana nie obchodzi, czy ja się uczę, czy nie. Pan chce tylko mnie zgnębić, a jeśli ktoś panu w tym przeszkadza, to trzeba mu dołożyć. Tak nie wolno. Nie zasłużyłem na lanie, bo to pan źle robi, a nie ja.

Koślaw już nie był zdumiony. Teraz był już tylko wściekły. Tak bardzo wściekły, że na samym środku czoła zaczęła pulsować mu żyłka.

– Kto odrabiał za ciebie prace domowe?

Blaze milczał.

– Jak podpowiadali ci na lekcji? Jaki mieliście system?

Blaze milczał.

– Czy to był Cheltzman? Myślę, że to on.

Blaze milczał, zaciskając drżące dłonie w pięści. Z oczu lały mu się łzy, ale to już chyba – tak mu się wydawało – nie były łzy poniżenia.

Coslaw zamachnął się i trzasnął go Dechą w ramię. Rozległ się trzask jak wystrzał z małego pistoletu. Blaze zawsze dostawał od nauczycieli tylko po tyłku, chociaż czasami bywał także ciągany za uszy i raz albo dwa razy za nos („Odpowiadaj, bezmyślny jeleniu!").

– Pierdol się! – wybuchnął; jego nienazwane uczucie nagle wyrwało się na swobodę. – Pierdol się, pierdol się!

– Podejdź – rozkazał Koślaw. Oczy miał ogromne, wyłażące z orbit. Dłoń ściskająca Dechę pobielała. – Podejdź no tutaj, ty bublu Stworzyciela.

Bezimiennym uczuciem była wściekłość, której Blaze teraz nie miał już w sobie. No i, koniec końców, był też dzieckiem. Podszedł.

Dwadzieścia minut później wyszedł z gabinetu dyrektora. Oddech rwał mu się w gardle, z nosa leciała krew, ale oczy miał suche, a zęby zaciśnięte. Tak stał się legendą Hetton House.

Na arytmetykę więcej nie poszedł. Przez cały październik i prawie cały listopad zamiast do sali numer siedem chodził do czytelni w sali dziewiętnaście. Nie przeszkadzało mu to. Dopiero po dwóch tygodniach mógł się swobodnie położyć na plecach, ale w końcu i to przestało mu przeszkadzać. Listopad dobiegał już końca. Pewnego dnia Blaze znów został wezwany do dyrektora. W gabinecie siedziało dwoje ludzi w średnim wieku. Wyglądali, jakby byli zasuszeni, jakby przywiał ich późnojesienny wiatr, goniący opadłe, uschłe liście. Koślaw siedział za biurkiem. Schował gdzieś swoją drużynową koszulkę. W gabinecie było zimno, bo okno otwarto, żeby wpuścić trochę jasnego, rozmytego blasku jesiennego słońca. Koślaw miał hopla na punkcie kręgli, ale był też fanatykiem świeżego powietrza. Tamtej parze obcych ludzi najwidoczniej to nie przeszkadzało. Zasuszony mężczyzna miał na sobie szarą marynarkę z watowanymi ramionami, a na szyi aksamitkę, zasuszona kobieta – płaszcz w kratę, spod którego wyglądała biała bluzka. Dłonie obojga były ciężkie, poznaczone żyłami: u niego skóra była zgrubiała i twarda, u niej – czerwona i popękana.

– Panie Bowie, pani Bowie, to jest właśnie chłopiec, o którym mówiłem. Zdejmij czapkę, Blaisdell.

Blaze ściągnął swoją baseballówkę ze znakiem Red Soxów.

Pan Bowie obrzucił go krytycznym spojrzeniem.

– Duży jakiś. Mówi pan, że jedenaście lat?

– W przyszłym miesiącu będzie miał dwanaście. Przyda się państwu w gospodarstwie.

– A czy aby nie chory? – zapytała pani Bowie cienkim, piskliwym głosem, który brzmiał dziwnie, bo wydobywał się z piersi rozmiarów wielkiego gąsiora z winem, wzbierającej pod kraciastym płaszczem jak fala przybojowa na Higgins Beach. – Nie ma gruźlicy ani nic?

– Był badany – odparł pan Coslaw. – Wszyscy nasi chłopcy regularnie przechodzą badania. Takie są przepisy stanowe.

– Ja tam potrzebuję tylko wiedzieć, czy da radę rąbać drzewo – powiedział pan Bowie. Miał mizerną, wychudłą twarz niespełnionego telewizyjnego kaznodziei.

– Oczywiście – zapewnił go pan Coslaw. – Nadaje się do ciężkiej pracy. Fizycznej. Bo z arytmetyką mu raczej nie idzie.

Pani Bowie uśmiechnęła się szeroko. W ustach nie miała ani jednego zęba.

– Rachunki to moja działka – oznajmiła. – Hubercie? – Spojrzała na męża.

Bowie pomyślał chwilę, a potem skinął głową.

– Ano.

– Wyjdź, Blaisdell – powiedział Kosław. – Później jeszcze z tobą pomówię.

I tak Blaze, nie wypowiedziawszy choćby jednego słowa, trafił do państwa Bowie.

– Nie chcę, żebyś wyjechał – powiedział John. Siedział na łóżku i patrzył, jak Blaze pakuje swój skąpy dobytek do torby zapinanej na suwak. Większość tych rzeczy (w tym samą torbę) dostał w Hetton House.

– Przykro mi – odparł Blaze, ale to nie była prawda, w każdym razie nie cała; on tylko żałował, że John nie może jechać razem z nim.

– Dobiorą się do mnie, jak tylko znikniesz za zakrętem. Wszyscy. – Okularnik potoczył dookoła rozbieganym wzrokiem. Skubnął świeży pryszcz, który wyskoczył mu na nosie.

– Nie będzie tak źle.

– Przecież wiesz, że będzie.

Faktycznie. Blaze wiedział, że będzie. Wiedział też, że nic nie może na to poradzić.

– Muszę tam jechać. Jestem nieletni. – Mrugnął do Johna. – Letni czy zimowy, ważne, że zdrowy.

Dla niego był to żart, że boki zrywać, ale John nawet się nie uśmiechnął. Wyciągnął tylko rękę i mocno ścisnął Blaze'a za ramię, jakby chciał wbić sobie ten dotyk na zawsze w pamięć.

– Już nigdy nie wrócisz – powiedział.

Ale Blaze wrócił.

Państwo Bowie przyjechali po niego starym fordem pickupem, który onegdaj był biały obecnie straszył groteskowymi cętkami. W kabinie były trzy miejsca, ale Blaze jechał z tyłu, na pace. Nie przeszkadzało mu to. Cieszył się widokiem Hetton House, powoli rozpływającego się w oddali.

Mieszkali w olbrzymim, mocno już zniszczonym wiejskim domu w Cumberland, które z jednej strony graniczy z Falmouth, a z drugiej z Yarmouth. Dom stał przy niebrukowanej drodze, a na jego ścianach całymi latami osiadały kolejne warstwy pyłu. Nie był nigdy malowany. Przed nim wystawiono tablicę z napisem: HODOWLA OWCZARKÓW COLLIE, a po lewej stronie od wejścia znajdowała się olbrzymia zagroda. W środku uganiało się dwadzieścia osiem rozjazgotanych, niecichnących nawet na chwilę psów. Niektóre chorowały na świerzb, a sierść wypadała im całymi garściami, odsłaniając delikatną, różową skórę, której czepiały się ostatnie w tym sezonie kleszcze i inne pasożyty. Po prawej stronie domu rozciągało się zarośnięte chwastami pastwisko, a na jego końcu stała olbrzymia, wiekowa stodoła, gdzie trzymano krowy. Państwo Bowie mieli przy domu szesnaście hektarów ziemi, głównie pod sianokosy; tylko na trzech hektarach rosły wymieszane różne iglaste i liściaste drzewa.

Kiedy zajechali na miejsce, Blaze zeskoczył z paki, a pan Bowie wyjął mu z ręki torbę i powiedział:

– Zaniosę ci to do domu. Łap się za siekierę.

Blaze wytrzeszczył na niego oczy.

Bowie wskazał w stronę stodoły. Łączyło ją z domem kilka mniejszych szop, stojących nierówno, zygzakiem. Przestrzeń, którą odcinały, można było od biedy nazwać podwórzem. Pod ścianą jednej szopy ułożono stos drewna. Był tam i klon, i zwykła sosna z korą ociekającą kroplami zakrzepłej żywicy. Przed stosem stał stary, pociachany pniak z wbitą głęboko siekierą.

– Łap się za siekierę – powtórzył Hubert Bowie.

– Aha – powiedział Blaze. To było pierwsze słowo, które od niego usłyszeli.

Państwo Bowie patrzyli, jak podchodzi do pniaka i wyciąga z niego siekierę. Przyjrzał się jej, a potem stanął i po prostu stał.

Psy uganiały się po swojej zagrodzie, ujadając bez chwili przerwy. Najbardziej jazgotały te najmniejsze.

– No? – rzucił Bowie.

– Nigdy jeszcze nie rąbałem drzewa, proszę pana.

Bowie rzucił jego torbę prosto na ziemię. Podszedł, wziął ze stosu klonowy klocek i postawił go na pniaku. Popluł w dłoń, zatarł ręce i chwycił siekierę. Blaze obserwował go uważnie. Bowie wziął zamach. Klocek rozpadł się na dwie części.

– O – powiedział demonstrator. – Takie wejdą do pieca. – Wyciągnął siekierę do Blaze'a. – Dawaj.

Blaze przytrzymał trzonek kolanami, popluł w dłoń i zatarł ręce. Już chciał wziąć zamach, ale przypomniał sobie, że nie wziął drewna ze stosu. Ustawił klocek na pniaku, uniósł siekierę nad głowę i opuścił ostrze. Jego polana wyglądały prawie identycznie jak te, które porąbał pan Bowie: długość w sam raz na podpałkę w piecu. Blaze był zachwycony. W następnej chwili zwalił się na ziemię, a w uchu rozdzwoniło mu się jak diabli; to Bowie przyłożył mu na odlew tą swoją zasuszoną, stwardniałą od roboty łapą.

– Za co? – zapytał Blaze, spoglądając do góry.

– Że nie umiałeś rąbać – dobiegła go odpowiedź. – A jakbyś chciał powiedzieć, że to nie twoja wina, to pomyśl, że moja też nie. A teraz łap się za siekierę.

Jego pokój to była maleńka klitka wydzielona na drugim piętrze pełnego zakamarków domu państwa Bowie. Miał tam łóżko, biurko i nic poza tym. Okno było jedno, a kiedy się przez nie wyjrzało, wszystko wydawało się falujące i zamazane. W nocy panował tam ziąb, który nad ranem jeszcze się wzmagał. Blaze'owi to nie przeszkadzało, przeszkadzali mu za to państwo Bowie. I to coraz bardziej. Jego antypatia rosła i przerodziła się w niechęć, a niechęć okrzepła ostatecznie w czystą nienawiść. Nienawiść dojrzewała powoli; Blaze wszystko robił powoli. Rosła we własnym tempie, aż wreszcie rozkwitła kwiatami koloru czerwieni. Takiej nienawiści nie zna żaden inteligentny człowiek. Żyła własnym życiem, nieskażona choćby cieniem refleksji.

Jesień i zima upłynęły Blaze'owi pod znakiem rąbania drewna. Pan Bowie próbował go nauczyć, jak się doi krowy, ale chłopak kompletnie sobie z tym nie radził. Miał, jak to mówił jego instruktor, twarde ręce. Każda krowa płoszyła się, kiedy tylko zacisnął palce na jej wymionach, mimo że bardzo się starał robić to jak najdelikatniej; wtedy natychmiast udzielały mu się jej nerwy i tak kółko się zamykało. Mleko, zamiast płynąć, zaczynało ciurkać, a za chwilę już w ogóle nie leciało. Mimo to nigdy nie dostał od Bowiego ani po uszach, ani po głowie. Gospodarz nie chciał słyszeć o elektrycznych dojarkach, dla niego taki sprzęt był nic niewart, bo, jak mówił, „te DeLavale wykańczają krowy w kwiecie wieku". Przyznawał jednak, że do dojenia trzeba mieć talent. A ponieważ w grę wchodził talent, nie można było karać kogoś za to, że go nie ma, tak samo jak nie można mieć pretensji, że ktoś nie umie „wierszów pisać".

– Ale z rąbaniem sobie radzisz – mawiał bez cienia uśmiechu na twarzy. – Do tego talent masz.

Blaze rąbał drewno i nosił je do kuchni. Stała tam skrzynia, którą musiał napełnić cztery albo pięć razy dziennie. W domu był piec olejowy, ale Hubert Bowie zaczynał go używać dopiero w lutym, bo rafinowany olej opałowy był dla niego strasznie drogi. Do obowiązków Blaze'a należało również zbieranie siana na polu, sprzątanie obory, szorowanie podłóg pani Bowie, a kiedy nadeszła zima – odśnieżanie trzydziestu metrów podjazdu.

W tygodniu wstawał o piątej rano i nakładał krowom paszę (jeśli spadł śnieg, musiał wstać o czwartej). Potem jadł śniadanie i wychodził na szkolny autobus. Państwo Bowie najchętniej w ogóle nie posyłaliby go do szkoły, gdyby tylko mogli. Ale nie mogli.

W Hetton House Blaze słyszał o szkołach „na wyjeździe" zarówno dobre, jak i złe rzeczy. Złych było więcej; takie plotki sprzedawały starsze roczniki, uczęszczające do ogólniaka we Freeport. Ale Blaze był jeszcze za młody do szkoły średniej. Kiedy mieszkał na farmie państwa Bowie, chodził do podstawówki okręgu A w Cumberland. Podobało mu się tam. Lubił swoją nauczycielkę i chętnie uczył się wierszy, a potem z przyjemnością recytował na lekcji: „Gdzie brzegi spięte mostu łukiem*…". Wygłaszał te strofy, ubrany w kurtkę myśliwską w czerwono-czarną kratę (kiedy były ćwiczenia przeciwpożarowe, zawsze zapominał jej zabrać, więc nie zdejmował jej wcale), spodnie z zielonej flaneli i zielone gumiaki. Stał tak, rzucając cień olbrzyma na całą szóstą klasę, a jego sto osiemdziesiąt centymetrów wzrostu wieńczył szeroki uśmiech i wklęśnięte czoło. Nikt nigdy się nie roześmiał, kiedy Blaze recytował wiersze.

Lubiano go, chociaż był sierotą z domu dziecka, ponieważ nikogo nie bił i nie miał złośliwego charakteru. Nie był też ponurym odludkiem. Na podwórku bawili się z nim jak z tresowanym niedźwiedziem; potrafił udźwignąć trzech pierwszaków naraz. Na boisku nigdy nie korzystał z przewagi, jaką dawały mu jego waga i wzrost. Blokowało go pięciu, sześciu, siedmiu obrońców, a on tylko chwiał się, kołysał z nieodłącznym uśmiechem na ustach i wgniecionym czołem zwróconym ku niebu, aż wreszcie walił się na murawę niczym wielki gmach wysadzony w powietrze, budząc nieunikniony aplauz całej widowni. Pani Waslewski, która była katoliczką, zobaczyła kiedyś podczas dyżuru na podwórku, jak Blaze nosi pierwszaków i odtąd zaczęła go nazywać świętym Franciszkiem od Maluczkich.

Inna nauczycielka, pani Cheney, podciągnęła go w czytaniu, pisaniu i historii, szybko zrozumiawszy, że matematyka (którą zawsze nazywał arytmetyką) jest dla niego dziedziną straconą. Raz spróbowała zrobić mu sprawdzian; Blaze zbladł i prawie zemdlał – tak jej się przynajmniej wydawało.

Myślał wolno, ale nie był opóźniony w rozwoju. W grudniu skończył przygody Dicka i Jane, które przerabia się w pierwszej klasie i dostał do czytania „Drogi we wszystkie strony", lekturę dla klasy trzeciej. Pani Cheney dała mu też do domu własną serię komiksów na podstawie powieściowej klasyki, oprawioną

---

* By the rude bridge that arched the flood… (tłum. M.J.) – pierwsze słowa wiersza Ralpha Waldo Emersona Concord Hymn (Hymn z Concord), upamiętniającego bitwę amerykańskich ochotników z żołnierzami brytyjskimi 19 kwietnia 1775 r. (przyp. tłum.).

w twarde okładki. Dołączyła do niej wiadomość dla państwa Bowie, w której napisała, że zadaje mu to jako pracę domową. Blaze'owi, rzecz jasna, najbardziej spodobał się „Oliver Twist". Przeczytał go sto razy i znał na pamięć każde słowo.

Taki stan rzeczy utrzymał się do stycznia i mógłby trwać dalej, gdyby nie dwa nieszczęśliwe zdarzenia: Blaze zabił psa i zakochał się w dziewczynie.

Owczarków collie szczerze nie znosił, lecz ich karmienie należało do jego obowiązków. Państwo Bowie mieli same rasowe sztuki, ale zła dieta i życie w ciągłym zamknięciu sprawiły, że psy zrobiły się brzydkie i nerwowe. Były przeważnie strasznie tchórzliwe i nie dawały się nawet dotknąć. Rzucały się na ludzi z warczeniem i ujadaniem, ale odbijały w bok, nie dobiegając do celu – tylko po to, żeby zaraz znów doskoczyć z innej strony. Czasami potrafiły capnąć od tyłu, za łydkę albo za siedzenie, i błyskawicznie dać drapaka. Hałas, który robiły w porze karmienia, był iście piekielny. Hubert Bowie nie zajmował się nimi wcale; to była działka jego żony, jedynej osoby, do której nie bały się podejść. Pani Bowie przemawiała do nich słodko tym swoim bzyczącym głosem i zawsze miała wtedy na sobie czerwoną kurtkę, całą w płowej sierści.

Dorosłe sztuki sprzedawały się rzadko, ale wiosną szczenięta szły po dwieście dolarów od sztuki. Pani Bowie raz po raz przypominała Blaze'owi, że psy trzeba dobrze karmić, czyli dawać im, jak to nazywała, „właściwą mieszankę". Sama jednak w ogóle się tym nie zajmowała, a Blaze napełniał psie koryta przecenioną karmą, kupowaną w sklepie dla zwierząt w Falmouth. Karma nazywała się Przysmak Pupila. Hubert Bowie raz mówił na nią „pieska taniocha", a raz „przysrak dupila" – ale zawsze tak, żeby żona nie słyszała.

Psy wiedziały, że Blaze ich nie lubi i że się ich boi, więc z każdym dniem robiły się wobec niego coraz bardziej agresywne. Zanim nadeszły przymrozki, rozzuchwaliły się już do tego stopnia, że czasami potrafiły zahaczyć go zębami, i to od przodu. Bywało, że budził się w nocy ze snu, w którym cała sfora rzucała się na niego, obalała na ziemię i zaczynała żreć żywcem. Leżał potem długo w ciemności, oddech unosił się z jego ust zimnym oparem, a on obmacywał się po całym ciele, sprawdzając, czy na pewno jest jeszcze w jednym kawałku. Wiedział, że tak, potrafił odróżnić sen od jawy, ale po ciemku były z tym trudności.

Zdarzyło się kilka razy, że upuścił wiadro z karmą, potrącony przez podbiegającego collie. Musiał wtedy wszystko pozbierać z ziemi zasypanej ubitym śniegiem, poznaczonym żółtymi cętkami psiego moczu. Starał się to robić jak najdokładniej, a psy ganiały dookoła, warcząc zajadle i gryząc się o swoje żarcie.

Stopniowo wyłonił się przywódca tej cichej psiej wojny przeciwko Blaze'owi. Wabił się Randy. Miał jedenaście lat i bielmo na oku. Blaze bał się go jak ognia. Jego zęby wyglądały jak pożółkłe kły starego dzika, a przez sam środek wąskiej czaszki biegł pojedynczy biały pas. Atakował Blaze'a frontalnie, z godziny dwunastej. Mięśnie nóg, widoczne pod obłażącą sierścią, pracowały mu jak tłoki. Zdrowe oko płonęło dziko, a tamto drugie było jakby zupełnie obojętne na to, co się dzieje; wygasła lampa. Biegnąc, wyrywał pazurami grudki białożółtego śniegu. Gnał coraz szybciej, aż w pewnym momencie wydawało się, że nie może już zrobić nic innego, jak tylko skoczyć chłopakowi do gardła. Resztę psów ogarniała wtedy chorobliwa gorączka: jakby ktoś nagle smagnął je batem, zaczynały warczeć jak wściekłe i wyskakiwać wysoko w powietrze. W ostatniej chwili Randy hamował wyprostowanymi, zesztywniałymi łapami, zasypując nogawki zielonych spodni Blaze'a śniegiem aż po same uda i omijał chłopaka szerokim łukiem – tylko po to, żeby zaraz powtórzyć cały manewr od nowa. Za każdym razem podbiegał jednak odrobinę bliżej, aż w końcu Blaze czuł wyraźnie ciepły opar psiego ciała, a potem nawet oddech swojego napastnika.

Aż wreszcie, pewnego wieczoru pod koniec stycznia, Blaze zrozumiał, że tym razem owczarek go nie ominie. Ta szarża różniła się od wszystkich poprzednich, chociaż nie potrafił powiedzieć czym. Tym razem Randy atakował na poważnie. Chciał skoczyć mu do gardła. A dla reszty psów byłby to sygnał. Dołączyłyby się w mgnieniu oka. Miało być dokładnie tak, jak w jego śnie.

Pies ruszył, w milczeniu nabierając pędu. Żadnego hamowania łapami, poślizgów ani skrętów. Mięśnie tylnych nóg zagrały i w następnym ułamku sekundy Randy był już w powietrzu. Blaze niósł akurat dwa blaszane wiadra z Przysmakiem Pupila. Kiedy zobaczył, że tym razem Randy zabrał się do sprawy na poważnie, cały jego strach nagle wyparował. Pies odbił się od ziemi, a on w tej samej chwili upuścił wiadra. Miał rękawice z surowej skóry, przetarte na palcach. Trafił Randy'ego w locie, prawą pięścią, tuż pod szczękę długą jak szufla albo półka. Poczuł to uderzenie aż w ramieniu, a ręka natychmiast opadła, całkowicie pozbawiona czucia. Rozległ się krótki, przenikliwy trzask. Randy wykręcił w mroźnym powietrzu idealny półpiruet i upadł z głuchym łomotem na grzbiet.

Psy zaniosły się dzikim jazgotem, a Blaze dopiero wtedy spostrzegł, że przez kilka chwil panowała kompletna cisza. Podniósł wiadra, podszedł do koryta i wsypał karmę. Do tej pory, kiedy to robił, psy od razu zbiegały się całą zgrają, warcząc i gryząc się o najlepsze miejsca; nigdy nie zdążył nawet dolać wody. Nie mógł nic na to poradzić, był bezsilny. Teraz też jeden mały collie wyrwał się do koryta. Głupie ślepia błyszczały mu jak latarenki, a jęzor dyndał błazeńsko, zwisając z rozdziawionego jak u kretyna pyska. Ale wystarczyło machnąć na niego dłonią w rękawicy, a psiak skręcił tak błyskawicznie, że aż nie nadążył przebierać łapami i poturlał się po śniegu. Reszta cofnęła się w popłochu.

Blaze napełnił wiadra wodą z kranu i wlał ją do koryta.

– No i już – powiedział. – Macie podlane. Możecie żreć.

Psy rzuciły się na jedzenie, a on podszedł obejrzeć Randy'ego.

Z jego stygnącej skóry uciekały pchły, ginąc na zaszczanym śniegu. Zdrowe oko zdążyło się już zaszklić i zaczęło przypominać tamto drugie, z bielmem. Widząc to, Blaze poczuł żal i smutek. A jeśli to miała być tylko zabawa? Może Randy chciał go tylko nastraszyć, tak jak zawsze?

Udało mu się zresztą. Blaze faktycznie się bał. Tego, co zrobił, i tego, co teraz będzie. Dostanie za to takie manto, że szkoda gadać.

Zabrał puste wiadra i wrócił do domu ze zwieszoną głową. Pani Bowie była w kuchni i prała zasłonki na tarze wstawionej do zlewu, podśpiewując swoim piskliwym głosem jakiś pobożny hymn.

– Ej, tylko mi nie narób śladów na podłodze! – zawołała na widok Blaze'a. A przecież to on mył tę podłogę. Na kolanach. Ponury żal zakłuł go w piersi.

– Randy nie żyje – powiedział. – Rzucił się na mnie. Przywaliłem mu i się przekręcił.

Pani Bowie wyszarpnęła dłonie z mydlanej wody i wrzasnęła:

– Randy?! Randy! Randy!!!

Obiegła w kółko całą kuchnię, chwyciła sweter wiszący na kołku obok pieca i ruszyła pędem do drzwi.

– Hubert! – zawołała do męża. – Hubert, och, Hubert! Co ten zły chłopak narobił! – A potem zaniosła się przeciągłym zawodzeniem, jakby na ostatniej nucie tego swojego hymnu: – Ooooooo*OOOOOO*...

Odepchnęła Blaze'a i wybiegła na zewnątrz. Pan Bowie wyjrzał z którejś szopy. Jego chuda twarz wyciągnęła się ze zdziwienia. Wszedł do kuchni i chwycił Blaze'a za ramię.

– Co się stało? – zapytał.

– Randy nie żyje – odparł Blaze obojętnym tonem. – Rzucił się na mnie i dostał czapę.

– Czekaj tu – rozkazał Hubert Bowie i poszedł za żoną.

Blaze zdjął swoją czapkę w czerwono-czarną kratę i usiadł na stołku w kącie. Stopniały śnieg rozlał się kałużą dookoła jego butów. Miał to gdzieś. Skóra na twarzy, rozgrzana żarem bijącym od pieca, zaczęła pulsować. To on rąbał drewno, które się tam paliło. Miał to gdzieś.

Bowie musiał wprowadzić żonę do kuchni, bo zasłoniła twarz fartuchem i nie chciała opuścić rąk. Szła, szlochając wniebogłosy, tak piskliwie, że brzmiało to jak terkot maszyny do szycia.

– Idziemy do szopy – rozkazał Bowie.

Blaze otworzył drzwi, a gospodarz kopniakiem pomógł mu wyjść. Chłopak spadł ze schodków na podwórze, wstał i poszedł do szopy, tej, w której przechowywano narzędzia i maszyny – siekiery, młotki, tokarkę, szlifierkę, hebel, polerkę i jeszcze różne inne rzeczy, których nawet nie potrafił nazwać. Były tam części samochodowe i pudła pełne starych czasopism. I jeszcze łopata, szeroka, aluminiowa łopata. Jego narzędzie pracy. Blaze spojrzał na nią i w jakiś sposób widok tej łopaty sprawił, że jego nienawiść do Huberta Bowie i jego żony osiągnęła ostateczną pełnię. Co miesiąc dostawali na jego utrzymanie sto sześćdziesiąt dolarów, a on jeszcze musiał za nich robić. Karmili go kiepsko. Lepsze jedzenie dawali w Hetton House. To było nie w porządku.

Hubert Bowie wszedł za nim do szopy.

– Dostaniesz teraz baty – zapowiedział.

– Rzucił się na mnie. Chciał mi skoczyć do gardła.

– Ani słowa. Tylko pogarszasz tym sprawę.

Co roku na wiosnę Bowie prowadzał jedną ze swoich krów do krycia. Miał umowę z Franklinem Marstellarem, właścicielem byka o imieniu Freddy. Na ścianie szopy wisiał kantar, który Bowie nazywał „miłosną uprzężą", z metalowym kółkiem. Gospodarz zdjął go z kołka i chwycił mocno. Grube rzemienne pasy zwisły całą kiścią.

– Pochyl się nad tamtym stołem.

– Randy chciał mi skoczyć do gardła. Mówię panu, że nie miałem innego wyjścia.

– Pochyl się nad tamtym stołem.

Blaze zawahał się przez chwilę, ale nie po to, żeby przemyśleć sytuację. Myślenie przychodziło mu wolno. Zamiast tego wsłuchał się w tykanie zegara instynktu.

Jeszcze nie czas.

Pochylił się nad stołem. Nie rozpłakał się, chociaż Bowie tłukł go długo i mocno. Na łzy pozwolił sobie dopiero, kiedy był sam, w swoim pokoju.

Dziewczyna, w której się zakochał, nazywała się Marjorie Thurlow i chodziła do siódmej klasy w tej samej szkole co on. Miała żółte włosy, niebieskie oczy i była płaska jak decha. Ślicznie się uśmiechała, a przy każdym uśmiechu unosiły się jej kąciki oczu. Blaze wodził za nią wzrokiem na szkolnym podwórku. Jej widok sprawiał, że zaczynało go ściskać w dołku, ale w taki dobry sposób. Wyobrażał sobie, że nosi jej książki i broni przed łobuzami. Zawsze się rumienił, kiedy nachodziły go takie myśli.

Pewnego dnia, niedługo po zajściu z Randym i po laniu, które dostał od pana Bowie, do szkoły przyjechała pielęgniarka środowiskowa, żeby przeprowadzić szczepienia ochronne. Uczniowie dostali zawiadomienia tydzień wcześniej i przynieśli je z powrotem podpisane przez rodziców, jeśli rodzice chcieli zaszczepić swoje dzieci. Ci, którzy mieli podpisane zawiadomienia, ustawili się w klasie, pod drzwiami do szatni. Atmosfera była nerwowa. Blaze też tam stał; Bowie zadzwonił do George'a Hendersona, znajomego z rady szkoły i zapytał, czy szczepienia kosztują. Kiedy się okazało, że nie, podpisał zawiadomienie.

W kolejce stała również Margie Thurlow. Była bardzo blada. Blaze'owi zrobiło się przykro, kiedy to zobaczył. Żałował, że nie może podejść i wziąć jej za rękę. Zarumienił się na myśl o tym, zwiesił głowę i, zawstydzony, zaczął przestępować z nogi na nogę. Blaze był pierwszy do szczepienia. Kiedy pielęgniarka skinęła na niego, żeby wszedł do szatni, zdjął swoją kurtkę w czerwono-czarną kratę i podwinął rękaw koszuli. Pielęgniarka otworzyła coś, co wyglądało jak mały piekarnik, wyjęła stamtąd igłę, zajrzała do jego książeczki zdrowia dziecka i powiedziała:

– Podwiń od razu drugi rękaw, wielkoludzie. Dostaniesz obie dawki naraz.

– Będzie bolało? – zapytał Blaze, rozpinając drugi mankiet.

– Tylko przez chwilkę.

– Dobra – powiedział i podstawił lewą rękę, a pielęgniarka wbiła mu w nią tę igłę z piekarnika.

– W porządku – powiedziała – teraz druga łapka i po wszystkim.

Blaze odwrócił się i dostał drugi zastrzyk w prawe ramię. Wyszedł potem z szatni z powrotem do klasy, usiadł w swojej ławce i zaczął czytać opowiadanie w książce, próbując połapać się, o co w nim chodzi.

Margie po wyjściu z szatni miała mokre oczy i policzki, ale nie płakała. Blaze był z niej bardzo dumny. Kiedy mijała jego ławkę, idąc do drzwi (siódma klasa uczyła się gdzie indziej), uśmiechnął się do niej. A ona odpowiedziała uśmiechem. Blaze schował go starannie jak najcenniejszą pamiątkę i przechowywał przez wiele lat.

Po lekcji postanowił wyjść na dwór. W drzwiach na podwórko minął się z Margie, która wbiegła do środka. Zauważył w jej oczach łzy i spojrzał za nią. Potem wyszedł, marszcząc brwi i krzywiąc się z niezadowolenia. Wypatrzył Petera Lavoie, który odbijał baseballową piłkę na uwięzi i zapytał go, czy wie, co się stało Margie Thurlow.

– Glen ją walnął w szczepionkę – powiedział Peter i zademonstrował Blaze'owi, jak to było, na przebiegającym obok maluchu: bach-bach-bach, trzy szybkie ciosy pięścią. Blaze przyglądał się temu ze zmarszczonymi brwiami. Pielęgniarka kłamała. Obie ręce bolały go po tych zastrzykach, i to porządnie. Największe mięśnie miał zesztywniałe i czuł się tak, jakby były poobijane. Nie mógł ich nawet napiąć bez bólu. A Margie przecież była dziewczynką. Blaze rozejrzał się za Glenem.

Glen Hardy to był wielki goryl z ósmej klasy; tacy jak on na studiach grają w football, a potem obrastają tłuszczem. Miał rude włosy, które czesał z czoła i układał w wielkie fale. Jego ojciec farmer uprawiał ziemię na zachodnim krańcu miasta. Łapska Glena wyglądały jak olbrzymie wory wypchane mięśniami.

Ktoś podał Blaze'owi piłkę. Upuścił ją, nawet nie patrząc i wystartował prosto do Hardy'ego.

– Kurde – powiedział Peter Lavoie. – Blaze idzie na solo z Glenem!

Wieść błyskawicznie obiegła podwórko. Grupki chłopaków zaczęły się przemieszczać – przy starannie zachowywanych pozorach obojętności – w ten kąt dziedzińca, gdzie Glen i jeszcze paru starszych chłopaków grało w kickball*, w ich wydaniu wyglądający jak narodowy sport pokracznych trolli. Glen był miotaczem. Ciskał szybkie piłki, kozłujące na twardej, zmarzniętej ziemi.

---

* Kickball (ang.) – gra oparta na zasadach baseballu, ale rozgrywana piłką nożną (przyp. tłum.).

Na podwórku miała tego dnia dyżur pani Foster, ale ona była akurat z drugiej strony budynku i pilnowała młodszych dzieci na huśtawkach. Nie stanowiła zagrożenia, przynajmniej na razie. Glen zauważył, że Blaze idzie do niego. Upuścił piłkę i wziął się pod boki. Obie drużyny grające w kickball ustawiły się półkolem za nim: wszystko siódma i ósma klasa. Żaden nie dorównywał rozmiarami Blaze'owi. Tylko Glen był większy. Czwarta, piąta i szósta klasa stanęły w luźnych grupkach za plecami Blaze'a. Wszyscy szurali nogami, poprawiali paski u spodni, demonstracyjnie ciągnęli za palce swoich rękawiczek i mamrotali jeden do drugiego. Każdy chłopak, niezależnie po której stronie stał, prezentował niedorzeczną minę mającą wyrażać pełen luz. Na razie nie padło jeszcze hasło do walki.

– Czego chcesz, ty głupi pojebie? – warknął Glen Hardy przez zatkany nos. Miał głos jak młody bóg, który dostał zimą kataru.

– Dlaczego walnąłeś Margie Thurlow w szczepionkę? – zapytał Blaze.

– Bo mi się podobało.

– Dobra – powiedział Blaze i ruszył na niego.

Dostał dwa razy w twarz – pach, pach – zanim jeszcze zdążył się zbliżyć. Ósmoklasista puścił mu farbę z nosa i cofnął się, chcąc zachować przewagę, którą dawały mu dłuższe ręce. Rozległy się krzyki.

Blaze potrząsnął głową, znacząc śnieg dookoła kropelkami krwi.

Glen wyszczerzył zęby.

– Sierota spod płota – zaszydził. – Debil z domu dziecka.

Grzmotnął Blaze'a w sam środek zapadniętego czoła i momentalnie jego uśmiech zgasł, spiorunowany nagłym bólem, który poraził mu rękę. Czoło Blaze'a, choć zapadnięte, było bardzo twarde.

Zagapił się przez chwilę i zapomniał o uniku, a wtedy Blaze sam wyprowadził cios. Nie brał zamachu; pięść po prostu wystrzeliła w przód niczym tłok, zatrzymując się na ustach przeciwnika. Glen wrzasnął, a z warg rozprasowanych na zębach trysnęła krew. Stał tak i wydzierał się coraz głośniej.

Smak własnej krwi zamącił mu w głowie. Ósmoklasista zapomniał, że trzeba trzymać dystans i że jeszcze przed chwilą miał ochotę tylko ponabijać się z tego paszteta z dziurą we łbie. Rzucił się na niego, wymachując rękami niczym wiatrak. Blaze stanął pewniej i przyjął walkę. W uszach brzmiały mu krzyki i nawoływania kolegów, ale słyszał je słabo, jakby z oddali. Brzmiały tak samo jak ujadanie psów w zagrodzie – tego dnia, kiedy zrozumiał, że Randy tym razem się nie zatrzyma. Zaliczył od Glena co najmniej trzy porządne ciosy; po każdym aż odskoczyła mu głowa. Sapnął, wdychając krew do gardła. Dzwoniło mu w uszach. Jego pięść znów wystrzeliła do przodu. Poczuł wstrząs aż w barku – i naraz krew płynąca z ust Glena rozsmarowała się na jego brodzie i policzkach. Ósmoklasista wypluł ząb. Blaze walnął jeszcze raz, w to samo miejsce. Glen zawył, zawył jak mały chłopczyk, który przytrzasnął sobie paluszek w drzwiach. Przestał wymachiwać rękami. Jego usta były w strasznym stanie. Ale już biegła do nich pani Foster, a pod jej rozwianą spódnicą kolana chodziły niczym tłoki w maszynie. Nauczycielka dmuchała z całych sił w swój mały srebrny gwizdek.

Blaze'a bolało już wszystko: i ramię w miejscu, gdzie dostał zastrzyk, i pięść, i głowa, ale uderzył jeszcze raz, z desperacką siłą, unosząc rękę, która wydawała się kompletnie pozbawiona czucia, jakby była martwa. Tą samą ręką uderzył Randy'ego, a w cios włożył tyle samo siły co wtedy w zagrodzie. Trafił Glena prościutko w podbródek. Rozległo się chrupnięcie, po którym zapadła absolutna cisza, bo wszystkie dzieciaki umilkły. Glen oklapł, wywrócił oczy białkami do góry, a potem nogi złożyły się pod nim i runął ciężko na ziemię.

Zabiłem go, pomyślał Blaze. Jezu, najpierw Randy, a teraz on.

Ale w tej chwili Glen zaczął się ruszać i mamrotać gardłowo, tak jak ludzie robią przez sen, a pani Foster wrzasnęła na Blaze'a, żeby natychmiast wracał do klasy. Odwrócił się i poszedł, słysząc jeszcze, jak pani wysyła Petera Lavoie do pokoju nauczycielskiego po apteczkę, biegiem!

Kazali mu iść do domu. Został zawieszony w prawach ucznia. Dali mu lód na krwawiący nos i plasterek na ucho, a potem wysłali z powrotem na psią farmę państwa Bowie, sześć kilometrów na piechotę. Kiedy uszedł już kawałek, przypomniało mu się, że nie zabrał drugiego śniadania. Pani Bowie codziennie dawała mu do szkoły kromkę chleba z masłem orzechowym, złożoną na pół i jabłko; niewiele, ale na farmę było daleko, a coś, jak mawiał John Cheltzman, zawsze lepsze niż nic.

Wrócił, ale nie chcieli go wpuścić. To Margie Thurlow wyniosła mu torbę ze śniadaniem. Oczy wciąż jeszcze miała zaczerwienione od płaczu. Sprawiała takie wrażenie, jakby chciała coś powiedzieć, ale nie mogła znaleźć słów. Blaze znał to uczucie i uśmiechnął się do niej, żeby przestała się przejmować. Margie odpowiedziała uśmiechem. Jedno oko miał tak spuchnięte, że ledwo mógł je otworzyć, więc patrzył na nią tym drugim.

Kiedy doszedł na skraj szkolnego podwórka, odwrócił się, żeby jeszcze na nią spojrzeć, ale już jej nie było.

– Do szopy – rozkazał Bowie.

– Nie.

Gospodarz wytrzeszczył oczy i potrząsnął lekko głową, jakby coś mąciło mu umysł.

– Coś ty powiedział?

– Nie zasłużyłem na bicie.

– O tym to ja zdecyduję. Do szopy.

– Nie.

Bowie ruszył w jego stronę. Blaze cofnął się o pół metra i zacisnął spuchniętą dłoń w pięść. Stanął pewniej, rozstawiając lekko nogi. Bowie zatrzymał się w pół kroku. Przypomniał sobie, jak wyglądał Randy. Miał szyję przełamaną prawie na pół, jak cedrowy konar na ostrym mrozie.

– Idź na górę, do swego pokoju, ty głupi skurwysynu – wycedził.

Blaze poszedł na górę. Usiadł na brzegu łóżka. Słyszał stąd dokładnie, jak Bowie wydziera się na kogoś przez telefon. Domyślał się, na kogo.

Miał to gdzieś. Głęboko. Ale kiedy przypomniał sobie Margie Thurlow, nagle przestał mieć to gdzieś. Na myśl o niej zachciało mu się płakać, tak samo jak czasem był bliski łez, kiedy widział ptaka siedzącego samotnie na drucie telefonicznym. Ale nie płakał. Zamiast płakać, poczytał sobie „Olivera Twista". Znał go już na pamięć; potrafił nawet wymówić te słowa, których nie rozumiał. Zza okna dobiegało szczekanie psów. Ujadały z głodu, bo była już pora karmienia. Nikt go nie zawołał, nie kazał iść i dać im jeść, chociaż poszedłby, gdyby go poprosili.

Czytał „Olivera Twista", dopóki nie przyjechał po niego samochód, duży kombi z Hetton House. Prowadził go sam Koślaw, taki wściekły, że oczy miał aż purpurowe od popękanych żyłek. Zaciśnięte usta były jednym bladym, ledwie widocznym ściegiem pomiędzy nosem a podbródkiem. Państwo Bowie stali razem pośród długich cieni styczniowego zmierzchu i patrzyli, jak zabiera wychowanka i odjeżdża.

Kiedy zbliżali się do Hetton House, Blaze'a opadło ohydne poczucie swojskości, oblepiło go niczym mokra koszula. Musiał ugryźć się w język, żeby nie krzyknąć; upłynęły całe trzy miesiące i nic się tutaj nie zmieniło. Sierociniec po staremu był stertą czerwonych, niezniszczalnych cegieł lepionych z gówna. Na ziemi po staremu rozlewały się kałuże żółtego światła, padającego z tych samych starych okien. Jedyna różnica polegała na tym, że teraz na ziemi leżał śnieg. Wiosną stopnieje, ale żółte światło na pewno się nie zmieni.

Koślaw zaprowadził go do swojego gabinetu i wyciągnął Dechę. Blaze wiedział, że może mu ją odebrać, ale był już zmęczony i miał dosyć walki. A poza tym zaczynał się domyślać, że zawsze znajdzie się ktoś większy, z większą dechą w garści.

Kiedy Koślaw miał już dość ćwiczenia ręki, odesłał go do wspólnej sypialni urządzonej w sali imienia Fullera. Kiedy Blaze tam dotarł, zobaczył, że pod drzwiami stoi John Cheltzman. W miejscu jednego oka miał fioletową, spuchniętą kulkę; patrzył tylko przez wąską szczelinę.

– Się masz, Blaze – powiedział.

– Się masz, Johnny. Gdzie twoje patrzały?

– Rozwalone – odpowiedział John, a potem wybuchł: – Blaze, zbili mi okulary! Nie mogę nic przeczytać!

Blaze zastanowił się nad tym. Przykro było tutaj wrócić, ale to, że Johnny czekał na niego – to naprawdę wiele znaczyło.

– Naprawimy ci je – obiecał, ale nagle przyszedł mu do głowy inny pomysł. – Albo nie: po następnej śnieżycy złapiemy w mieście robotę przy odśnieżaniu i uzbieramy na nowe.

– Myślisz, że damy radę?

– Jasne. Musisz dobrze widzieć, żeby pomagać mi w lekcjach, co nie?

– Pewno, że tak, Blaze.

Poszli razem do sypialni.

ROZDZIAŁ 10

Apex Center była to nazwa sporego przydrożnego kompleksu, który chlubił się tym, że ma pod swoim dachem fryzjera męskiego, salę spotkań VFW, czyli zrzeszenia weteranów wojen zagranicznych, sklep żelazny, zielonoświątkowy kościół Świętego Ducha, sklep z alkoholem. Na ulicy przed wejściem stał słup z jednym światłem drogowym, żółtym migaczem ostrzegawczym. Kompleks znajdował się niedaleko chałupy Blaze'a, który wybrał się tam na piechotę rankiem następnego dnia po tym, jak po raz drugi obrobił „Minutkę" Tima i Janet. Jego celem był sklep z artykułami żelaznymi, obskurny prywatny pawilon. Zakupił tam wysuwaną aluminiową drabinę. Kosztowała go trzydzieści dolarów plus podatek. Była na niej czerwona tabliczka z napisem WYPRZEDAŻ.

Zaniósł ją do domu, maszerując beztrosko po uprzątniętym przez pług śnieżny poboczu. Nie rozglądał się ani w lewo, ani w prawo. Nie przyszło mu nawet do głowy, że ten, kto kupił tę drabinę, może zostać zapamiętany. George by o tym pomyślał, ale cóż, George jeszcze nie wrócił.

Drabina nie mieściła się ani w bagażniku ani na tylnym siedzeniu ukradzionego forda, ale weszła po skosie, z jednym końcem za fotelem kierowcy i drugim na miejscu pasażera z przodu. Po załadowaniu drabiny Blaze wrócił do domu i włączył sobie radio. Złapał stację WJAB i słuchał jej aż do zmierzchu.

– George?

Cisza. Zaparzył kawę, wypił jeden kubek i położył się na łóżku. Zasnął przy włączonym radiu; zapamiętał jeszcze, że grali piosenkę kapeli Phantom 409. Kiedy się obudził, za oknem było ciemno, a radio, zamiast grać, już tylko szumiało. Zegarek pokazywał kwadrans po siódmej.

Blaze wstał i zjadł kolację – kanapkę z kiełbasą i puszkę ananasów firmy Dole. Uwielbiał te ananasy. Mógł je jeść trzy razy dziennie i nigdy nie miał dość. Wytrąbił cały sok trzema długimi łykami. Rozejrzał się dookoła.

– George?

Cisza.

Zaczął krążyć nerwowo po całym domu. Brakowało mu telewizora. Na radio w nocy nie miał co liczyć. Gdyby George tutaj był, mogliby sobie pograć w *cribbage*. Blaze zawsze z nim przegrywał, bo przegapiał sekwensy (od czasu do czasu) i piętnastki (bez wyjątków – dodawanie to była arytmetyka), ale i tak miał wielką radochę z przestawiania kołków na planszy. Wyglądało to zupełnie jak na końskim wyścigu. A gdyby George'owi nie chciało się wysilać w *cribbage*, zawsze mogli złożyć cztery talie do kupy i grać w wojnę. George potrafił pół nocy trzaskać w wojnę, trąbić piwo i nawijać, jak to republikanie dymają biednych. („Dlaczego to robią? Powiem ci. Z tego samego powodu, co pies liże sobie jaja – bo nikt mu nie zabroni"). A teraz Blaze nagle zorientował się, że nie ma nic do roboty. George pokazywał mu kiedyś, jak się układa pasjansa, ale nie mógł sobie przypomnieć, jak to szło. Na porwanie było jeszcze grubo za wcześnie, a kiedy obrabiał tamten sklep, nie pomyślał, żeby zwinąć jakieś komiksy albo świerszczyki.

Pocieszył się ostatecznie starym numerem X-Menów. George mówił na X-Menów „Załoga Gej". Blaze nie mógł tego zrozumieć. Gdzie Stany, a gdzie Japonia?

Za kwadrans ósma znowu przysnął. Obudził się o jedenastej. W głowie miał mętlik i czuł się półprzytomny. Gdyby chciał, mógł jechać na akcję – zanim by dotarł do Ocoma Heights, byłoby już po dwunastej – ale nagle uświadomił sobie, że wcale nie wie, czy chce tam jechać. Ni z tego ni z owego powzięty plan zaczął go przerażać. Zrobił się strasznie skomplikowany. Trzeba go było przemyśleć. Przygotować się. Może warto by najpierw jakoś przeniknąć do tego domu i zorientować się trochę w środku. Podać się za pracownika wodociągów albo za elektryka. Naszkicować sobie mapkę.

Pusta kołyska stojąca obok pieca szydziła z niego w żywe oczy. Znowu zapadł w niespokojny sen. Śniło mu się, że biegnie, goni kogoś po wyludnionych ulicach jakiegoś miasta na nadbrzeżu. Ponad pomostami i portowymi magazynami krążyły stada krzyczących mew. Nie wiedział, czy to George czy John Cheltzman, ale kiedy zaczął doganiać uciekającą postać, ona zerknęła w tył przez ramię i wyszczerzyła się szyderczo. Zobaczył wtedy, że to ani George, ani Johnny. To była Margie Thurlow.

Obudził się na fotelu i w ubraniu, ale noc już się skończyła. WJAB znów nadawało. Henson Cargill śpiewał „Skip a Rope".

Następnej nocy już się zbierał do wyjścia, ale w końcu nie pojechał. Rano wyszedł z domu i całkiem bez sensu zabrał się do odśnieżania długiej ścieżki prowadzącej w stronę lasu. Machał łopatą, aż zabrakło mu tchu, a w ustach poczuł smak krwi.

Jadę tam dziś, powiedział sobie, ale pojechał tylko do najbliższego sklepu z alkoholem, żeby zobaczyć, czy są już nowe komiksy. Były. Kupił trzy. Zjadł kolację, a potem zasnął nad pierwszym z nich. Obudził się o północy i kiedy wstawał, żeby pójść się odlać, nagle usłyszał głos George'a.

– George?
– Cykor cię obleciał, co, Blaze?
– Nie! Wcale mnie...
– Siedzisz w tej chałupie jak pies, co przytrzasnął sobie jajca w drzwiach od kurnika.
– Nieprawda! Patrz, ile zrobiłem. Kupiłem dobrą drabinę...
– I parę nowych komiksów. Fajnie ci tak siedzieć, słuchać tego chłamu z radia i czytać historyjki o pedałach w pelerynkach?
Blaze mruknął coś w odpowiedzi.
– Mówiłeś coś?
– Nic.

– Widzę, że boisz się nawet dać głos.

– Dobra, powiem: nikt cię nie prosił, żebyś wracał.

– Oż, ty niewdzięczna szumowino z kloaki społecznej.

– Posłuchaj, George...

– A ja tak o ciebie dbałem, Blaze. Przyznaję, że nie z miłosierdzia. Byłeś użyteczny, kiedy się wiedziało, co z tobą zrobić, ale kto to wiedział? Ja. Zapomniałeś już? Codziennie przynajmniej raz jedliśmy do syta. Nie mówię: trzy pełne posiłki dziennie, ale przynajmniej ten jeden. Pilnowałem, żebyś zmieniał ubranie i chodził umyty. Kto ci przypominał, żebyś szorował zęby?

– Ty, George.

– A teraz, jak widzę, nauka poszła w las. Znowu ci jedzie, jakbyś miał w paszczy zdechłego szczura.

Blaze uśmiechnął się mimo woli. George potrafił tak ładnie dobierać słowa.

– A jak cię przypiliło, to kto przywoził ci dziwki? Ja.

– Jasne. Tą, od której złapałem trypra, też ty mi przywiozłeś.

– Blaze dobrze pamiętał tamtych sześć tygodni, kiedy sikanie było chińską torturą.

– Ale zabrałem cię do lekarza, tak czy nie?

– Tak.

– Jesteś mi coś winien, Blaze.

– Przecież sam nie chciałeś, żebym to robił!

– No i co? Zmieniłem zdanie. Plan był mój, a ty jesteś mi coś winien.

Blaze zastanowił się. Jak zwykle trwało to długo i nie było bezbolesne.

– Co ci jestem winien?! – wybuchnął wreszcie. – Przecież ty nie żyjesz! Gdyby ktoś przechodził teraz pod oknem, to by zobaczył, że gadam ze sobą i wziął mnie za czubka! Bo ja chyba naprawdę zwariowałem! – W tym momencie przyszło mu do głowy coś jeszcze. – Co zrobisz ze swoją działką, jak umarłeś?

– A ty to niby żyjesz pełnią życia, co? Siedzisz na dupie, słuchasz tej popierdolonej kowbojskiej muzyczki i co tam jeszcze? Oglądasz komiksy i walisz konia?

Blaze zarumienił się i spuścił głowę.

– A jak będziesz okradał ten sam sklep co trzy–cztery tygodnie – mówił dalej George – to w końcu go obstawią i cię udupią. A w tak zwanym międzyczasie co chcesz robić? Siedzieć tutaj i wlepiać gały w to zasrane łóżeczko i tę jebaną kołyskę?

– Porąbię ją na podpałkę.

– Spójrz ty na siebie. – W głosie George'a zabrzmiało już coś więcej niż po prostu smutek. To było bardziej jak żal. – Spodni dwa tygodnie nie zmieniałeś. Gacie zaszczane i śmierdzą. Musisz się ogolić i porządnie ostrzyc. Siedzisz w tej budzie, w samym środku zadupiastego lasu. To nie po naszemu. Nie widzisz tego?

– Zostawiłeś mnie – powiedział Blaze.

– Bo robiłeś wszystko jak kretyn. Ale teraz robisz jeszcze gorzej. Musisz zaryzykować, inaczej już po tobie. Posiedzisz tu pięć lat, tam sześć, a potem, jak trzeci raz powinie ci się noga, automatycznie podpadniesz pod trzykrotną recydywę i przyłożą ci dożywocie w Shawshank. I wyjdzie, że jesteś matolasty oprych, co nie wie, że trzeba myć zęby i zmieniać skarpetki. Taka sama mierzwa jak wszyscy.

– No to powiedz mi, co mam robić, George.

– Masz robić wszystko zgodnie z planem.

– Ale jak mnie złapią, to koniec. Dożywocie. – Myśl o tym prześladowała go bardziej, niż sam byłby skłonny przyznać.

– I tak cię to czeka, jak dalej będziesz się zachowywał tak jak teraz. Czy ty mnie w ogóle słuchasz? Zresztą pomyśl – temu dzieciakowi to w sumie zrobisz przysługę. Nawet jeśli niczego nie zapamięta, bo i jak ma zapamiętać, to do końca życia będzie miał się czym chwalić przed tymi swoimi kolesiami z wyższych sfer. A ci ludzie, co ich oskubiesz, sami kradną na potęgę, tylko zamiast gnata mają wieczne pióro, jak śpiewał Woody Guthrie.

– A jak mnie złapią?

– Nie złapią. Gdybyś miał kłopoty przez te pieniądze, co je ukradłeś – w sensie jak się okaże, że są znaczone – to pojedziesz do Bostonu i znajdziesz Billy'ego O'Shea. Ale przede wszystkim obudź się wreszcie.

– Kiedy mam to zrobić, George? Kiedy?

– Kiedy się obudzisz. Obudzisz. Obudź się. Obudź się!!

Blaze obudził się nagle. Siedział na fotelu. Na nogach miał buty, a wszystkie komiksy leżały porozwalane po podłodze. Och, George, pomyślał. Wstał i spojrzał na tani, byle jaki zegarek stojący na lodówce. Kwadrans po pierwszej. Na ścianie wisiało lustro z widocznymi plamami po mydle. Podszedł do niego i zgarbił się, żeby móc zobaczyć swoje odbicie. Twarz miał zmęczoną i zgaszoną. Włożył kurtkę, czapkę i rękawiczki, a następnie poszedł do szopy. Drabina była w samochodzie, ale samochód stał nieodpalany przez trzy dni i silnik długo stukał, zanim wreszcie zaskoczył. Blaze usiadł za kierownicą.

– No to w drogę, George – powiedział. – Zaczynam.

Odpowiedzią była cisza. Blaze przekrzywił daszek czapki na szczęśliwą stronę i wycofał z szopy, a potem wykręcił na trzy i wyjechał na drogę. Zaczęło się.

ROZDZIAŁ 11

Z zaparkowaniem w Ocoma Heights poszło mu jak z płatka, chociaż po mieście zawsze kręciło się pełno policyjnych patroli. George opracował tę część planu dobrych kilka miesięcy przed śmiercią. Od tego właściwie wszystko się zaczęło.

Przy tej samej drodze co posiadłość Gerardów, tylko po przeciwnej stronie i około czterystu metrów dalej, stał duży apartamentowiec. Nazywał się Oakwood i miał dziewięć pięter. Ludzie, którzy tam mieszkali, pracowali w Portland, Portsmouth i Bostonie i musieli dobrze – a raczej bardzo dobrze – zarabiać. Obok budynku znajdował się strzeżony, ogrodzony parking dla gości. Kiedy Blaze podjechał do szlabanu, z małej budki wyszedł mu na spotkanie strażnik, zapinając parkę.

– Do kogo pan przyjechał?

– Do pana Josepha Carltona – odpowiedział Blaze.

– Proszę – skinął głową strażnik; dochodziła druga nad ranem, ale najwidoczniej nie zdziwiła go wizyta o tej porze. – Mam panu otworzyć?

Blaze potrząsnął głową i pokazał mu czerwoną plastikową kartę, która kiedyś należała do George'a. Gdyby strażnik powiedział, że musi zadzwonić na górę, do właściciela lokalu – gdyby w ogóle zaczął się zachowywać w podejrzany sposób – byłby to znak, że karta jest już do niczego, że zmienili kolory czy co tam, i trzeba brać dupę w troki.

Ale strażnik tylko skinął głową i wrócił do swojej budki. Chwilę później szlaban śmignął w górę i Blaze wjechał na parking.

Pan Joseph Carlton nie istniał; tak mu się przynajmniej wydawało. George mówił, że apartament na ósmym piętrze wynajmują sobie do zabawy kolesie z Bostonu, których nazywał „irlandzkie cwaniaki". Czasami urządzali tam spotkania, a czasami przywozili dziewczyny, które, jak mawiał George, „robiły wariacje", ale najczęściej rżnęli w pokera we trzech. George grał z nimi może z sześć razy. Miał tam wejście, bo znał jeszcze z młodych lat jednego z irlandzkich cwaniaków, przedwcześnie posiwiałego gangstera nazwiskiem Billy O'Shea. Był to facet z sinymi wargami i oczami żaby. Billy O'Shea mówił na George'a „Rzęchu" (z powodu jego głosu) albo po prostu Rzęch. Czasami wspominali sobie jakieś zakonnice i jakichś księży.

Blaze był z George'em dwa razy na takim pokerze i ledwie mógł uwierzyć własnym oczom, kiedy zobaczył, jakie pieniądze leżą na stole. Raz George wygrał pięć tysięcy dolarów, a raz przegrał dwa. To właśnie dzięki wizytom w Oakwood, skąd tak blisko było do rezydencji Gerardów George zaczął myśleć serio o fortunie tych bogaczy i o ich małym dziedzicu.

Parking dla gości był ciemny i pusty. Śnieg, odgarnięty i wyrównany, skrzył się w świetle samotnej latarni. Pług utworzył wysoką zaspę pod ogrodzeniem, za którym rozciągał się nieuczęszczany, półtorahektarowy park. Ogrodzenie miało na szczycie drut kolczasty.

Blaze wysiadł z forda i wyciągnął drabinę przez tylne drzwi. Musiał coś robić, bo tak było mu lepiej. Będąc w ruchu, zapominał o swoich wątpliwościach.

Przerzucił drabinę przez ogrodzenie z drutem kolczastym. Spadła po drugiej stronie bez hałasu, wzbijając bajkowy biały obłoczek. Blaze wgramolił się na górę, zahaczył nogawką o sterczący kawałek drutu i zleciał głową naprzód prosto w śnieg, którego, jak się okazało, napadało tam prawie na metr. Uczucie było porywające, euforyczne. Zaczął wymachiwać rękami i wierzgać, pozostawiając przy tym, zupełnie niechcący, wyraźnego orła na śniegu.

Zarzucił drabinę na ramię i ruszył z mozołem w stronę głównej drogi, rozglądając się uważnie, żeby wyjść dokładnie naprzeciwko domu Gerardów. Nie pomyślał o tym, że zostawia ślady – charakterystyczne, bieżnikowane odciski wojskowych butów. George by pewnie zwrócił na to uwagę, ale George'a tu nie było.

Na skraju drogi przystanął i rozejrzał się. Nic nie jechało. Po drugiej stronie stał niski żywopłot ozdobiony śniegowym kołnierzem, ostatnia przeszkoda broniąca dostępu do rezydencji Gerardów. Blaze zgarbił się, jakby dzięki temu było go mniej widać, i przebiegł przez drogę. Przerzucił drabinę nad żywopłotem i już się szykował, żeby samemu przepchnąć się na drugą stronę, kiedy nagle jakieś światło – najbliższa latarnia albo może gwiazdy – wyłowiło spośród nagich, splątanych gałązek cienką, srebrzystą linię. Przyjrzał się uważniej i poczuł, jak serce podjeżdża mu do gardła.

To był drut rozpięty na smukłych metalowych wspornikach. Przebiegał przez porcelanowe izolatory umieszczone w trzech czwartych wysokości każdego wspornika. To oznaczało, że ustrojstwo jest pod prądem; takie samo mieli państwo Bowie na pastwisku dla krów. Gdyby teraz tego dotknął, pokopałoby go tak, że zlałby się w gacie, jednocześnie włączając alarm – jakiś szofer, kamerdyner czy kto tam jeszcze zadzwoniłby po gliniarzy i byłoby po wszystkim. Koniec pieśni.

– George? – szepnął Blaze.

Odpowiedział mu jakiś głos, także szeptem:

– Przeskocz przez to gówno. – Nie potrafił określić kierunku, z którego dobiegła ta wskazówka; może od strony drogi.

Cofnął się – drogą w dalszym ciągu nic nie jechało – i ruszył biegiem prosto na żywopłot. W ostatniej chwili odbił się od ziemi i przeleciał nad nim niezdarnie, jak pijany skoczek w dal. Otarł się w locie o szczyt żywopłotu i wylądował rozpłaszczony tuż obok swojej drabiny. Na śniegu i na gałązkach pozostały po nim kropelki krwi grupy AB Rh-, ciekącej z nogi zadrapanej przy przechodzeniu przez ogrodzenie z drutem kolczastym.

Blaze pozbierał się z ziemi i szybko ocenił sytuację. Do domu Gerardów pozostało mu już tylko około stu metrów. Za rezydencją stał jeszcze jeden, mniejszy budynek, może garaż albo domek dla gości. Może nawet dla służby. Pomiędzy nimi rozciągała się rozległa przestrzeń zasypana śniegiem. Jeśli ktoś z domowników nie śpi, z łatwością go tam wypatrzy. Blaze wzruszył ramionami. Nie mógł na to absolutnie nic poradzić.

Złapał swoją drabinę i potruchtał w stronę domu, aby ukryć się w jego bezpiecznym cieniu. Przykucnął pod ścianą, łapiąc oddech i wyglądając znaków świadczących o tym, że ktoś podniósł alarm. Nie zauważył niczego. Dom spał.

Na piętrach były dziesiątki okien. Które wybrać? Nawet jeśli ustalili to z George'em – o ile sam George w ogóle wiedział, którędy najlepiej wejść – Blaze zdążył o tym zapomnieć. Położył dłoń na ceglanej ścianie, jakby spodziewał się, że będzie oddychać. Zajrzał w najbliższe okno; zobaczył olbrzymią, lśniącą czystością kuchnię, która wyglądała jak sterownia na U.S.S. „Enterprise". Nocna lampa nad kuchenką oblewała glazurę i laminatowe blaty miękką poświatą. Blaze otarł nerwowo usta. Czuł, że za chwilę zacznie się wahać i pogubi się kompletnie, więc aby temu zapobiec, poszedł po drabinę; byle coś robić, choćby najbardziej banalną rzecz. Dygotał na całym ciele.

„Nigdy nie wyjdziesz z pudła!", wrzasnął głos w jego głowie. „Za coś takiego dostaniesz dożywocie! Ale jeszcze czas, jeszcze możesz…"

– Blaze.

Mało brakowało, a zawyłby ze strachu.

– Nieważne, którym oknem wejdziesz. A jak zapomnisz, którędy wlazłeś, to poszukasz.

– George, ja nie mogę. Na pewno coś przewrócę… Usłyszą mnie, przyjdą i zastrzelą… albo…

– Blaze, musisz to zrobić. Tylko tę jedną rzecz, nic więcej.

– Boję się, George. Chcę do domu.

Cisza. Brak odpowiedzi. Kłopot polegał na tym, że cisza to też odpowiedź.

Wydając z siebie zduszone, ochrypłe stęknięcia, którym towarzyszyły obłoczki pary, Blaze odblokował drabinę i rozsunął ją na pełną długość. W rękawiczkach z jednym palcem szło mu niesporo i dopiero za drugim razem zdołał zamknąć blokadę zabezpieczającą. Po przedzieraniu się przez zaspy był od stóp do głów oblepiony śniegiem, wyglądał jak bałwan albo jakiś yeti. Miał nawet pigułę na daszku czapki, wciąż przekrzywionym na szczęśliwą stronę. Dookoła panowała cisza, przerywana tylko jego cichym oddechem i metalicznymi szczęknięciami zapadek drabiny. Śnieg tłumił wszelkie dźwięki.

Drabina była lekka, aluminiowa. Uniósł ją bez trudu. Ostatni szczebel oparł się o ścianę tuż pod oknem nad kuchnią. Było już widać, że zatrzask da się otworzyć z drugiego albo trzeciego szczebla.

Zaczął się wspinać, przy każdym poruszeniu strząsając z siebie śnieg. W pewnym momencie drabina osiadła; zastygł w bezruchu, wstrzymując oddech, ale nic więcej się nie stało, a potem było już w porządku. Znów ruszył w górę, mijając cegłę po cegle, aż dotarł do parapetu i spojrzał w okno. Okno sypialni.

W środku stało dwuosobowe łóżko. Spały w nim dwie osoby. Ich twarze widoczne były jako białe owale, jasne plamy, nic więcej.

Blaze wpatrywał się w nie, zdumiony. Zapomniał o strachu. Nie potrafił zrozumieć dlaczego (nie rajcował go ten widok, a w każdym razie nie był podniecony), ale nagle poczuł, że zaczyna mu stawać. Nie miał absolutnie żadnych wątpliwości, że obserwuje Josepha Gerarda III i jego żonę. Patrzył na nich, ale oni o tym nie wiedzieli. Zaglądał prosto do ich świata. Oglądał sobie ich komódki, ich nocne stoliki, ich wielkie dwuosobowe łóżko. Widział nawet siebie, w wysokim stojącym lustrze, widział, jak zagląda do środka z zewnątrz, z miejsca, gdzie jest zimno. Patrzył na nich, a oni nie mieli o tym najmniejszego pojęcia. Aż się zatrząsł od tych emocji.

Oderwał oczy od śpiącej pary i przyjrzał się zatraskowi po wewnętrznej stronie okna. Był to prościutki zameczek na zapadkę (George by powiedział: „Prosty jak drut"). Żeby go otworzyć, wystarczyło odpowiednie narzędzie. Blaze, rzecz jasna, nie miał przy sobie takiego narzędzia, ale okazało się, że i tak go nie potrzebuje. Zatrzask był otwarty.

Debile, pomyślał. Bogate republikańskie debile. Ja może i jestem tępy, ale to są normalne głupki.

Rozstawił stopy jak najszerzej na szczeblu drabiny, żeby mieć lepsze podparcie i móc przyłożyć większą siłę, po czym zaparł dłonie o ramę okna i powoli zaczął ją przesuwać do góry. Śpiący mężczyzna przewrócił się z boku na bok. Blaze odczekał, dopóki Joseph Gerard nie powrócił do sennej krainy, a potem znów naparł na okno.

Już zaczynał myśleć, że jest jakoś zamknięte na stałe i dlatego zatrzask był otwarty, kiedy pomiędzy ramą a parapetem pojawiła się wąziutka szczelina. Drewno skrzypnęło cicho. Blaze natychmiast przestał naciskać.

Zastanowił się.

Trzeba będzie to zrobić szybko: otworzyć, wejść, zamknąć. Inaczej mroźne styczniowe powietrze na pewno ich obudzi – nie ma bata. Ale jeśli okno zacznie skrzypieć, przy otwieraniu, to też się obudzą.

– Dawaj. – Z ziemi, spod drabiny, dobiegł go głos George'a. – Tylko się postaraj.

Blaze wsunął palce pomiędzy spód ramy okiennej a futrynę, pociągnął do góry. Okno otworzyło się bezszelestnie. Przełożył nogę przez parapet, oparł na niej ciężar ciała, odwrócił się i zamknął okno, które dopiero wtedy skrzypnęło koncertowo, a opadając, wydało głuchy łomot. Blaze przykucnął, nie śmiejąc się poruszyć. Bał się spojrzeć w stronę łóżka, nadstawił tylko uszu, łowiąc najlżejsze szelesty.

Cisza.

O nie. Na pewno nie cisza. Noc rozbrzmiewała symfonią odgłosów. Było słychać na przykład oddechy: dwoje ludzi oddychało niemalże unisono, jakby jechali na takim dwuosobowym rowerze. Materace w łóżku poskrzypywały cichutko. Tykał zegar. Coś syczało – pewnie piec. A cały dom oddychał. Starzał się jak co dzień od pięćdziesięciu czy siedemdziesięciu pięciu lat. A może nawet, cholera, od stu. Starzały się jego kości: cegły i drewno.

Blaze odwrócił się i spojrzał na śpiących. Kobieta leżała odkryta aż do pasa. Górna część koszuli nocnej zjechała jej na bok, odsłaniając nagą pierś. Blaze stał i gapił się, zafascynowany jej falowaniem, nie mogąc się nadziwić, że sutek stwardniał od tego krótkiego przeciągu...

– Ruszaj się, Blaze! Jezu, na co czekasz!

Przemknął przez pokój na palcach, wstrzymując oddech i wypinając klatkę piersiową jak gruby pułkownik z kreskówki; idealna karykatura kochanka chowającego się pod łóżkiem. Zatrzymało go lśnienie złota.

Na jednej z komódek stała ramka na zdjęcia w kształcie tryptykowej piramidy. Była wykonana ze złota. Na dole znajdowały się fotografie Joe Gerarda III i jego żony parmenki o skórze koloru oliwki, a nad nimi – portret łysego niemowlaka otulonego kocykiem podciągniętym pod samą brodę. Jego ciemne oczy były szeroko otwarte na świat, do którego zawitał tak niedawno.

Blaze dotarł w końcu do drzwi i przekręcił gałkę, ale zatrzymał się jeszcze i obejrzał za siebie. Kobieta przełożyła rękę, zakrywając nagą pierś. Jej mąż spał na wznak z otwartymi ustami. Nagle zachrapał gardłowo, marszcząc nos, ale przedtem przez chwilę wyglądał jak trup. Ten widok przypomniał Blaze'owi psa o imieniu Randy, leżącego na ściętej mrozem ziemi oraz pchły i kleszcze uciekające z jego stygnącej skóry.

Za łóżkiem znajdowało się okno, przez które wszedł; wewnętrzny parapet i podłoga pod nim były przypudrowane śniegiem, który zaczynał już topnieć.

Blaze otworzył drzwi, ostrożnie, żeby móc je zatrzymać, kiedy usłyszy choćby najlżejsze skrzypnięcie, ale nic nie skrzypnęło. Uchylił je tylko na tyle, żeby zmieścić się w szczelinie i szybko wyślizgnął się z sypialni. Drzwi wychodziły na długą galerię. Pod stopami Blaze'a słał się cudownie gruby dywan. Zamknął za sobą i wypatrzywszy w ciemności jeszcze ciemniejszą plamę balustrady, podszedł do niej i spojrzał w dół.

Zobaczył schody, wspinające się na galerię dwoma eleganckimi zakosami. Prowadziły do obszernego holu, który niknął w mroku. Wypolerowana podłoga lśniła skąpą, rozmigotaną poświatą. Na galerii, ale po przeciwnej stronie, stał posąg przedstawiający młodą kobietę. Twarzą do niej, po tej stronie, gdzie stał Blaze, znajdował się natomiast posąg młodego mężczyzny.

– Nie gap się na te rzeźby, Blaze. Szukaj dzieciaka. Zostawiłeś drabinę pod ścianą...

Schody biegnące po jego prawej ręce prowadziły w dół, na parter, więc Blaze ruszył w lewo, wzdłuż galerii, stąpając najlżej jak tylko umiał. Tutaj panowała już głucha cisza, przerywana jedynie cichym szmerem jego kroków na dywanie. Przestał słyszeć nawet tamten syczący piec. Wrażenie było upiorne.

Ostrożnie otworzył następne drzwi. Zobaczył pokój z biurkiem pośrodku i książkami na wszystkich ścianach; mnóstwo półek zastawionych po brzegi książkami. Na biurku stała maszyna do pisania, a obok niej leżał plik papierów przyciśniętych jakimś czarnym kamieniem, połyskującym jak szkło. A na ścianie wisiał portret. Blaze dostrzegł na nim siwowłosego mężczyznę o zachmurzonej twarzy, który piorunował go wzrokiem, jakby mówił: „Ty złodzieju!". Zamknął drzwi i ruszył dalej.

Za następnymi drzwiami była pusta, nieużywana sypialnia. Stało w niej łoże z baldachimem, przykryte kapą naciągniętą tak mocno, że można by na niej chyba grać w pchełki.

Zaglądał po kolei do wszystkich pokojów, czując pierwsze strużki potu spływające po skórze. Nigdy nie miał szczególnie wyrobionego poczucia czasu, ale teraz nagle zaczął sobie uświadamiać, że czas płynie. Jak długo już chodzę po tym uśpionym domu bogaczy, myślał, piętnaście minut? Dwadzieścia?

W trzecim pokoju była kolejna śpiąca para. Kobieta jęczała przez sen, więc Blaze szybko zamknął drzwi.

Minął zakręt galerii. A jeśli trzeba będzie iść na górę, na drugie piętro, co wtedy? Na samą myśl o tym ogarnęło go przerażenie, które znał do tej pory tylko z nawiedzających go od czasu do czasu koszmarów (najczęściej śnił mu się Hetton House albo państwo Bowie). A co powiem, zaczął myśleć gorączkowo, jak w tej chwili zapali się światło i mnie złapią? Co powiem? Że chciałem ukraść srebra? Nawet kompletny matoł wie, że na drugim piętrze nie ma co szukać żadnych sreber.

Za zakrętem galeria była już bardzo krótka. Znajdowały się tam tylko jedne drzwi. Blaze otworzył je. To był pokój dziecinny.

Przez dłuższą chwilę stał i gapił się, nie mogąc uwierzyć, że dotarł aż tak daleko. Nie przywidziało mu się. Mógł zrobić to, po co przyszedł. Kiedy o tym pomyślał, nagle zapragnął uciekać, gdzie pieprz rośnie.

Łóżeczko było prawie dokładnie takie samo jak to, które kupił w „Dziecięcym Królestwie". Na ścianach hasały wymalowane postacie z kreskówek Disneya. Był tam i stolik do przewijania, i półka uginająca się pod słoiczkami pełnymi kremów i maści, i mała dziecięca toaletka pomalowana na jakiś jasny kolor. Może na czerwono, a może na niebiesko. W ciemności trudno było dostrzec. A w łóżeczku leżało dziecko.

To był ostatni moment, żeby dać nogę. Blaze wiedział o tym dobrze. W tej chwili miał być może jeszcze szansę wyjść z tego domu tak samo niepostrzeżenie, jak do niego wszedł. Rodzina nie miałaby bladego pojęcia, co jej groziło. Ale on by wiedział. Pomyślał, żeby tylko wejść i położyć swoją wielką łapę na malutkiej główce dziecka, a potem zniknąć. Nagle ujrzał oczyma duszy siebie za dwadzieścia lat; zobaczył, jak czyta gazetę i znajduje zdjęcie Josepha Gerarda IV w kolumnie towarzyskiej (George mówił na kolumnę towarzyską „plotki z życia bogatych świń i rżących koni"). Na zdjęciu widniał młody mężczyzna w smokingu, a u jego boku stała dziewczyna z bukietem kwiatów. Artykuł pod spodem informował, gdzie wzięli ślub i gdzie spędzą miesiąc miodowy. A on, Blaze, patrzył na to zdjęcie i myślał: „Kurde, stary. Kurde, stary, żebyś tylko wiedział…".

Ale kiedy tylko przestąpił próg, wiedział już, że zabierze to dziecko.

Zrobię po naszemu, George, pomyślał.

Niemowlę spało na brzuszku, z główką odwróconą na bok i jedną rączką podłożoną pod policzek. Było przykryte kocykiem, który unosił się delikatnie w rytm jego oddechów. Na łysej czaszce widniała zaledwie garść włosów, nie więcej. Obok, na poduszce, leżał czerwony gryzak.

Blaze wyciągnął rękę, ale nagle ją cofnął.

A jak zacznie płakać?

W tym samym momencie dostrzegł rzecz, na widok której serce podjechało mu do samego przełyku. Mały nadajnik z mikrofonem. Dziecięcy telefon. Odbiornik stoi pewnie w sypialni matki albo niani. Gdyby niemowlak zaczął teraz płakać...

Z największą delikatnością Blaze sięgnął do wyłącznika i nacisnął go. Czerwone światełko, które paliło się nad nim, powoli zamarło. Patrzył, zastanawiając się, czy wyłączenie zasilania nie uruchomi jakiegoś sygnału. Alarmu.

Uwaga, mamo. Uwaga, nianiu. Dziecięcy telefon nawala, bo wyłączył go wielki, głupi porywacz. W domu jest wielki, głupi porywacz. Chodźcie go zobaczyć. Weźcie broń.

Dawaj, Blaze. Tylko się postaraj.

Blaze zrobił głęboki wdech, potem wydech i wyciągnął brzegi kocyka spomiędzy materaca a prętów łóżeczka. Wyjął dziecko i owinął je całe. Ukołysał delikatnie w ramionach. Niemowlę zakwiliło i wyprężyło swoje małe ciałko. Błysnęły uchylone oczy. Maluch wydał z siebie cichutkie miauknięcie, brzmiące jak „niiap", a potem zacisnął powieki i z powrotem zwiotczał.

Blaze wypuścił wstrzymywany oddech.

Wrócił na galerię. Zdawał sobie dobrze sprawę, że wyjście za próg pokoju dziecinnego oznacza przekroczenie pewnej granicy. Teraz już w żaden sposób nie mógł udawać zwykłego włamywacza. Niósł na rękach dowód swojej zbrodni.

Zejście po drabinie ze śpiącym niemowlęciem było niemożliwe; nie brał tego nawet pod uwagę. Ruszył w kierunku schodów. Ale tam kończył się dywan. Dźwięk, który rozległ się, kiedy Blaze postawił nogę na pierwszym gładkim, wypolerowanym stopniu, był głośny, niczym niestłumiony i absolutnie oczywisty w swojej wymowie. Porywacz zamarł, nasłuchując, wyprężony na baczność nagłym ukłuciem strachu, ale dom spał dalej.

Tylko, że jemu w tym momencie zaczęły puszczać nerwy. Dziecko niespodziewanie zrobiło się okropnie ciężkie. Determinacja osłabła pod wpływem paniki. Już prawie złowił kątem oka jakiś ruch: najpierw z jednej strony, potem z drugiej. Przy każdym kolejnym kroku myślał sobie, że dziecko zaraz zacznie się wiercić i płakać. A jego płacz obudzi cały dom.

– George... – wymamrotał.

– Idź. – Głos George'a rozległ się na dole, u stóp schodów. – Jak w tym starym kawale: idź, nie biegnij. Podążaj za moim głosem, Blejziński.

Blaze zaczął schodzić. Nie dało się iść bezszelestnie, ale przynajmniej nie robił już tak straszliwego hałasu jak na tym pierwszym stopniu. Dziecko trzęsło mu się w ramionach. Nie mógł go trzymać nieruchomo, chociaż naprawdę bardzo się starał. Na razie wciąż jeszcze spało, ale już za chwileczkę, już za momencik... Liczył stopnie. Pięć. Sześć. Siedem. Osiem cudów świata. Schody były bardzo długie. Pewnie specjalnie takie je zrobili, pomyślał, żeby głupie cipy w kolorowych kieckach miały się po czym przechadzać na wielkich balach, tak jak w „Przeminęło z wiatrem". Siedemnaście. Osiemnaście. Dzie...

To był koniec schodów, a on tego nie zauważył. Stopa łupnęła ciężko o podłogę: um! Dziecko zatrzęsło się, aż główka mu podskoczyła. Zakwiliło. W głuchej ciszy ten dźwięk był bardzo głośny.

Na górze zapaliło się światło.

Blaze wytrzeszczył szeroko oczy. Poczuł nagłe uderzenie adrenaliny w piersiach i niżej, w żołądku; zamarł w absolutnym bezruchu, przyciskając niemowlę do siebie. Po chwili zmusił się do rozluźnienia zesztywniałych mięśni – ale tylko odrobinę – żeby schować się w cieniu schodów. Stanął tam, nie ważąc się nawet drgnąć, z twarzą wykrzywioną śmiertelnym przerażeniem.

– Mike? – zawołał cicho czyjś zaspany głos.

Tuż nad głową Blaze'a ktoś podszedł do balustrady, szurając pantoflami po dywanie.

– Mikey, to ty, niedobry zwierzaku? – Głos dobiegał dokładnie z góry, sceniczny szept pod tytułem „cicho, ludzie śpią". Należał do starszej osoby i pobrzmiewały w nim zmęczone, płaczliwe nuty. – Idź do kuchni. Pańcia wystawiła ci mleczka na spodeczku. – Pauza. – A jak mi przewrócisz wazon, to będzie lanie.

Gdyby dziecko teraz zaczęło płakać...

Głos nad głową Blaze'a wydał jeszcze jakieś zduszone, gardłowe, kompletnie niezrozumiałe mruknięcie i znów rozległo się szuranie pantofli. Po chwili, która zdawała się trwać sto lat, cicho trzasnęły zamykane drzwi. Światło zgasło.

Blaze dalej stał nieruchomo, usiłując zapanować nad drżeniem kończyn. Wiedział, że jeśli zacznie się trząść, może obudzić dziecko. I raczej je obudzi. Jak trafić do kuchni? Jak zabrać drabinę i małego za jednym razem? A co z tym drutem w żywopłocie? Co? Jak? Gdzie?

Żeby powstrzymać ten natłok pytań, zaczął iść przed siebie. Przemknął chyłkiem na drugą stronę holu, osłaniając dziecko ciałem, tak jak bezdomna staruszka przyciska swój węzełek do piersi. Zobaczył przeszklone dwuskrzydłowe drzwi. Były uchylone, a w szczelinie lśniła woskowana posadzka. Wszedł do środka. To była jadalnia.

Urządzono ją z przepychem. Mahoniowy stół zaprojektowany był chyba specjalnie po to, żeby udźwignąć dziesięciokilogramowe indyki na Święto Dziękczynienia i gigantyczne, parujące pieczenie podawane w niedzielę na odświętnym obiedzie. Zza przeszklonych drzwi wysokiego, fikuśnego kredensu pobłyskiwała porcelana. Blaze nie zatrzymywał się, sunął przez jadalnię niczym niematerialna zjawa, ale i tak widok olbrzymiego stołu i krzeseł z wysokimi, jakby wojskowymi oparciami podsycił w jego piersi żar nigdy nieugaszonej urazy. Sam kiedyś szorował na kolanach kuchenną podłogę, a George mówił, że takich jak on jest wielu, całe mnóstwo. I to nie tylko w Afryce. George mówił, że kiedy ludzie pokroju Gerardów spotkają ludzi pokroju Blaze'a, to udają, że ich nie widzą. Więc niech teraz wsadzą sobie do tego łóżeczka na górze lalkę i udają, że to prawdziwe dziecko. Niech sobie udają, skoro tak dobrze im to idzie.

W przeciwległym końcu jadalni znajdowały się wahadłowe drzwi. Blaze pchnął je i znalazł się w kuchni. Przez ozdobione szronowym ornamentem okno zobaczył najniższe szczeble swojej drabiny. Rozejrzał się, szukając miejsca, gdzie mógłby położyć dziecko, kiedy będzie otwierał okno. Kuchenne blaty były szerokie, ale zawsze mogły okazać się jednak za wąskie. A kuchnia, nawet wygaszona, nie wydawała mu się jakoś szczególnie zachęcająca. I nagle wpadł mu w oko staromodny koszyk na zakupy, zawieszony na haku wbitym w drzwi spiżarni. Wyglądał na całkiem pojemny i miał rączkę, a do tego był głęboki. Blaze zdjął go z haka i zaniósł do małego stolika na kółkach stojącego pod ścianą. Włożył dziecko do środka. Poruszyło się przez sen, ale tylko nieznacznie.

Okno. Blaze uniósł suwaną część. Za nią było drugie okno, dodatkowe, do ochrony przed wichurą. Na górze takich okien nie montowano, ale te w kuchni były przykręcone na stałe, prosto do futryny.

Zaczął grzebać po szafkach. Pod zlewem znalazł stosik porządnie ułożonych ściereczek do naczyń. Wziął jedną do ręki. Był na niej amerykański orzeł. Okręcił tkaniną dłoń w rękawiczce i stłukł dolną szybę w dodatkowym oknie. Pękła nawet względnie cicho; na samym środku zrobiła się duża dziura z ostro ząbkowanym brzegiem. Blaze zaczął wybijać sterczące odłamki, przypominające strzały o szerokich szklanych grotach wycelowane w środek otworu.

– Mike? – zapytał nagle ten sam głos co przedtem.

Blaze zesztywniał. Bo tym razem głos nie dochodził z piętra, tylko…

– Mikey, co żeś znowu strącił?

…z holu, coraz bliżej kuchni…

– Cały dom obudzisz, ty niedobre zwierzę.

…i bliżej…

– Zamknę cię w piwnicy, bo zaraz nabroisz i potem będziesz miał za swoje.

Wahadłowe drzwi stanęły otworem i w kuchni pojawiła się ludzka sylwetka, rozjaśniona blaskiem lampki nocnej w kształcie świecy. Lampka była najwidoczniej na baterie, żeby można ją było

102

przenosić. Blaze'owi zamajaczyła starsza kobieta, poruszająca się powoli, z ostrożnością cyrkowca żonglującego jajkami. Włosy miała zakręcone na lokówkach, przez co jej głowa przypominała – samym kształtem – głowę kosmity z filmu science fiction. Nagle dostrzegła go pośród cieni.

– Kto... – Wypowiedziała tylko to jedno słowo, a potem część jej mózgu odpowiedzialna za zachowanie w sytuacjach kryzysowych (mająca już swoje lata, ale bynajmniej jeszcze nie obumarła) doszła do wniosku, że gadanie to nie jest odpowiednia taktyka. Otworzyła usta, żeby wrzasnąć.

Blaze uderzył ją, tak samo mocno jak walnął Randy'ego i jak bił Glena. Nie myślał o tym, co robi; zmusiły go do tego strach i zaskoczenie. Starsza pani osunęła się na podłogę, upadając prosto na swoją lampkę. Dało się słyszeć stłumione brzęknięcie; to zbiła się żarówka. Kobieta rozłożyła się bezwładnie na progu, jedną połową ciała w kuchni, a drugą w holu.

Nagle rozległo się ciche, żałosne miauczenie. Blaze burknął z niezadowoleniem i uniósł głowę. Na szczycie lodówki jarzyła się para zielonych oczu.

Wrócił do okna i wybił pozostałe odłamki szyby. Kiedy skończył, wyszedł na zewnątrz i zaczął nasłuchiwać.

Nic.

Na razie.

Potłuczone szkło mieniło się na śniegu niczym kosztowności w słodkim śnie włamywacza.

Blaze ustawił drabinę pionowo, otworzył zapadki i zsunął górną część, która wydała przy tym tak przeraźliwe trzeszczenie, że o mało nie zaczął krzyczeć. Zamknął zapadki z powrotem, chwycił złożoną drabinę i rzucił się do ucieczki. Wypadł pędem z cienia domu i był już w połowie trawnika, kiedy nagle uprzytomnił sobie, że zapomniał o dziecku. Zostawił je na tamtym stoliku na kółkach. Ni stąd ni zowąd stracił czucie w tej ręce, którą trzymał drabinę; upuścił ją prosto w śnieg. Odwrócił się i spojrzał za siebie.

W oknie na piętrze paliło się światło.

Przez chwilę Blaze był jakby dwoma różnymi facetami. Jeden z nich po prostu pędził w kierunku drogi (z jajami na ramieniu, jak by powiedział George), a drugi biegł z powrotem w stronę domu. Przez tę jedną chwilę Blaze stał i nie mógł się zdecydować. A potem zawrócił i puścił się pędem, aż śnieg tryskał mu spod butów.

Przełażąc przez wybite okno, skaleczył się przez rękawiczkę o przeoczony kawałek szkła sterczący z futryny. Prawie tego nie poczuł. Wgramolił się do kuchni, chwycił koszyk, tak zamaszyście, że mało brakowało, a wyrzuciłby z niego dziecko. Z piętra dobiegł szum wody spuszczanej w toalecie, głośny jak grzmot.

Blaze wystawił koszyk przez okno i sam podążył w jego ślady, nie obejrzawszy się nawet na postać leżącą bezwładnie na podłodze. Chwycił koszyk i po prostu wziął nogi za pas.

Zatrzymał się tylko na jedną chwilę, żeby wziąć drabinę pod pachę. Dobiegł do żywopłotu i dopiero tutaj spojrzał na niemowlę w koszyku. Spało jak aniołek. Joe IV nie miał najmniejszego pojęcia, że ktoś zabrał go z domu. Blaze obejrzał się na dom. Światło na piętrze już się nie paliło.

Postawił koszyk na śniegu i przerzucił złożoną drabinę przez żywopłot. I w tym momencie na drodze zapłonęły światła nadjeżdżającego samochodu.

A jak to będzie glina? Jezu, co wtedy?

Przypadł do ziemi, kryjąc się w cieniu rzucanym przez żywopłot. Zdawał sobie bardzo jasno sprawę z tego, że ścieżka, którą wydeptał na zasypanym śniegiem trawniku Gerardów jest wręcz idealnie widoczna; nie było tam żadnych innych śladów.

Samochód zbliżył się. Jasne kule reflektorów spęczniały, przez chwilę ogarniając wszystko jasnością, a potem przygasły i oddaliły się, nie zwalniając choćby odrobinę.

Blaze wstał, podniósł z ziemi koszyk – swój koszyk, od teraz już swój – i podszedł do żywopłotu. Rozchylił gałązki i przełożył go na drugą stronę. Nie mógł jednak sięgnąć tak daleko, żeby postawić koszyk na ziemi; musiał go upuścić z wysokości mniej więcej pół metra. Ciężar zarył się miękko w śniegu, a dziecko włożyło kciuk do buzi i zaczęło go ssać. W świetle pobliskiej latarni Blaze widział, jak pracują jego małe wargi: zacisnąć-puścić, zacisnąć-puścić. Prawie jak u ryby. Niemowlak nie poczuł jeszcze nawet przejmującego nocnego mrozu. Spod kocyka wystawała tylko główka i ta jedna malutka łapka.

Blaze przeskoczył przez żywopłot, zabrał drabinę i koszyk. Zgięty w pół, przemknął na drugą stronę drogi i ruszył po własnych śladach z powrotem przez zaśnieżone pole. Kiedy dotarł do parkingu pod apartamentowcem Oakwood, oparł drabinę o ogrodzenie z drutem kolczastym (nie trzeba jej było teraz rozkładać) i wspiął się na nią z koszykiem w dłoni.

Wcisnął noski butów w oczka siatki i stanął okrakiem ponad szczytem ogrodzenia, opierając koszyk na drżących z wysiłku udach; miał pełną świadomość, że jeśli któraś noga mu się teraz omsknie, to jego jaja przeżyją przygodę swojego życia. Jednym płynnym ruchem poderwał drabinę z ziemi, dysząc pod tym dodatkowym obciążeniem; przez chwilę balansowała, a potem opadła po stronie parkingu. Blaze zaczął się zastanawiać, czy ktoś z Oakwood przypadkiem nie obserwuje go z okna, ale uznał, że głupio się tym przejmować. Nawet jeśli tak było, to nie mógł nic na to poradzić. Dopiero teraz poczuł pulsujący ból w skaleczonej zbitą szybą dłoni.

Ustawił drabinę prosto i oparł koszyk na jej szczycie. Podtrzymując go jedną ręką, ostrożnie postawił nogę na jednym z niższych szczebli. Zamarł, kiedy drabina odjechała mu odrobinę. Na szczęście trwało to nie dłużej niż chwilę; dalej stała już pewnie.

Zniósł koszyk na dół, a potem wziął drabinę z powrotem pod pachę i poszedł tam, gdzie zostawił zaparkowanego forda.

Postawił koszyk na siedzeniu obok kierowcy, a potem otworzył tylne drzwi i wcisnął drabinę do środka. Kiedy już się z tym uporał, usiadł za kierownicą.

Ale nie mógł znaleźć klucza. Nie miał go w kieszeniach: ani w spodniach ani w kurtce. Zaczął się bać, że zgubił go przy tamtym upadku z ogrodzenia i będzie musiał wrócić i szukać, ale nagle spojrzał na stacyjkę i odetchnął. Zapomniał go wyjąć. Miał nadzieję, że George tego nie widział i obiecał sobie, że nigdy mu o tym nie powie. Nawet za milion lat.

Włączył silnik i przestawił koszyk z przedniego siedzenia na podłogę, po czym podjechał do budki przy szlabanie. Strażnik wyszedł do niego jak poprzednio.

– Już pan wraca? Tak wcześnie?

– Karta mi nie szła – wyjaśnił Blaze.

– Zdarza się nawet najlepszym. Dobrej nocy. I następnym razem życzę więcej szczęścia.

– Dzięki – odparł Blaze.

Dojechał do szosy, spojrzał w obie strony i skręcił w kierunku Apex. Jechał ostrożnie, uważnie wypatrując ograniczeń prędkości, ale nie zobaczył ani jednego radiowozu.

A kiedy już zajeżdżał na własne podwórko, mały Joe obudził się i zaczął płakać.

ROZDZIAŁ 12

Po powrocie do Hetton House Blaze był grzeczny i nie sprawiał kłopotów. Nie wychylał się i trzymał buzię na kłódkę. Chłopaki z wyższych roczników, ci, którzy byli najstarsi, kiedy on i John Cheltzman byli najmłodsi, zniknęli już z domu dziecka: poszli do pracy, do zawodówek, do wojska. Blaze wyciągnął się jeszcze o osiem centymetrów w górę. Wyrosły mu włosy na klatce piersiowej i w kroczu. Wszystkie chłopaki mu tego zazdrościły. Poszedł do szkoły średniej we Freeport i było mu tam dobrze, bo nie kazali uczyć się arytmetyki.

Władze Hetton House przedłużyły umowę z Martinem Coslawem. Dyrektor obserwował kolejne odejścia i powroty Blaze'a, czujnie i bez cienia uśmiechu. Ani razu nie wezwał go już do swojego gabinetu, chociaż Blaze wiedział, że spokojnie może to zrobić i wiedział też, że jeżeli Kośław weźmie Dechę i każe mu się pochylić, to on posłucha bez szemrania. Konsekwencją odmowy było wysłanie do North Windham Training Center, ośrodka dla trudnej młodzieży. Blaze słyszał, że tam chłopaków nie biją, tylko ćwiczą batem, jak na statkach, a niektórych zamykają w malutkiej metalowej skrzyni, na którą mówi się „puszka". Nie wiedział, czy to prawda, czy nie, ale wolał nie sprawdzać, bo jedno wiedział na pewno: bał się tam trafić.

Ale Kośław już nigdy więcej nie ukarał go laniem, a on ze swojej strony nie dawał Kośławowi powodu. Pięć dni w tygodniu spędzał w szkole, dzięki czemu jego kontakt z dyrektorem ograniczał się w dużej mierze do codziennej wrzaskliwej pobudki przez radiowęzeł i utrzymanego w podobnym tonie wieczornego ogłoszenia ciszy nocnej. Każdy dzień w Hetton House zaczynał się od tyrady, którą Martin Coslaw nazywał kazaniem („kazanie na śniadanie", mówił czasami John Cheltzman, kiedy miał dobry humor), a kończył wersetem z Biblii.

Życie toczyło się dalej. Blaze mógł zostać starostą całego sierocińca, gdyby tylko chciał. Ale nie chciał. Nie był urodzonym przywódcą, wręcz przeciwnie, ale mimo wszystko starał się być miły dla ludzi, nawet dla tych, których ostrzegał, że rozwali im łeb, jeśli nie dadzą spokoju jego kumplowi. Kilka dni po powrocie Blaze'a Johnny miał już spokój.

Aż pewnego letniego wieczoru, w czternastym roku życia Blaze'a (który w odpowiednim świetle wyglądał wtedy na sześć lat starszego), coś się wydarzyło.

W każdy piątek chłopcy jeździli do miasta wiekowym żółtym autobusem; warunek był taki, żeby jako grupa nie mieli za dużo punktów karnych za dyscyplinę. Niektórzy nie robili tam nic: włóczyli się bez celu w tę i z powrotem po głównej ulicy albo siedzieli na rynku, ewentualnie szli za róg zapalić papierosa. W mieście znajdował się salon bilardowy, ale tam nie wolno im było wchodzić. Ci z chłopców, którzy mieli pieniądze, mogli sobie za to pójść do kina „Nordica" i obejrzeć młodego Jacka Nicholsona, młodego Warrena Beatty albo młodego Clinta Eastwooda. Zarabiało się w różny sposób. Jedni roznosili gazety, inni latem kosili trawniki, a w zimie odśnieżali. Trzecią kategorię stanowili ci, którzy mieli pracę w samym Hetton House.

Zaliczał się do nich również Blaze. Był już wzrostu i postury mężczyzny – sporego mężczyzny – i główny dozorca płacił mu za różne prace. Martin Coslaw może i miał coś przeciwko, ale Frank Therriault nie podlegał temu nadętemu dupkowi. Podobało mu się, że Blaze ma takie szerokie bary, a ponieważ sam był cichym człowiekiem, cenił sobie też, że chłopak mówi tylko „tak" i „nie", a poza tym niewiele więcej. No i Blaze potrafił ciężko pracować: mógł przez całe popołudnie dźwigać po drabinie gonty w paczkach albo czterdziestopięciokilowe worki z cementem. Nosił po schodach ławki, etażerki, gabloty i szafy na dokumenty i ani razu nawet ust do nikogo nie otworzył. Nie przerywał pracy, do-

108

póki nie skończył. A jego największa zaleta? W zupełności wystarczał mu dolar sześćdziesiąt za godzinę roboty, dzięki czemu Therriault mógł co tydzień zgarniać do kieszeni sześćdziesiąt dolców ekstra. Kupił kiedyś za to żonie bajerancki kaszmirowy sweter z dekoltem w łódkę. Była zachwycona.

Blaze też był wniebowzięty. Zarabiał na luzie trzydzieści baksów tygodniowo, co spokojnie starczało na kino plus tyle popcornu, słodyczy i napojów, ile tylko mógł w siebie wciągnąć. Płacił też za Johna; było to dla niego oczywiste i sprawiało mu przyjemność. Chętnie dorzuciłby jeszcze tyle samo żarcia, ile kupował dla siebie, ale John zazwyczaj odmawiał. Wystarczył mu sam film, który oglądał łapczywie, z rozdziawionymi ustami.

W Hetton House John zaczął pisać opowiadania. Były to kulawe historyjki, sklecone z fragmentów filmów obejrzanych razem z Blaze'em, ale dzięki nim zdobył sobie coś w rodzaju popularności wśród rówieśników. Bystrzaków nikt nie lubił, ale swojego rodzaju pomysłowość była w cenie. No i wszyscy lubili słuchać opowiadań. Przepadali za nimi. Nigdy nie mieli dość.

W kinie wyświetlali kiedyś film o wampirach pod tytułem „Second Coming". John Cheltzman napisał własną wersję tego klasycznego dzieła kina grozy, z innym zakończeniem: hrabia Igor Yorga ukręca głowę półnagiej ślicznotce z „falującymi piersiami wielkimi jak arbuzy" i rzuca się w odmęty rzeki Yorby, trzymając tę głowę pod pachą. Owo undergroundowe arcydzieło nosiło osobliwy tytuł: „Jorga patrzy na ciebie".

Ale tamtego letniego wieczoru John nie chciał iść do kina, chociaż znowu grali jakiś horror. Dostał sraczki. Rano pięć razy musiał lecieć do kibla. Nie pomogło mu nawet pół butelki pepto-bismolu z osławionej szafy w gabinecie lekarskim na pierwszym piętrze; wciąż twierdził, że to jeszcze nie koniec.

– No, chodź – namawiał go Blaze. – W „Nordice" na parterze mają pierwszorzędny sracz. Sam raz postawiłem tam klocka. Weźmiemy miejsca gdzieś blisko.

Pomimo złowieszczych pomruków swych kiszek John ostatecznie dał się namówić i wsiadł razem z Blaze'em do autobusu. Zajęli miejsca z przodu, zaraz za kierowcą. W końcu byli już teraz prawie najstarsi.

Podczas wyświetlania zwiastunów John trzymał się jeszcze nieźle, ale kiedy na ekranie pojawiło się logo Warner Bros, nagle wstał, prześlizgnął się obok Blaze'a i zaczął wycofywać się przejściem pomiędzy rzędami siedzeń, idąc bokiem, jak krab. Blaze współczuł mu, ale w końcu takie jest życie. Przestał o tym myśleć i wlepił oczy w ekran, na którym szalała burza piaskowa, taka sama, jak na pustyni Maine, tylko że tu było widać jakieś piramidy. Po chwili wciągnęła go akcja; patrzył w najwyższym skupieniu, marszcząc brwi.

Kiedy John wrócił i usiadł obok niego, prawie go nie zauważył, dopóki kumpel nie zaczął szarpać go za rękaw i szeptać podnieconym głosem:

– Blaze! Blaze!! Ej, no, Blaze, na miłość boską!

Blaze oderwał się od filmu z takim trudem jak śpioch budzący się z twardego snu.

– Co jest? – zapytał. – Źle się czujesz? Zesrałeś się w gacie?

– Nie... nie. Patrz!

Blaze zerknął w dół. John trzymał coś w dłoni, nisko, na wysokości kolan. Tym czymś był portfel.

– Ej! Skąd to...

– Cisza! – syknął ktoś z rzędu przed nimi.

– ...masz? – dokończył Blaze, zniżając głos do szeptu.

– Znalazłem w męskim kiblu! – odparł John, też szeptem, trzęsąc się z emocji. – Pewnie wypadł jakiemuś facetowi, co siedział na klopie! Tam jest forsa! Kupa forsy!

Blaze wziął portfel do ręki, trzymając go tak, żeby nikt nie zobaczył. Rozchylił przegródkę na banknoty i żołądek zjechał mu aż do pięt, a potem odbił się, śmignął do góry i utknął w gardle. W przegródce było pełno szmalu. Jeden, dwa, trzy banknoty pięćdziesięciodolarowe. Cztery dwudziestki. Kilka piątek. Parę dolarówek.

– Ja tego nie policzę – szepnął. – Ile to razem będzie?

John, rozochocony wielkim triumfem, a jednocześnie zdjęty trwogą, odpowiedział podniesionym głosem, ale nikt tego nie zauważył; na ekranie potwór gonił dziewczynę w brązowych szortach, a widownia wyła z radości.

– Dwieście czterdzieści osiem dolców!

– Jezu – sapnął Blaze. – Masz jeszcze rozdartą podszewkę w kurtce?

– Pewnie.

– Wsadź go tam. Mogą nas obszukać, jak będziemy wychodzić.

Ale nikt ich nie obszukał. A Johnowi przeszła sraczka. Znalezienie takiej forsy najwidoczniej wystraszyło go tak, że zapomniał gówna w dupie.

W poniedziałek rano John kupił portlandzki „Press Herald" od Steviego Rossa, który roznosił gazety. Schowali się z Blaze'em za szopą na narzędzia i otworzyli dziennik na stronie z drobnymi ogłoszeniami. John powiedział, że tam się szuka takich rzeczy. Dział „zgubiono-znaleziono" drukowano na stronie trzydziestej ósmej. I tam, pomiędzy „ZAGINĄŁ francuski pudelek" a „ZNALEZIONO damskie rękawiczki" widniało ogłoszenie następującej treści:

ZGUBIONO portfel męski czarny. Inicjały R.K.F.
wytłoczone na obwódce kieszonki na zdjęcia.
Uczciwy znalazca proszony o telefon pod numer
555-0928 lub wiadomość na adres gazety,
skrzynka pocztowa 595. NAGRODA.

– Nagroda! – wykrzyknął Blaze, trącając Johna pięścią w ramię.

– No – kiwnął głową John, rozcierając miejsce, gdzie Blaze go trącił. – Zadzwonimy do niego, a on nam da dychę i poklepie po główce. De-be. – To był skrót od „dupa blada".

– Aha. – Blaze już widział słowo NAGRODA wypisane złotymi literami wysokimi na pół metra; teraz została z nich kupa ołowianego złomu. – To co robimy z tą forsą?

To był pierwszy raz, kiedy Blaze poprosił Johnny'ego o podjęcie decyzji i uznał w nim przywódcę. Te dwieście czterdzieści osiem baksów stanowiło zdumiewający problem. Ćwierć dolca kosztowała cola. Za dwa dolce wchodziło się do kina. Podążając z wielkim wysiłkiem tym torem rozumowania, Blaze wymyślił, że można by pojechać autobusem aż do Portland i tam obejrzeć jakiś film. Ale taka suma – to już było zbyt wielkie wyzwanie dla jego wyobraźni, która podsunęła mu do kupienia tylko ubrania. A Blaze nie dbał o to, w co się ubierał.

– Ucieknijmy stąd – powiedział John. Jego wąska twarz lśniła od emocji.

Blaze zastanowił się przez chwilę.

– Że niby tak… na zawsze?

– Niee… Dopóki starczy tej kasy. Skoczymy do Bostonu… Pójdziemy do porządnej restauracji, a nie do McDonaldsa… Będziemy mieszkać w hotelu… Wybierzemy się na mecz Red Soxów… i… i…

Dalej nie mógł już mówić. Zachłysnął się radością i rzucił się kumplowi na szyję, chichocząc i okładając go po plecach. Jego ciało było szczupłe, lekkie i twarde pod ubraniem. Policzek, przyciśnięty do policzka Blaze'a, palił jak kafel w rozgrzanym piecu.

– Dobra – powiedział Blaze. – Będzie niezła jazda. – Zastanowił się nad tą jazdą. – Jezu, Johnny! – zawołał. – Do Bostonu? Do Bostonu!

– Ale zajebiście, co nie?

Zaczęli się śmiać jak szaleni. Blaze złapał Johna i obniósł go dookoła szopy. Obaj rechotali do rozpuku, klepiąc się po plecach. Wreszcie John przerwał zabawę.

– Czekaj, Blaze, bo ktoś usłyszy. Albo zobaczy. Postaw mnie na ziemi.

Blaze złapał gazetę, która startowała już do lotu dookoła podwórka, złożył ją i wepchnął do kieszeni spodni.

– Pryskamy od razu, Johnny?

– Od razu nie. Może za jakieś trzy dni. Musimy mieć plan. Trzeba uważać, bo jak nie, to nas złapią, zanim ujedziemy trzydzieści kilometrów. I wrócimy prosto tutaj. Rozumiesz, co mówię?

– Rozumiem, ale w planowaniu to ja akurat nie jestem najlepszy, Johnny.

– Nie martw się. Już prawie wszystko wykombinowałem. Najważniejsze, żeby pomyśleli, że zmyliśmy się na piechotę, jak każdy dzieciak, który daje nogę z tej gównianej farmy. Jasne?

– Jasne.

– Tylko że my mamy kasę, jasne?

– Jasne!

Blaze znów zachłysnął się doskonałością tego pomysłu i walnął Johnny'ego w plecy tak mocno, że prawie go przewrócił.

Zaczekali do środy. John zadzwonił na dworzec Greyhounda w Portland i dowiedział się, że autobus do Bostonu odjeżdża codziennie o siódmej rano. Wymknęli się z Hetton House kilka minut po północy. John zadecydował, że najbezpieczniej będzie iść do odległego o dwadzieścia pięć kilometrów miasta na piechotę. Próbując złapać autostop, zwracaliby tylko uwagę. Dwóch chłopaków na szosie po północy – na pewno uciekli z domu. Koniec i kropka.

Zeszli po schodach przeciwpożarowych, a serca waliły im jak szalone przy każdym skrzypnięciu zardzewiałych zawiasów. Zeskoczyli z najniższego podestu i puścili się pędem przez podwórko, na którym Blaze przed laty zebrał swój pierwszy otrzęsinowy łomot. Teraz pomógł Johnowi wspiąć się na siatkę. Wyszli na szosę rozjarzoną sierpniowym księżycem i ruszyli przed siebie. Z rzadka na horyzoncie przed albo za nimi rozbłyskiwały światła samochodu; wskakiwali wtedy jak na komendę do przydrożnego rowu.

O szóstej rano dotarli na Congress Street w Portland: Blaze rześki i rozemocjonowany, John z podkrążonymi oczami. Pieniądze, zwinięte w rulonik, spoczywały w kieszeni dżinsów Blaze'a. Portfel wyrzucili w lesie.

Doszli na dworzec autobusowy. John opadł ciężko na ławkę. Blaze usiadł obok niego. Zauważył, że kumpel jest zarumieniony, tak jak wtedy za szopą, ale tym razem to nie było z emocji. Z ledwością łapał oddech.

– Idź i kup dwa bilety powrotne na ten autobus o siódmej –

polecił John. – Daj babce w okienku jedną pięćdziesiątkę. Powinno wystarczyć, ale na wszelki wypadek miej przygotowaną dwudziestkę. Trzymaj ją w ręku. Nie pokazuj jej wszystkich pieniędzy.

W tym momencie podszedł do nich policjant, postukując swoją pałką. Blaze poczuł, jak jego flaki momentalnie robią się luźne i oślizgłe. To był koniec. Koniec, zanim jeszcze cokolwiek się zaczęło. Glina zabierze im pieniądze i wedle uznania zgłosi znalezienie albo schowa dla siebie. A oni wrócą do Hetton House radiowozem, a może nawet w kajdankach. Przed oczami stanęła mu ponura wizja North Windham Training Center. I tej osławionej „puszki".

– Dzień dobry, chłopcy – powiedział policjant. – Ranne z was ptaszki, co? – Zegar na ścianie dworca wskazywał szóstą dwadzieścia dwie.

– Ano – przytaknął John i wskazał głową okienko kasy. – To tam się kupuje bilety?

– Dokładnie tam – potwierdził policjant, uśmiechając się nieznacznie. – Dokąd to się wybieracie?

– Do Bostonu – odpowiedział John.

– Powiadasz? A gdzie wasi rodzice, chłopcy?

– To nie jest mój brat – poinformował go John. – Nazywa się Martin Griffin. Chory na głowę i do tego głuchoniemy.

– Naprawdę? – Policjant przysiadł na ławce obok Blaze'a i przyjrzał mu się dokładnie. Nie sprawiał wrażenia podejrzliwego; był raczej zaciekawiony, jakby pierwszy raz widział kogoś, kto trafił w życiu taką trójkę: głuchy, niemowa i nienormalny.

– W zeszłym tygodniu umarła mu mama – powiedział John. – Mieszka teraz z nami. Moi rodzice pracują, ale są wakacje, to spytali, czy bym z nim gdzieś nie pojechał, a ja się zgodziłem.

– Poważne zadanie jak dla takiego chłopaka – uznał policjant.

– Trochę mam stracha – przyznał John, a Blaze mógłby się założyć o każde pieniądze, że mówi szczerą prawdę. On też miał stracha. Potężnego.

Posterunkowy kiwnął głową, wskazując Blaze'a i zapytał:

– Czy on rozumie...?

– Co się stało z jego matką? Nie za bardzo.

Policjant zrobił zasmuconą minę.

– Jadę z nim na parę dni do jego cioci. – John rozpromienił się nagle. – Może zabiorą mnie tam na mecz Red Soxów. W nagrodę, że... no, wie pan.

– Życzę ci tego, synu. Zły to wiatr, co nikomu nie przynosi żadnego pożytku.

Zamilkli obaj, rozważając te słowa. Blaze, świeżo tknięty niemotą, milczał razem z nimi.

Wreszcie odezwał się policjant.

– Dasz sobie radę z takim wielkim chłopem?

– Faktycznie jest niemały, ale się słucha. Chce pan zobaczyć?

– No, nie wiem...

– Powiem mu, żeby wstał. Pan patrzy. – John uniósł dłonie na wysokość oczu Blaze'a i pokazał mu na palcach kilka bezsensownych znaków. Kiedy skończył, Blaze wstał.

– Proszę, proszę, niezłe to było! – pochwalił go policjant. – Zawsze się tak słucha? Bo taki duży chłopak w autobusie pełnym ludzi...

– Niee, zawsze się mnie słucha. Łagodny jest jak baranek.

– No dobrze. Trzymam cię za słowo. – Posterunkowy wstał z ławki, podciągnął pas z kaburą i położył dłoń na ramieniu Blaze'a, naciskając lekko. Blaze usiadł z powrotem. – Uważaj na siebie, młodzieńcze. A znasz telefon do tej jego cioci, jakbyście wpadli w jakieś kłopoty?

– Ma się rozumieć, proszę pana – odparł John.

– Świetnie. No to powodzenia, sierżancie. – Policjant zasalutował Johnowi i poszedł sobie.

Blaze i John spojrzeli po sobie i mało brakowało, a zaczęliby chichotać, ale spostrzegli, że obserwuje ich bileterka, więc obaj wbili wzrok w podłogę. Blaze przygryzał wargi, próbując się opanować.

– Jest tutaj jakaś ubikacja? – zawołał John do kobiety w kasie.

– Tam. – Pokazała palcem.

– Chodź, Marty – powiedział John, a Blaze o mało co nie zawył ze śmiechu, słysząc to imię. Zamknęli się w kiblu i dopiero wtedy mogli paść sobie w ramiona.

– To było niezłe, powaga – powiedział Blaze, kiedy już odzyskał głos. – Skąd wytrzasnąłeś takie nazwisko?

– Jak tylko zobaczyłem tego gliniarza, to pomyślałem, że zaraz wrócimy prosto do Koślawa. Stąd Martin. A Griffin... Pamiętasz, jak miałeś na angielskim takie opowiadanie w książce, o gryfie, mitycznym ptaku*? Pomagałem ci to czytać...

– No – przytaknął Blaze z lubością, chociaż kompletnie nie pamiętał żadnego gryfa. – Jasne.

– Ale jak odkryją, że zwialiśmy z „Piekła", pokapują się, że to my tutaj byliśmy. – John nagle spoważniał. – Ten gliniarz na pewno sobie nas przypomni. Ale się wścieknie, Jezu!

– Złapią nas, co?

– Niee. – W podkrążonych ze zmęczenia oczach Johna z powrotem błysnęły iskry; to ta rozmowa z posterunkowym tak go ożywiła. – W Bostonie gdzieś się zaszyjemy. Dwóch dzieciaków nie będą przecież szukać po całym mieście.

– Aha. To dobrze.

– Ale bilety lepiej kupię sam. Ty udawaj niemowę, dopóki nie dojedziemy do Bostonu.

– Jasne.

I tak Johnny kupił bilety na autobus o siódmej, którym jechali głównie faceci w mundurach i młode kobiety z małymi dziećmi. Kierowca miał wielkie brzuszysko i dupę jak balon, ale był ubrany w szary uniform ze spodniami w kancik, co w oczach Blaze'a stanowiło absolutny szczyt elegancji; pomyślał sobie, że kiedy dorośnie, chciałby zostać kierowcą dalekobieżnych Greyhoundów.

Drzwi zamknęły się z sykiem. Potężny silnik zadudnił, a potem ryknął. Autobus wyjechał tyłem z zatoczki i skręcił w Congress Street. Ruszyli w drogę, w podróż, a ich podróż miała cel. Blaze patrzył przez okno i nie mógł się nasycić widokami.

Przejechali przez most wychodzący na autostradę numer jeden. Tutaj Greyhound przyspieszył. Mijał wielkie zbiorniki na ropę,

---

* Griffin (ang.) – gryf (przyp. tłum.).

billboardy reklamujące przydrożne motele i restaurację U PROUTY'EGO. NAJLEPSZE HOMARY W CAŁYM MAINE. Mijał domy; Blaze zobaczył jakiegoś faceta w bermudach, który podlewał swój trawnik. Współczuł mu, bo ten facet zostawał tutaj i nigdzie się nie wybierał. Kiedy przejeżdżali nadbrzeżem, nad autobusem krążyły mewy. Sierociniec, który John nazywał Piekłem, został w tyle, za nimi. Wstawał słoneczny, letni dzień. W końcu Blaze oderwał wzrok od okna i odwrócił się do Johna. Czuł, że jeśli nie podzieli się z kimś swoim wielkim zadowoleniem, to chyba go rozsadzi. Ale John oparł głowę na ramieniu i zasnął; we śnie wyglądał na starego i zmęczonego.

Blaze zastanowił się pobieżnie – i z pewnym zażenowaniem – nad tym, co zobaczył, a potem odwrócił się z powrotem do panoramicznej szyby, która przyciągała go jak magnes. Pożerał widoki. Kiedy zobaczył tandetny Seacoast Strip pomiędzy Portland a Kittery, zapomniał nawet na chwilę o swoim kumplu. W New Hampshire zjechali na płatną autostradę, która zaprowadziła ich do Massachusetts, a niedługo potem dotarli do ogromnego mostu i Blaze domyślił się, że to już jest Boston.

Patrzył na kilometry kolorowych neonów, tysiące samochodów, setki autobusów i na budynki, wszędzie budynki. A Greyhound jechał dalej, nie zatrzymywał się. Minął pomarańczowego dinozaura, który pilnował jakiegoś parkingu. Minął olbrzymi żaglowiec. Minął restaurację, przed którą pasło się stado plastikowych krów. A wszędzie było pełno ludzi; Blaze bał się ich, a jednocześnie wydawali mu się cudowni, bo ich nie znał. John nie obudził się; spał w najlepsze, pochrapując gardłowo.

Potem autobus wspiął się na szczyt wzgórza, a za nim był jeszcze większy most i jeszcze wyższe budynki, drapacze chmur wystrzelające w niebo niczym strzały odlane ze srebra i złota. Blaze odwrócił głowę, jakby poraził go wybuch bomby atomowej.

– Johnny. – To był prawie że błagalny jęk. – Johnny, obudź się. Musisz to zobaczyć.

– Co? Gdzie? – John ocknął się powoli. Przetarł oczy kłykciami. I zobaczył to, co poraziło Blaze'a przez panoramiczną szy-

bę autobusu. Z wrażenia dostał wytrzeszczu. – Matko Boska...
– sapnął.

– Wiesz, gdzie mamy jechać? – szepnął Blaze.

– Tak, chyba tak. Boże, przejedziemy tym mostem? Teraz chyba już musimy, prawda? To był Mystic Bridge, który porwał ich najpierw pod samo niebo, a potem pod ziemię. Czuli się tak jak na kolejce górskiej w lunaparku w Topsham, tylko że tutaj wszystko było ogromne, wręcz gigantyczne. A kiedy wreszcie z powrotem zobaczyli słońce, świeciło ono pomiędzy budynkami tak wysokimi, że wzrok przez okno autobusu nie mógł sięgnąć ich szczytu.

Wysiedli na dworcu przy Tremont Street i przede wszystkim rozejrzeli się, czy w pobliżu nie widać jakichś policjantów. Niepotrzebnie. Dworzec był olbrzymi i rozległy. Kiedy odczytywano komunikaty, głośniki grzmiały, jakby to sam Bóg przemawiał. Podróżni przemieszczali się gromadami, niczym ławice ryb. Blaze i Johnny szli ramię w ramię, trzymając się blisko siebie, jakby się bali, że rozdzielą ich na zawsze przeciwne nurty ludzkiego pośpiechu.

– Tam – powiedział nagle Johnny. – Chodź.

Podeszli do rzędu budek telefonicznych. Wszystkie aparaty były zajęte. Przystanęli obok ostatniej budki i poczekali, aż korzystający z telefonu czarnoskóry mężczyzna skończy rozmawiać i sobie pójdzie.

– Co on miał na głowie? – zapytał Blaze, odprowadzając go zafascynowanym spojrzeniem.

– Takie coś, żeby włosy prosto leżały. Jak turban. To się chyba nazywa bandana. Nie gap się tak, bo wyglądasz jak burak ze wsi. Właź tutaj, stań blisko mnie.

Blaze posłuchał.

– A teraz daj mi dziesięć centów... O żeż cholera, telefon kosztuje dwadzieścia pięć. – John potrząsnął głową. – Nie wiem, jak ci ludzie tutaj żyją. Daj mi ćwierć dolca, Blaze.

Blaze posłuchał.

Na półce leżała książka telefoniczna w twardych okładkach. John zajrzał do niej, sprawdził coś, wrzucił monetę i wykręcił numer. Kiedy mówił do słuchawki, zniżył głos. W końcu odwiesił ją z uśmiechem.

– Zamówiłem dwa noclegi w schronisku YMCA*. Dwadzieścia dolców za dwie noce! Nawracam się! – Uniósł prawą dłoń. Blaze przybił mu piątkę.

– Ale chyba nie można wydać prawie dwustu dolców w dwa dni, co? – zapytał.

– W mieście, gdzie jeden telefon kosztuje dwadzieścia pięć centów? Kpisz czy o drogę pytasz? – John powiódł dookoła roziskrzonym wzrokiem, z miną właściciela tego dworca i wszystkiego, co się w nim znajduje. Blaze przez długi czas nie widział już potem człowieka, który miałby w oczach coś takiego jak John Cheltzman – dopóki nie poznał George'a.

– Słuchaj, Blaze, chodźmy teraz na mecz. Co powiesz?

Blaze podrapał się w głowę. Jak dla niego to wszystko działo się zbyt szybko.

– Na mecz? Jak? Nawet nie wiemy, gdzie to jest.

– Na Fenway** zawiezie cię każdy bostoński taksówkarz.

– Taksówki kosztują, a my przecież nie mamy…

Urwał, widząc szeroki uśmiech na twarzy Johnny'ego. Po chwili sam też się uśmiechnął. Cudowna prawda olśniła go niczym eksplozja: mieli pieniądze. Naprawdę mieli pieniądze. A po co są pieniądze? Żeby móc nie zawracać sobie głowy duperelami.

– Ale… Jak dziś nie ma żadnego meczu?

– Blaze, jak myślisz, dlaczego wybrałem akurat ten dzień, żeby przyjechać do Bostonu?

Blaze wybuchnął śmiechem. A w następnej chwili rzucili się sobie w ramiona, tak jak na dworcu w Portland. Klepali się po plecach, śmiejąc się sobie nawzajem prosto w nos. Blaze nigdy nie zapomniał tej chwili. Złapał Johna, podniósł go w górę i okręcił się z nim dwa razy dookoła. Ludzie oglądali się za nimi; prawie

---

* YMCA – Young Men's Christian Association, Chrześcijańskie Stowarzyszenie Młodzieży Męskiej (przyp. tłum.).
** Fenway Park – klubowy stadion drużyny baseballowej Boston Red Sox (przyp. tłum.).

każdy uśmiechał się, widząc wielkiego niedojdę i jego patykowatego kumpla.

Wyszli z dworca i złapali taksówkę. Zajechali nią na Lansdowne Street, a John dał taryfiarzowi dolara napiwku. Była za kwadrans pierwsza, a trybuny dopiero powoli się zapełniały; ludzi nie przyszło zresztą zbyt wiele, jak to na mecz w ciągu dnia. Ale gra i tak była niesamowita. Boston Red Sox wygrali 3:2, w dziesięciu rundach. Mieli w tym sezonie kiepski skład, ale w tamto sierpniowe popołudnie pokazali jedno wielkie mistrzostwo.

Po meczu chłopcy powałęsali się trochę po śródmieściu, pożerając wzrokiem wszystko, co było do obejrzenia, a jednocześnie starając się unikać policjantów. Cienie były już dłuższe o tej porze, a Blaze'owi zaczęło burczeć w brzuchu. John kupił sobie na meczu kilka hot-dogów, ale on był tak zafascynowany spektaklem na boisku – wyczarowanym przez prawdziwych graczy zlanych prawdziwym potem – że zapomniał o jedzeniu. Z równie nabożnym podziwem patrzył na tłum kibiców, te tysiące ludzi zgromadzonych w jednym miejscu. Teraz jednak poczuł głód.

Zaszli do ciasnej, słabo oświetlonej restauracyjki pod nazwą „Steki u Lindy", gdzie w powietrzu unosił się zapach piwa i przypalonej wołowiny. W boksach o wysokich siedzeniach obitych czerwoną skórą siedziało kilka par ludzi. Na lewo od wejścia znajdował się długi kontuar, porysowany i podziurawiony, lecz wciąż jeszcze lśniący, jakby w samym drewnie był zaklęty jakiś blask. Stały na nim miseczki z precelkami i słonymi orzeszkami, jedna mniej więcej metr od drugiej. Nad barem wisiały fotografie baseballistów (niektóre z autografami) oraz jeden obraz przedstawiający gołą kobietę. Na klientów czekał barman i kucharz w jednym, facet wielki jak góra.

– Co podać, chłopaki? – zapytał, nachylając się do Johna i Blaze'a.

– Ee… – zająknął się John. Po raz pierwszy tego dnia sprawiał wrażenie, jakby nie wiedział, co robić.

– Steki! – zarządził Blaze. – Dwa duże steki i mleko do popicia.

Waligóra wyszczerzył w uśmiechu garnitur potężnych zębów, którymi mógłby chyba bez trudu rozszarpać książkę telefoniczną.

– A macie czym zapłacić? – zapytał.

Blaze rzucił na kontuar dwudziestkę, przyklepał.

Barman wziął banknot, uniósł go do światła i przyjrzał się uważnie podobiźnie Andy'ego Jacksona. A potem pieniądze znikły w jego dłoni.

– Się robi – oznajmił.

– A reszty nie będzie? – zdziwił się John.

– Nie – padła odpowiedź – i nie pożałujecie.

Odwrócił się od nich i wyjął z lodówki dwa ogromne, czerwone steki; większych i czerwieńszych Blaze jeszcze nigdy nie widział. Kontuar kończył się dużym rusztem; kiedy waligóra, niemalże pogardliwym gestem, rzucił na niego mięso, płomienie buchnęły momentalnie.

– „Talerz wieśniaka", zaraz podaję – powiedział.

Nalał piwa kilku klientom, dołożył fistaszków do miseczek, a potem przyrządził sałatki i odstawił, żeby się przegryzły. Uporawszy się z tym, przewrócił steki na drugą stronę i wrócił tam, gdzie siedzieli John i Blaze. Oparł się poczerwieniałymi od zmywania łapskami o kontuar i zagadnął:

– Widzicie, chłopaki, tego jegomościa na drugim końcu baru, tego, co siedzi sam jak palec?

Blaze i John zerknęli w tamtym kierunku. Jegomość na drugim końcu baru był ubrany w elegancki granatowy garnitur i z ponurą miną sączył piwo.

– To jest pan Daniel J. Monahan – ciągnął barman. – Detektyw Monahan z Bostońskiej Elity. I coś mi mówi, że nie uśmiechałoby się wam, gdybyście musieli mu wyjaśnić, skąd dwóch takich kmiotków z miodem w uszach ma dwadzieścia dolców na steki z najlepszej wołowiny.

John Cheltzman nagle oklapł na stołku, jakby zrobiło mu się słabo albo niedobrze. Blaze podtrzymał go, a w myślach zaparł się nogami o ziemię i uniósł pięści.

– Zdobyliśmy tę forsę uczciwie – powiedział.

– Co ty nie powiesz? Z uczciwą klamką w łapie? A może uczciwie kogoś skopaliście?

– Zdobyliśmy tę forsę w uczciwy sposób. Znaleźliśmy portfel. A jak nam pan spróbuje zepsuć wycieczkę, to zaraz panu przyłożę.

Waligóra zmierzył Blaze'a spojrzeniem, w którym było i zdziwienie, i podziw, i pogarda.

– Wielki jesteś, chłopaku, ale głupi. Podnieś no tylko na mnie rękę, to wylecisz stąd przez sufit.

– Jak nam pan zepsuje wycieczkę, to panu przywalę.

– Skąd jesteście? Z poprawczaka stanowego w New Hampshire? Z North Windham? Bo na pewno nie z Bostonu. Obaj macie słomę w butach.

– Jesteśmy z Hetton House – odpowiedział Blaze. – I nie jesteśmy żadnymi kanciarzami.

Detektyw z bostońskiej policji, siedzący na drugim końcu baru, skończył swoje piwo i skinął kuflem, żeby nalać mu jeszcze jedno. Barman zauważył to i uśmiechnął się półgębkiem.

– Siedźcie sobie tutaj spokojnie – powiedział. – Nie musicie wiać.

Zaniósł detektywowi piwo i szepnął mu coś, a tamten się roześmiał, szorstko i bez humoru.

Barman-kucharz w jednym wrócił do chłopców.

– Gdzie jest to wasze Hetton House? – Teraz pytał tylko Johna.

– W Maine, w mieście Cumberland – odpowiedział John. – W piątki mamy wyjazdy do Freeport. Możemy chodzić do kina. Znalazłem tam portfel, w męskiej ubikacji. Były w nim pieniądze. Urwaliśmy się na wycieczkę, tak jak powiedział Blaze.

– Tak przypadkiem znalazłeś portfel, mówisz?

– Tak jest.

– A ile tam było, niby w tym portfelu?

– Około dwustu pięćdziesięciu dolarów.

– Jezu malusieńki! I pewno macie je przy sobie?

– A gdzie? – John spojrzał na niego, zdziwiony.

– Jezu malusieńki... – powtórzył facet, przewracając oczami i unosząc wzrok do góry, w stronę wyłożonego blachą sufitu. – I mówicie to wszystko obcemu. Tak ot, po prostu.

Nachylił się do nich, opierając rozłożone dłonie na kontuarze. Czas nie obszedł się łaskawie z jego twarzą, ale nie było na niej znać przyrodzonego okrucieństwa.

– Ja wam wierzę – powiedział. – Za dużo słomy macie w butach, żeby tak kłamać. Ale ten gliniarz... Mogę go na was napuścić jak psa na szczury. Poszlibyście prościutko do paki, a on by się jeszcze ze mną podzielił tą waszą forsą.

– Wtedy bym panu przywalił – odparł Blaze. – To jest nasza forsa. Znalezione nie kradzione. Niech pan posłucha: tam, gdzie byliśmy, jest źle, naprawdę bardzo źle. Pan może sobie myśli, że dużo pan widział, ale... A zresztą nieważne. Zasłużyliśmy na tę forsę!

– Jak przestaniesz już rosnąć, to może być z ciebie mocny bokser – powiedział waligóra cicho, jakby do siebie. Potem spojrzał na Johna. – Twój kumpel nie ma wszystkich klepek w idealnym porządku. Wiesz o tym, prawda?

John zdążył się już pozbierać. Nie odpowiedział, patrzył tylko spokojnie prosto w oczy faceta za barem.

– Opiekuj się nim – powiedział kucharz-barman i nagle uśmiechnął się do nich. – I przyprowadź go tutaj, jak już urośnie do końca. Chcę zobaczyć, jak będzie wyglądał.

John nie odpowiedział uśmiechem – prawdę mówiąc, minę miał poważniejszą niż kiedykolwiek – ale Blaze wyszczerzył się od razu. Zrozumiał, że jest dobrze.

Facet machnął dwudziestodolarówką – nie widzieli, skąd ją wyciągnął, chyba znikąd – i podsunął banknot Johnowi.

– Dostaniecie steki na koszt firmy, chłopaki. A za tę forsę idźcie sobie jutro na mecz. O ile was jakiś doliniarz przedtem nie oskubie.

– Na meczu byliśmy już dzisiaj – powiedział John.

– Dobrze grali?

Tym razem John się uśmiechnął.

– W życiu nie widziałem niczego piękniejszego.

– Pewno – przytaknął barman. – Założę się, że nie widziałeś. Uważaj na tego swojego kumpla.

– Dobrze.

– Bo kumple mają trzymać się razem.

– Wiem o tym.

Kucharz-barman podał im steki i sałatki z rzymskiej sałaty, i młodą fasolkę, i olbrzymie kopy frytek, i wielkie szklanki mleka do popicia. A na deser dostali ciasto z czereśniami, przybrane rozpływającymi się kulkami waniliowych lodów. Z początku jedli powoli, ale kiedy wyszedł detektyw Monahan z Bostońskiej Elity (nie zauważyli, żeby zapłacił chociaż centa), obaj podkręcili tempo. Blaze pochłonął dwa kawałki ciasta i wydudlił trzy szklanki mleka; barman, dolewając mu trzeci raz, zaczął się głośno śmiać. Kiedy wychodzili z restauracji, na ulicy zaczynały już zapalać się neony.

– Idźcie do YMCA – polecił im kucharz-barman na odchodnym. – Najlepiej już, od razu. Po nocy miasto nie jest bezpieczne dla dzieciaków.

– Tak jest – odpowiedział John. – Już tam dzwoniłem. Wszystko mamy załatwione.

Waligóra uśmiechnął się.

– Jesteś w porządku. Łebski z ciebie chłopak. Trzymaj się blisko tego swojego niedźwiedzia. Idź zaraz za nim, żeby cię nikt nie zaczepił. I uważaj na gnojków, co noszą barwy gangów, takie specjalne kurtki. Wiesz, jak to wygląda?

– Tak jest.

– Pilnujcie się nawzajem.

To były jego ostatnie słowa.

Następnego dnia jeździli metrem. Była to dla nich wielka nowość, ale w końcu się znudziła, więc poszli do kina, a potem jeszcze raz na mecz. Skończył się późno, prawie o jedenastej. Kiedy wychodzili ze stadionu, ktoś próbował okraść Blaze'a, ale Blaze miał swoją część pieniędzy schowaną w gaciach, tak jak doradził mu Johnny, więc kieszonkowiec zgarnął wielką figę. Nie widział złodzieja; mignęły mu tylko szczupłe plecy człowieka lawirującego w tłumie wychodzącym przez bramę A.

Zabawili w Bostonie jeszcze dwa dni. Byli parę razy w kinie i raz w teatrze. Blaze nie zrozumiał sztuki ani w ząb, ale Johnny'emu się podobała. Siedzieli w tak zwanej loży, która była z pięć razy wyżej niż balkon w „Nordice". W centrum handlowym zrobili sobie zdjęcia w automacie: Blaze miał kilka portretów i Johnny miał kilka portretów, a jeszcze kilka zrobili sobie razem. Na tych razem obaj śmiali się jak głupi. Potem znów jeździli metrem, aż Johnny w końcu dostał choroby lokomocyjnej i obrzygał sobie trampki. Podszedł do nich wtedy jakiś Murzyn i zaczął krzyczeć, że zbliża się koniec świata. Z tego, co mówił, wynikało, że to wszystko przez nich, ale Blaze nie był tak do końca pewien, o co konkretnie chodziło. Johnny powiedział, że ten facet był nienormalny i że w tym mieście jest pełno wariatów.

– Mnożą się jak pchły na psie – podsumował.

Zostało im jeszcze trochę pieniędzy, a Johnny wymyślił wielki finał. Wrócili Greyhoundem do Portland i resztkę swoich funduszy wydali na taksówkę. John pomachał zdębiałemu kierowcy przed nosem ostatnimi banknotami – było tego prawie pięćdziesiąt dolarów, pliczek wygniecionych piątek i jedynek, po części przesiąkniętych zapachem gaci Claytona Blaisdella juniora – i kazał mu jechać do sierocińca Hetton House w Cumberland.

Taksówkarz skapitulował i tak oto o godzinie czternastej zero pięć, w słoneczny dzień u schyłku lata, uciekinierzy zajechali pod bramę. John Cheltzman wysiadł, zrobił kilka kroków w kierunku złowieszczego ceglanego gmaszyska i padł bez zmysłów na ziemię. Miał gorączkę reumatyczną. Umarł dwa lata później.

ROZDZIAŁ 13

Zanim Blaze zdążył donieść koszyk z szopy do chałupy, Joe darł się już tak, że uszy puchły. Widok był zdumiewający: po prostu czysta furia! Czoło niemowlęcia, policzki, nawet grzbiet malutkiego nosa płonęły jaskrawym rumieńcem. Powieki były kurczowo zaciśnięte. Pięści wściekle okładały powietrze. Blaze poczuł nagły atak paniki. A jeśli mały jest chory? Jeśli ma grypę albo coś takiego? Przecież dzieciaki codziennie łapią grypę. Czasami na nią umierają. A przecież nie można go teraz zawieźć do lekarza. No i poza tym Blaze w ogóle nie zna się na dzieciach. Jest matołem i koniec. Ledwo potrafi o siebie zadbać.

Ni stąd ni zowąd ogarnęła go dzika ochota, żeby wsadzić dzieciaka z powrotem do samochodu, pojechać do Portland i zostawić komuś na progu.

– George! – zawołał. – George, co mam robić?

Bał się, że George znów sobie poszedł, ale w tym momencie usłyszał jego głos dobiegający z łazienki:

– Nakarm go. Nakupiłeś tych słoiczków, to daj mu teraz trochę.

Blaze rzucił się do sypialni. Wywlókł spod łóżka karton z dziecięcym jedzeniem, otworzył go i złapał pierwszy lepszy słoiczek. Wrócił z nim do kuchni i znalazł jakąś łyżkę. Postawił słoik na stole obok koszyka z dzieckiem. Odkręcił pokrywkę. To, co było w środku, wyglądało paskudnie, jak czyjeś rzygi. Powąchał, zaniepokojony. Zapach nie był zły. Groszkowy. Czyli wszystko w porządku.

Ale mimo wszystko zaczął się wahać. Kiedy pomyślał, że ma włożyć łyżkę jedzenia do tej szeroko otwartej w krzyku buzi, wydało mu się to takie jakieś... nieodwracalne. A jak ten mały sukinkot się udławi? Albo nie będzie chciał jeść? A jeśli to nie jest odpowiednie jedzenie dla niego i zaraz... i zaraz...

Jego umysł cierpliwie podsuwał mu przed oczy słowa OTRUJESZ DZIECIAKA, ale Blaze nie chciał na nie patrzeć. Wepchnął łyżkę zimnego przecieru groszkowego w usta niemowlęcia.

Płacz ucichł w jednej chwili. Joe otworzył szeroko oczy, które były, Blaze zauważył to po raz pierwszy, niebieskie. Trochę brei wyciekło małemu z buzi; odruchowo, nawet o tym nie myśląc, zgarnął ją z powrotem końcem łyżki. Niemowlak cmoknął z zadowoleniem.

Blaze dał mu jeszcze jedną łyżkę. Została przyjęta. I jeszcze jedną. Siedem minut później słoiczek groszku Gerbera był pusty, a Blaze'a bolały plecy od pochylania się nad koszykiem. Po chwili dziecku się odbiło, a z ust pociekła mu strużka zielonej piany. Blaze otarł mu buzię rąbkiem własnej koszuli.

– Jeśli zechce pan powrócić do tej kwestii, rozpatrzymy ją poprzez głosowanie – powiedział. To był jeden z grepsów George'a.

Joe zamrugał oczami, słysząc jego głos. Blaze zapatrzył się na niego, oczarowany. Dziecko miało jasną, gładką skórę, bez choćby najmniejszej plamki. Blond włoski porastały główkę zaskakująco gęstą strzechą. Ale uwagę Blaze'a najbardziej przykuły oczy. Wydały mu się, nie wiedzieć czemu, stare i mądre. Miały kolor wypranego błękitu pustynnego nieba z westernu, a ich kąciki unosiły się lekko, niczym u Chińczyka, nadając małemu dziki wygląd. Prawie wojowniczy.

– Taki jesteś bojowy? – zapytał go Blaze. – Taki jesteś bojowy, maluszku?

Joe wsunął kciuk do buzi i zaczął go ssać. Z początku Blaze'owi wydawało się, że będzie chciał, żeby mu dać butelkę (a on wciąż jeszcze nie rozgryzł, co się robi z tym playteksowym gadżetem), ale na razie chłopakowi wystarczał sam palec. Policzki w dalszym ciągu miał zarumienione, ale już nie od płaczu, tylko z powodu nocnej eskapady.

Powieki lekko mu opadły, przez co oczy straciły swoją wojowniczą skośność. Nie zamknął ich jednak do końca; patrzył jeszcze przez chwilę na stojącego nad nim mężczyznę, tego dwumetrowego olbrzyma z włosami potarganymi na wszystkie strony jak u stracha na wróble. Potem powieki skleiły mu się, a kciuk wypadł z buzi. Zasnął.

Blaze wyprostował się, aż strzeliło mu w plecach. Odwrócił się od koszyka i ruszył w stronę sypialni.

– Ej, bezjajcu. – Zatrzymał go głos George'a dobiegający z łazienki. – A ty dokąd?

– Spać.

– Ja ci zaraz pośpię. Masz rozgryźć, o co chodzi z tą butelką i przygotować małemu ze cztery-pięć porcji mleka, żeby miał, jak się obudzi.

– Przecież mi skwaśnieje.

– Nie skwaśnieje, jak wstawisz do lodówki. A jak wyjmiesz, to ogrzejesz.

– Aha.

Blaze wyjął opakowanie z butelkami i znalazł instrukcję. Przeczytał ją dwa razy. Zajęło mu to pół godziny. Za pierwszym razem nie zrozumiał prawie nic. Za drugim – jeszcze mniej.

– Nie dam rady, George – powiedział w końcu.

– Spoko, poradzisz sobie. Wywal tę instrukcję i działaj. Zrób to sam.

Tak więc Blaze wrzucił instrukcję do pieca i zaczął po prostu grzebać przy tym czymś, tak samo jak się grzebie przy nieustawionym gaźniku. W końcu wykombinował, że najpierw trzeba nałożyć foliową torebkę-wkład na wylot butelki, a potem wepchnąć ją do środka. I bingo. Nawet całkiem sprytne. Przygotował dla dzieciaka cztery butelki skondensowanego mleka i odstawił je do lodówki.

– Mogę już iść spać, George? – zapytał.

Cisza.

Poszedł spać.

Joe obudził go bladym świtem. Blaze wygramolił się z łóżka i podreptał do kuchni. Zostawił małego w koszyku, który teraz kołysał się w tę i z powrotem, wstrząsany gniewem wściekłego niemowlęcia.

Blaze wziął go na ręce. Pierwszy problem zauważył od razu. Chłopak po prostu miał mokro.

Zabrał go do sypialni i położył na swoim łóżku, dziwiąc się, jaki jest mały, kiedy tak leży w dołku, który on sam zostawił po przespanej nocy. Dzieciak miał na sobie niebieskie śpioszki i wymachiwał nogami z wielkim wzburzeniem. Blaze ściągnął mu śpioszki i gumowane majteczki, które miał pod spodem. Żeby Joe leżał spokojnie, położył mu dłoń na brzuszku i pochylił się, sprawdzając, jak ma spiętą pieluszkę. Zdjął ją i rzucił w kąt. Kiedy zobaczył siusiaka Joego, poczuł nagły zachwyt. Organ był nie dłuższy niż jego paznokieć, ale sterczał sobie dziarsko prosto w górę. Urocze.

– Niezły masz sprzęcior, chudziaku – powiedział.

Joe zrobił sobie przerwę w płakaniu i wytrzeszczył na niego zdziwione oczy.

– Mówię, że masz niezły sprzęcior – powtórzył Blaze.

Joe uśmiechnął się do niego.

– A gu gu – powiedział Blaze, czując, jak usta same, bez jego woli, wykrzywiają się w debilnym uśmiechu.

Joe zagaworzył radośnie.

– A gu gu, a dziu dziu – zagulgotał Blaze.

Joe roześmiał się głośno.

– A gu gu, a dziu-dziuuu – rozmamlał się Blaze, zachwycony.

Joe siknął mu prosto w twarz.

Kolejny bój stoczył z pampersami, chociaż te przynajmniej miały plastry i nie musiał ich niczym spinać. Miały też gumowane – a właściwie plastikowe – majtki, doczepione jakby na stałe, ale i tak udało mu się zmarnować dwie sztuki, zanim założył pieluchę tak, jak pokazywało zdjęcie na opakowaniu. Kiedy już się z tym uporał, Joe zdążył się całkiem obudzić i zaczął podgryzać palce. Blaze uznał, że to ma znaczyć „jestem głodny" i postanowił dać mu mleka.

Odkręcił gorącą wodę w kuchennym zlewie i wsadził butelkę pod strumień, okręcając powoli, kiedy nagle usłyszał głos George'a:

– Rozcieńczyłeś mleko, tak jak mówiła tamta laska w sklepie?
– E? – Blaze spojrzał na trzymaną w dłoni butelkę.
– To jest mleko prosto z puszki, prawda?
– Jasne. Prosto z puszki. A co, zepsute?
– Nie, nie jest zepsute. Ale jeśli nie dolejesz do niego wody, to mały się porzyga, jak to połknie.
– Aha.

Blaze ściągnął paznokciami smoczek z butelki i wylał około jednej czwartej mleka prosto do zlewu, po czym dolał wody do pełna, zamieszał łyżką i założył smoczek z powrotem.
– Blaze. – W głosie George'a nie było złości, tylko jakieś śmiertelne zmęczenie.
– Co?
– Musisz sobie kupić poradnik dla matki z dzieckiem. Taką książkę, gdzie będzie napisane, jak masz się zajmować tym maluchem. Coś w rodzaju instrukcji obsługi do samochodu. Bo widzę, że wciąż o czymś zapominasz.
– Dobra, George.
– I kup też gazetę. Tylko nie gdzieś tutaj. W jakimś większym sklepie.
– George?
– Co?
– Kto się zajmie dzieciakiem, jak mnie nie będzie?

Zapadła długa cisza, tak długa, że Blaze już się bał, że George znów sobie poszedł. W końcu jednak odpowiedział:
– Ja.

Blaze zmarszczył czoło.
– Nie dasz rady, George, przecież ty...
– Powiedziałem, że się nim zajmę, to się nim zajmę. A teraz rusz dupsko i daj mu jeść!
– Ale... Jak mu się coś stanie, kiedy mnie nie będzie... Jak się zadławi albo coś...
– Daj mu jeść, do jasnej cholery!!
– Dobra, George, spoko.

Blaze wrócił do pokoju. Joe podrygiwał i wymachiwał piętami w powietrzu, cały czas podgryzając palce. Blaze wycisnął powietrze z torebki z mlekiem, tak jak pokazała mu pani w sklepie: nacisnął ją palcem, tak mocno, żeby u wylotu pokazała się kropelka mleka. Usiadł obok małego i ostrożnie wyjął mu palce z buzi. Joe wykrzywił się do płaczu, ale kiedy Blaze włożył mu smoczek tam, gdzie przed chwilą były palce, chwycił go wargami i zaczął ssać. Małe policzki pracowały pełną parą.

– Tak jest – powiedział Blaze. – Tak masz robić, łobuziaku.

Joe wypił całą butelkę mleka. Blaze wziął go na ręce, żeby mu się odbiło, a małemu ulało się prosto na jego koszulkę. Nie przejął się tym. I tak chciał go przebrać w nowe ubranko, jedno z tych, które kupił. Powtarzał sobie, że chce tylko zobaczyć, czy pasuje. Pasowało. Po przebraniu dziecka Blaze zdjął koszulkę i obwąchał plamę, którą naznaczył go Joe. Pachniała jakby lekko serem. Może mleko było jeszcze trochę za gęste, pomyślał. A może trzeba było dać mu wypić połowę butelki, wziąć na ręce, żeby się odbiło, a potem dopiero dać resztę. George miał rację. Bez poradnika ani rusz.

Spojrzał na dziecko. Mały Joe chwycił w paluszki fałdę koca i przyglądał jej się uważnie. Taki słodki mały srajdek. Będą się o niego martwić, ten Joe Gerard III i jego żona. Pewnie myślą, że porywacze ułożyli go w szufladzie, nie dali jeść, nie przewinęli i tak tam leży i płacze, głodny i obsrany. Albo, strach pomyśleć, zamarza na śmierć w jakimś płytkim dole wygrzebanym w zamarzniętej ziemi – mały, biedny chłopczyk oddaje ostatnie tchnienie w trzaskające od mrozu powietrze. A potem pakują go do zielonej plastikowej torby na śmieci…

Skąd mu to przyszło do głowy?

To George. George kiedyś mówił coś takiego. Tak zrobił ten facet, który porwał dzieci Lindberghów. Jak on się nazywał? Hopeman, Hoppman, coś w ten deseń.

– George? George, żebyś mu tylko nie zrobił krzywdy, jak mnie nie będzie.

Cisza.

Pierwszą wiadomość o porwaniu usłyszał w radiu, kiedy robił sobie śniadanie. Joe leżał na podłodze, na kocu, który Blaze rozłożył tam dla niego. Bawił się jedną z gazet, które kiedyś kupował George: naciągnął ją na siebie jak namiot i kopał radośnie. Prezenter właśnie skończył mówić o republikańskim senatorze, który wziął łapówkę. Blaze miał nadzieję, że George to słyszy. George lubił takie historie.

– Lokalna wiadomość dnia – zaczął prezenter. – Wszystko wskazuje na to, że w Ocoma Heights doszło do porwania. – Blaze przestał przewracać kartofle na patelni i nastawił ucha.

– Joseph Gerard IV, nowo narodzony dziedzic fortuny potentatów transportowych, zniknął z rodzinnej rezydencji w Ocoma Heights wczorajszej nocy lub też we wczesnych godzinach porannych. Kucharka pracująca u rodziny Gerardów znalazła nieprzytomną siostrę pana Josepha Gerarda (niegdyś nazywanego „cudowną latoroślą amerykańskiego przemysłu transportowego") leżącą na podłodze w kuchni. Pani Norma Gerard, lat (jak podaje rodzina) około siedemdziesięciu pięciu, została przewieziona do Maine Medical Center. Jej stan lekarze określają jako krytyczny. Szeryf hrabstwa Castle, John D. Kellahar, zapytany, czy zwrócił się o pomoc w śledztwie do FBI, odparł, że na razie nie może udzielić komentarza w tej sprawie. Odmówił także odpowiedzi na pytanie o list z żądaniem okupu...

No właśnie, pomyślał Blaze. Muszę wysłać taki list.

– ...ale podał do wiadomości, że śledztwo jest w toku, a policja bada kilka tropów.

A konkretnie? Blaze zastanowił się nad tym, co usłyszał. Na jego twarzy pojawił się uśmieszek. Zawsze tak mówią, a jakie znów mogą mieć tropy, skoro starsza pani dostała strzał i śpi? Przecież nawet drabinę zabrał ze sobą. Zawsze tylko tak mówią.

Śniadanie zjadł na podłodze, bawiąc się z małym.

Kiedy po południu zbierał się do wyjścia, Joe, nakarmiony i przewinięty, leżał w kołysce i spał. Blaze pokombinował trochę z mlekiem dla niemowląt i tym razem już w połowie butelki wziął małego na ręce, żeby mu się odbiło. I wszystko świetnie się udało. Jak za dotknięciem czarodziejskiej różdżki. Zmienił też dziecku pieluchę; przestraszył się z początku na widok zielonej kupy, ale potem przypomniał sobie. Groszek.

– George! Wychodzę.

– Dobra – zawołał George z sypialni.

– Lepiej siedź tutaj i patrz, czy się nie obudził.

– Spokojna głowa, zaraz tam przyjdę.

– Jasne – powiedział Blaze, ale bez wielkiego przekonania. George nie żył. Rozmawiał z nieżywym facetem i jeszcze go prosił, żeby pilnował mu dziecka. – Ej, George, a może ja bym...

– Ja bym, sra bym. No już, spadaj.

– George...

– Spadaj, mówię! Do roboty!

Blaze wyszedł.

Dzień był jasny, migotliwy i nieco cieplejszy. Po całym tygodniu kilkunastostopniowych mrozów marne sześć stopni poniżej zera było jak fala upałów. Ale ani słońce, ani jazda bocznymi drogami do Portland nie sprawiły Blaze'owi żadnej przyjemności. Nie ufał George'owi, nie wierzył, że zajmie się dzieckiem. Nie wiedział dlaczego, po prostu mu nie ufał. George był teraz przecież cząstką niego samego, więc kiedy Blaze dokądś wychodził, to cały, zabierając wszystkie cząstki ze sobą, nawet tę, która była George'em. Czy to miało sens?

Dla niego – owszem.

A potem nagle, ni z tego ni z owego, przypomniał mu się piec. A gdyby w domu wybuchł pożar?

Ten makabryczny obraz uczepił się jego myśli i nie pozwalał się odpędzić. Przed wyjściem Blaze dołożył do pieca więcej niż zwykle, żeby Joe miał ciepło, gdyby się rozkopał z kocyka. A teraz oczyma duszy zobaczył, jak komin zaczyna sypać iskrami na dach; większość z nich gaśnie, ale ta jedna jedyna spada na podeschnięty gont, który zapala się, przenosząc ogień w głąb pokrycia dachu, na suche jak wiór deski szalunkowe. Deski buchają płomieniem, płomień przeskakuje jak błyskawica na belki stropowe. Mały zaczyna płakać, a pierwsze wąsy dymu grubieją już w oczach...

Nagle dotarło do niego, że jedzie swoim kradzionym fordem już ponad sto dziesięć na godzinę. Zdjął nogę z gazu. To była najgorsza rzecz, którą mógł zrobić.

Zaparkował na Casco Street, dał parkingowemu parę dolców i poszedł do apteki Walgreensa przy następnej przecznicy. Wziął „Evening Express" i podszedł do regału z książkami, stojącego obok saturatora. Od metra westernów. Powieść gotycka. Kryminały. Fantastyka. I na samym dole – grube tomisko z uśmiechniętym, łysym bobasem na okładce. Z tytułem poradził sobie raz dwa, nie było w nim żadnych trudnych słów: „Opieka nad dzieckiem od wieku niemowlęcego". Z tyłu okładki widniało zdjęcie faceta w starszym wieku, otoczonego przez gromadkę dzieciaków. Pewnie to był ten koleś, co to napisał.

Blaze zaniósł wszystko do kasy, zapłacił, a wychodząc, rozłożył gazetę. I stanął jak wryty, z otwartą gębą, na środku chodnika.

Na pierwszej stronie była jego podobizna.

Na szczęście nie fotografia, zauważył z wielką ulgą. To był policyjny portret pamięciowy, taki składany z pasków. Niezbyt dobry zresztą. Nie dali mu tego wgniecenia na czole. Kształt oczu się nie zgadzał. Nigdy w życiu nie miał takich grubych warg. Ale mimo wszystko można go było bezbłędnie skojarzyć z tym obrazkiem.

W takim razie to tamta starsza pani musiała odzyskać przytomność, pomyślał, ale podtytuł artykułu, który był pod zdjęciem, bardzo szybko obalił tę tezę.

FBI DOŁĄCZA DO POŚCIGU ZA PORYWACZAMI
Norma Gerard umarła na skutek odniesionych
obrażeń głowy.

Dodatek specjalny do dziennika „Evening Express"
Autor: James T. Mears

PORTRET KIEROWCY SAMOCHODU, którym uciekł porywacz (bardzo możliwe, że chodzi o jedną i tę samą osobę) najmłodszego członka rodziny Gerardów, publikujemy na tej samej stronie, w specjalnym artykule wyłącznie dla *Evening Express*. Sporządził go grafik policyjny John Black z komendy głównej w Portland, na podstawie opisu podanego przez pana Mortona Walsha, nocnego stróża zatrudnionego w apartamentowcu Oakwood, nowo wybudowanym budynku mieszkalnym położonym w odległości około czterystu metrów od rezydencji rodziny Gerardów.

W dniu dzisiejszym pan Walsh poinformował komendę policji w Portland oraz zastępców szeryfa hrabstwa Castle, iż podejrzany mężczyzna zjawił się w Oakwood pod pozorem odwiedzin u niejakiego Josepha Carltona (nazwisko najprawdopodobniej fikcyjne). Domniemany porywacz przyjechał niebieskim fordem sedanem, a pan Walsh zauważył, że przywiózł ze sobą drabinę. Policja zatrzymała świadka ze względu na wagę jego zeznań, jak również w wyniku podejrzenia o zaniedbanie, którego się dopuścił, nie wypytawszy kierowcy dokładnie o cel wizyty o tak późnej porze (w przybliżeniu godzina druga nad ranem).

Ze źródła bliskiego prowadzonemu dochodzeniu dowiedzieliśmy się o podejrzeniach policji, jakoby mieszkanie tajemniczego „Josepha Carltona" miało być własnością członków organizacji przestępczej. Gdyby okazało się to prawdą, można żywić całkiem uzasadnione obawy, że mamy do czynienia z precyzyjnie przygotowanym kidnapingiem. Tymczasem jednak ani przybyli na miejsce zajścia agenci FBI, ani funkcjonariusze miejscowej policji nie udzielili komentarza na temat takiej ewentualności.

Obecnie detektywi badają inne zabezpieczone tropy, chociaż, jak wynika z oświadczeń rzecznika policji, nie otrzymano jeszcze listu ani telefonu z żądaniem okupu. Na miejscu zajścia znaleziono ślady krwi; przypuszcza się, że pozostawił je jeden z porywaczy, skaleczywszy się podczas przechodzenia przez zabezpieczone drutem kolczastym ogrodzenie parkingu przy apartamentowcu Oakwood. Jak powiedział szeryf John D. Kellahar, ten trop, wraz z innymi, „zaprowadzi tego porywacza, lub też gang porywaczy, prosto na szafot".

Z innych wydarzeń związanych ze sprawą: Norma Gerard, stryjeczna prababka porwanego chłopca, zmarła w Maine Medical Center podczas operacji mającej na celu zmniejszenie ciśnienia wewnątrzczaszkowego (patrz str. 2, kol. 5).

Blaze przewrócił stronę, ale nie znalazł tam zbyt wiele. Jeśli nawet gliny wiedziały coś jeszcze, to wolały o tym nie mówić. Na stronie drugiej widniały dwie ilustracje: pierwsza była podpisana „Dom, skąd porwano dziecko", a druga „Tędy weszli porywacze". Oprócz nich znajdowała się tam jeszcze niewielka ramka, w której napisano: „List ojca uprowadzonego chłopca do porywaczy, patrz str. 6". Blaze już tam nie zaglądał. Czytanie zawsze zabierało mu sporo czasu, a teraz należało się spieszyć. Ten wypad i tak trwał już stanowczo za długo, a powrót do domu musiał zająć jeszcze co najmniej trzy kwadranse. No i do tego...

No i do tego Blaze miał jechać kradzionym samochodem. Walsh, ty nędzny skurwielu. Żeby ci się „Cwaniaki" dobrały do dupy za to, że spaliłeś im metę, pomyślał. Ty nędzny skurwielu. Ale teraz...

Teraz trzeba było zaryzykować. Może się uda wrócić do domu. Blaze wiedział, że jeśli zostawi forda i ucieknie, skończy się o wiele gorzej. Samochód miał wszędzie odciski jego palców (linie papilarne, jak mówił George). Zresztą ten Walsh mógł przecież zapisać numer rejestracyjny i podać go policji. Blaze przemyślał to, powoli i dokładnie; doszedł do wniosku, że Walsh jednak nie zapisał numerów. Raczej nie. W każdym razie gliny wiedziały, że porywacz ma forda, niebieskiego forda... Ale przecież kiedyś, no jasne, ten ford był zielony. Przed malowaniem. Może to coś da. Może jeszcze wszystko będzie dobrze. A może nie. Trudno zgadnąć.

Dochodząc do parkingu, zaczął się czaić i rozglądać, ale nie dostrzegł nigdzie policji, a parkingowy czytał sobie jakieś czasopismo. Dobrze. Wsiadł do forda i odpalił silnik, spodziewając się, że zaraz wyskoczy na niego z ukrycia setka gliniarzy. I nic. Kiedy wyjeżdżał, parkingowy wyjął mu spod wycieraczki żółty bilet, nie podniósłszy nawet głowy.

Jazda przez Portland, a potem przez Westbrook, dłużyła mu się niemiłosiernie. Przypominało to nieco podróż z dzbankiem wina trzymanym między nogami, tylko że było jeszcze gorsze. W każdym samochodzie, który zatrzymywał się za nim, Blaze widział nieoznakowany wóz policyjny. Prawdziwy glinowóz trafił mu się jeden, przy wyjeździe z miasta, na skrzyżowaniu autostrad numer jeden i dwadzieścia pięć; prowadził karetkę jadącą na sygnale, z odpalonym kogutem. Ten widok właściwie go uspokoił: jak się widzi radiowóz, to wiadomo, że to radiowóz.

Kiedy Westbrook zostało już w tyle, zjechał na drogę dojazdową, a potem na asfaltową dwupasmówkę, przechodzącą w ściętą mrozem drogę gruntową, która wiła się przez las, dopóki nie dobiegła do Apex. Ale nawet tutaj nie czuł się bezpiecznie; dopiero gdy skręcił w długi podjazd prowadzący do swojej chałupy, zalała go ulga, jakby spadł mu z ramion wielki ciężar.

Wstawił forda do szopy i powiedział sobie, że więcej nim nigdzie nie pojedzie, choćby skały srały. Wiedział, że porwanie to poważna sprawa, że będą deptać mu po piętach, ale teraz czuł się tak, jakby faktycznie ktoś skrobnął mu marchewkę. Ten portret, ślady krwi, ten stróż nocny, który bez większych ceregieli sypnął gangsterską metę...

Ale kiedy tylko wysiadł z samochodu, czarne myśli w jednej chwili wywietrzały mu z głowy. Joe darł się na całe gardło. Słychać go było aż na dworze. Blaze rzucił się pędem przez podwórko i wpadł jak bomba do domu. George coś zrobił małemu, to George...

Ale to nie był George. George'a nawet nie było w pobliżu. George nie żył, a on, Blaze, zostawił sześciomiesięcznego niemowlaka samego jak palec.

Kołyska aż chodziła od wściekłego naporu malucha. Wystarczyło raz spojrzeć, żeby zrozumieć, co jest grane. Joe zwrócił większość mleka, które wypił o dziesiątej; spieniony, zjełczały, na wpół zaschnięty płyn oblepiał mu policzki i wsiąkał w górę od piżamki. Buzia niemowlaka miała przerażający śliwkowy kolor i była usiana grubymi koralikami potu.

W jednym przebłysku pamięci, jakby strzeliła migawka w aparacie, Blaze zobaczył swojego ojca, zwalistego, bykowatego chłopa o oczach nabiegłych krwią i groźnych, szerokich jak łopaty łapskach. I natychmiast zalało go przerażenie zmieszane z palącymi wyrzutami sumienia; od lat nie myślał o ojcu.

Wyciągnął małego z kołyski tak gwałtownie, że Joe aż zatoczył bezwładnie główką i z zaskoczenia przestał płakać.

– No już – zamruczał Blaze, obnosząc go na rękach po całym pokoju. – Już, już. Wróciłem. Jestem. Już, już. Nie płacz. Jestem tu. Przy tobie.

Joe zasnął, zanim Blaze zdążył obejść z nim pokój trzy razy dookoła. Przewinął śpiącego malucha (poradził sobie z pieluszką szybciej niż poprzednim razem), przebrał i położył z powrotem do kołyski. A potem usiadł i zaczął myśleć. Bo tym razem trzeba było pomyśleć porządnie. Co teraz? Napisać list od porywaczy, tak?

– Tak – powiedział głośno.

Na filmach porywacze piszą listy literami wyciętymi z gazet. Blaze przyniósł sobie stosik popołudniówek, świerszczyków i komiksów, po czym usiadł do wycinania liter.

MAM WASZE DZIECKO.

Proszę bardzo. Jaki dobry początek. Wstał, podszedł do okna i włączył radio. Akurat Ferlin Husky śpiewał „Wings of a Dove". Dobry kawałek. Stary, ale jary. Blaze zaczął szperać po szafkach i szufladach, aż znalazł duży zeszyt, który George kupił kiedyś w Renny's. Potem zmieszał klajster z mąki i wody, nucąc sobie przy pracy w rytm piosenki; chrzęsty, które z siebie wydawał, przypominały skrzypienie starej, zardzewiałej bramy wiszącej na popękanych zawiasach.

Wrócił do stołu i nakleił wycięte litery na kartkę. Nagle uderzyła go jedna myśl: czy na papierze mogą zostać odciski palców? Tego nie wiedział, ale jakoś nie wydawało mu się to prawdopodobne. W każdym razie lepiej było nie ryzykować. Zgniótł kartkę z naklejonymi literami i wygrzebał skórzane rękawiczki, które nosił George. Były dla niego za małe, ale jakoś je naciągnął. Wyszukał w gazetach jeszcze raz te same literki i przykleił całe zdanie od nowa:

MAM WASZE DZIECKO.

W radiu podali wiadomości, których wysłuchał uważnie, dowiadując się, że ktoś zadzwonił do domu państwa Gerardów z żądaniem dwóch tysięcy dolarów okupu. Zdziwiło go to; zmarszczył brwi i słuchał dalej. Po chwili spiker wyjaśnił, że rzekomym porywaczem był nastolatek, który dzwonił z budki telefonicznej w Wyndham. Policja namierzyła rozmowę i złapała go szybko. Tłumaczył się, że to miał być tylko taki kawał. Możesz im to powtarzać, ile chcesz, dzieciaku, pomyślał Blaze. I tak pójdziesz do poprawczaka. Porwanie to poważna sprawa. Zmarszczył czoło, zamyślił się głęboko i wyciął kolejne litery, słuchając prognozy pogody. Słońce i trochę zimniej. Nadciąga śnieżyca.

MAM WASZE DZIECKO. JAK JE CHCECIE JESZCZE KIEDYŚ ZOBACZYĆ, TO

Jak je chcecie jeszcze kiedyś zobaczyć, to co? To co? Blaze poczuł kompletny mętlik w głowie. To zadzwońcie na koszt rozmówcy, centrala zaraz przełączy? To stańcie na głowie i odgwiżdżcie „Dixie"? Przyślijcie dwa stare paragony i pięćdziesiąt centów w bilonie? Jak zgarnąć forsę, żeby ciebie nie zgarnęła policja?

– George, nie pamiętam, jak to miało być.

Cisza.

Oparł podbródek na dłoni i ze wszystkich sił wytężył szare komórki. Zachować spokój. Trzeba to rozegrać na chłodno, tak jak George. Albo jak John Cheltzman, kiedy podszedł do nich ten policjant na dworcu w Portland. I ruszyć mózgownicą. Potrząsnąć makówą.

Należy podać się za członka jakiegoś gangu – to na pewno. Żeby go nie mogli złapać, kiedy będzie zabierał okup. Bo jak złapią, to się im powie, że muszą go puścić, inaczej jego kumple zabiją dzieciaka. To jest to. Blef. A co tam blef, cholera – kant i już.

– Tak jest po naszemu – szepnął. – Co nie, George?

Zmiął drugą kartkę i starannie, równiutko powycinał kwadraciki z literami. Tym razem było ich trochę więcej:

NASZ GANG MA WASZE DZIECKO. JAK JE CHCECIE JESZCZE KIEDYŚ ZOBACZYĆ, TO

No. Nieźle. Strzał w dziesiątkę. Blaze podziwiał przez chwilę swoje dzieło, a potem wstał i poszedł sprawdzić, co u małego. Joe spał, z główką odwróconą na bok i jedną piąstką podłożoną pod policzek. Miał bardzo długie rzęsy, ciemniejsze niż włosy. Do Blaze'a nagle dotarło, że podoba mu się to dziecko. Nigdy by się nie spodziewał, że taki mały pędrak może być ładny, ale Joe właśnie był.

– Ale z ciebie ogierek, Joey – powiedział, targając mu delikatnie włosy. Dłoń miał większą niż cała jego główka.

Wrócił do stołu, zawalonego czasopismami, gazetami i powycinanymi skrawkami. Pomyślał chwilę, poskubując rozrobiony klajster z mąki, a potem wrócił do pracy.

NASZ GANG MA WASZE DZIECKO. JAK JE CHCECIE JESZCZE KIEDYŚ ZOBACZYĆ, TO MACIE DAĆ MILION DOLARÓW W NIEZNACZONYCH BANKNOTACH. PIENIĄDZE WŁOŻYĆ DO WALISKI I BYĆ GOTOWI W KAŻDEJ CHWILI NA WEZWANIE. Z POWARZANIEM,

PORYWACZE JOEGO GERARDA 4-TEGO.

No i już. Trochę się dowiedzą, ale nie za dużo. A on będzie miał czas, żeby wymyślić sobie jakiś plan.

Znalazł gdzieś starą, brudną kopertę i włożył do niej swój list, a potem przykleił litery ułożone w słowa:

RODZINA GERARD
OCOMA
TO WAŻNE!

Nie wiedział tylko, jak wyśle ten list. Nie chciał znów zostawiać dziecka z George'em, bał się wyjechać z domu kradzionym fordem i jednocześnie nie uśmiechało mu się zasuwać piechotą na pocztę w Apex. Gdyby był tu George, wszystko poszłoby łatwiej. To on by odwalał całą pracę umysłową, a Blaze siedziałby w domu i opiekował się małym. Nie miał nic przeciwko karmieniu, przewijaniu i tak dalej. Absolutnie nic. To było nawet całkiem fajne.

Ale cóż, trudno, nieważne. List i tak najwcześniej będzie można wysłać dopiero rano, więc jest czas, żeby wymyślić jakiś plan. Albo przypomnieć sobie, co wymyślił George. Wstał i zajrzał jeszcze raz do małego. Żałował, że telewizor się popsuł. Czasami z telewizji można podłapać niezłe pomysły. Joe spał dalej; szkoda, bo Blaze chętnie by się z nim pobawił. Chciał zobaczyć, jak się śmieje. Wyglądał wtedy jak prawdziwy chłopak. A że był ubrany, można było się z nim wygłupiać bez obawy, że obsika. W każdym razie Joe spał i nie było na to rady. Blaze wyłączył radio i poszedł do sypialni. Miał myśleć nad planem, ale też zasnął.

Zanim odpłynął całkowicie, przyszła mu do głowy jedna myśl: dobrze mi. Po raz pierwszy od śmierci George'a było mu dobrze.

ROZDZIAŁ 14

Szedł alejką w wesołym miasteczku (mógł to być lunapark w Topsham, do którego chłopcy z Hetton House jeździli raz do roku rozklekotanym autobusem), niosąc małego na ramieniu. Kiedy znalazł się na placu, strach oblepił go jak gęsta mgła: zaczął myśleć, że zaraz „go zobaczą" i to będzie koniec. Joe już nie spał. Kiedy przechodzili przed lustrami, w których człowiek jest chudy jak patyk, Blaze zauważył kątem oka, że mały gapi się wybałuszonymi oczami na wszystko dookoła. Szedł dalej. Kiedy Joe robił się ciężki, przekładał go na drugie ramię. I ani na chwilę nie przestawał wypatrywać gliniarzy.

Wesołe miasteczko to był majestatyczny wir, płonący niezdrowym neonowym ogniem. Z prawej strony dobiegało wzmocnione przez mikrofon nawoływanie jednego z konferansjerów:

– Zapraszamy, zapraszamy, tu jest wszystko, czego wam trzeba, sześć pięknych dziewczyn, sześć szałowych kociaków prosto z klubu Diablo w Bostonie! One rozpalą was tak, że i w samym Paryżu nie umieją lepiej!

To nie jest miejsce dla dziecka, pomyślał Blaze. To jest ostatnia rzecz na całym świecie, którą powinno oglądać małe dziecko.

Po lewej, u wejścia do Pałacu Rozmaitości, stał mechaniczny klaun podskakujący na sprężynach ze śmiechu. Kiwał się we wszystkie strony, a usta miał rozciągnięte od ucha do ucha; przypominało to bardziej paroksyzm bólu niż uśmiech. Raz po raz wybuchał obłąkanym chichotem, nagranym na taśmę schowaną gdzieś głęboko w jego brzuchu. Dalej widać było ogromnego faceta z kotwicą wytatuowaną na bicepsie, który ciskał twardymi kulami z gumy w piramidę z drewnianych kręgli; jego wypomadowane, sczesane w tył włosy odbijały feerię kolorowych świateł i lśniły jak futerko wydry. Kolejka alpejska śmignęła do góry, a po chwili runęła w dół z szalonym stukotem, ciągnąc za sobą chmurę pisków wiejskich dziewczyn wbitych w krótkie spódniczki i obcisłe topy bez ramiączek. Wahadło strachu kręciło się niczym gigantyczne śmigło; zawrotna prędkość deformowała twarze ludzi siedzących w wagonikach, upodabniając ich do powykrzywianych maszkaronów. Powietrze stało się wieżą Babel tysiąca zapachów: frytki, ocet, tacos, popcorn, czekolada, smażone małże, pizza, papryka, piwo. Plac, na którym stanęło wesołe miasteczko, był to wąski język brunatnej ziemi, schowanej pod tysiącem papierków i milionem rozdeptanych petów. W blasku kolorowych świateł wszystkie twarze robiły się płaskie i groteskowe. Obok Blaze'a przeszedł nagle staruch z zielonym glutem zwisającym u nosa, zajadając jabłko w polewie nadziane na patyk. Potem zjawił się chłopiec ze znamieniem koloru śliwki pełznącym po policzku. Potem stara Murzynka z wysokim sztucznym blond kokiem. Tłusty facet w bermudach i z żylakami na łydkach, ubrany w T-shirt z napisem WŁASNOŚĆ SMOKÓW Z BRUNSWICK.

– Joe! – zawołał ktoś. – Joe... Joe!!

Blaze odwrócił się, usiłując wypatrzeć wołającego w tłumie. I nagle ją dostrzegł. Miała na sobie to samo, co wtedy: nocną koszulę z koronkowym brzegiem, układającą się tak, że całe cycki były praktycznie na wierzchu. Piękna, młoda matka Joego.

Struchlał. Przecież zaraz go zobaczy. Jego nie da się przeoczyć. A jak już go zobaczy, to zabierze mu dziecko. Jego dziecko. Przytulił malca mocniej, jakby tym jednym uściskiem mógł objąć go na własność. Dotyk małego, ciepłego ciałka dodał mu otuchy; Blaze poczuł, jak życie dziecka trzepocze na jego piersi.

– Tam! – wrzasnęła pani Gerard. – Tam jest złodziej mojego dziecka! Gońcie go! Łapcie go! Zabierzcie mu moje dziecko!

Ludzie zaczęli odwracać głowy. Blaze stał w pobliżu karuzeli, gdzie odpustowa muzyczka huczała już ogłuszająco, aż się rozlegało.

– Zatrzymać go! Łapać tamtego faceta! Łapać złodzieja dzieci!

Wypomadowany mężczyzna z tatuażem na bicepsie ruszył w jego stronę, a Blaze poczuł, że nareszcie może uciekać. Ale nagle plac wydłużył się na całe kilometry, zamieniając się w nieskończoną Autostradę Rozmaitości. Ścigali go wszyscy: chłopiec ze znamieniem na policzku, Murzynka z blond kokiem, tłuścioch w bermudach. Mechaniczny klaun zaśmiewał się do rozpuku. Blaze minął pędem konferansjera stojącego razem z potężnym osiłkiem ubranym w coś, co wyglądało jak zwierzęca skóra. Szyld nad jego głową głosił, że jest to Człowiek-Lampart. Konferansjer zaczął mówić do mikrofonu. Jego spotężniały głos przetoczył się po placu niczym huk gromu.

– Prędzej, panie i panowie! Nie przegapcie tego widowiska! Oto Clayton Blaisdell junior, znany porywacz dzieci! Oddaj tego chłopca, koleżko! Oto stoi dziś przed państwem, przybyły prosto z miasta Apex, ze swojego domu przy Parker Road, gdzie w szopie na tyłach chowa kradzionego forda! Prędzej, panie i panowie, oto przed państwem żywy i prawdziwy porywacz dzieci...

Blaze przyspieszył, dławiąc się urywanym jak szloch oddechem, ale wszystko na nic; doganiali go. Obejrzał się. Na czele pościgu pędziła matka Joego. Na jej twarzy zachodziły dziwne zmiany: pobladła, a wargi nabrały karminowego koloru. Z ust wysunęły się długie zęby. Palce zakrzywiły się niczym szpony, paznokcie spurpurowiały. Matka Joego zamieniała się w narzeczoną hrabiego Yorgi.

– Gonić! Łapać! Zabić! Porywacz dzieci!!!

Nagle spośród głębokich cieni rozległ się syczący szept George'a:

– Tutaj, Blaze! Szybko! Rusz się, do jasnej cholery!

Blaze skręcił w stronę, skąd dobiegał ten głos i wpadł do labiryntu luster. Plac niespodziewanie rozpadł się na tysiąc krzywych, wypaczonych odprysków. Pognał przed siebie wąskim korytarzem, zataczając się i sapiąc jak zgoniony pies. I wtedy zjawił się George. Stanął przed nim (i za nim i po obu stronach też) i powiedział:

– Każesz im go zrzucić z samolotu, Blaze. Z samolotu. Niech go zrzucą z samolotu.

– Nie mogę stąd wyjść – zajęczał Blaze. – George, pomóż mi wyjść.

– Przecież właśnie próbuję, debilu! Niech go zrzucą z samolotu!

Tłum goniący Blaze'a zatrzymał się u drzwi. Stali i zaglądali do środka, ale w lustrach wyglądało to tak, jakby tłoczyli się dookoła niego.

– Łapać porywacza dzieci! – zawyła żona Josepha Gerarda. Zębiska miała już ogromne.

– Pomóż mi, George.

A George uśmiechnął się i Blaze zobaczył, że on też ma długie zęby. Za długie.

– Pomogę ci – powiedział. – Daj mi dziecko.

Ale Blaze nie posłuchał. Cofnął się. Natychmiast tysiąc tysięcy George'ów ruszyło na niego, wyciągając ręce, żeby wyrwać mu Joego. Blaze odwrócił się na pięcie i dał nura w kolejny rozmigotany korytarz. Pędził, odbijając się od ścian jak kulka we flipperze, starając się nie upuścić chłopca, którego tulił opiekuńczo do piersi. To nie było miejsce dla dziecka.

ROZDZIAŁ 15

Blaze obudził się szarym świtem. Poderwał się, z początku nie bardzo wiedząc, gdzie się znajduje. Potem wszystko sobie przypomniał i legł na boku, ciężko dysząc. Całe łóżko było wilgotne od potu. Jezu Chryste, ale koszmarny sen. Wstał i poczłapał do kuchni, żeby sprawdzić, co u małego. Joe spał twardo. Usta miał złożone, jakby nad czymś bardzo poważnie myślał. Blaze wpatrywał się w niego, dopóki nie zaobserwował powolnego, miarowego falowania klatki piersiowej. Niemowlę poruszyło wargami; Blaze był ciekawy, czy śni mu się butelka czy ciepły maminy cycuś.

Zaparzył kawy i usiadł w kalesonach przy stole, na którym walały się pocięte skrawki papieru – pozostałości po pisaniu listu od gangu porywaczy. Pomiędzy nimi dostrzegł kupioną wczoraj gazetę. Zaczął czytać od początku artykuł o zniknięciu dziecka Gerardów i tak jak poprzedniego dnia dotarł do ramki u dołu drugiej strony: „List ojca uprowadzonego chłopca do porywaczy, patrz str. 6". Przerzucił dwie kartki i znalazł ogłoszenie na całe pół strony, obwiedzione czarną ramką. Przeczytał:

DO LUDZI, KTÓRZY ZABRALI NASZE DZIECKO! SPEŁNIMY WSZELKIE ŻĄDANIA, POD JEDNYM WARUNKIEM: MUSIMY OTRZYMAĆ DOWÓD NA TO, ŻE JOE JESZCZE ŻYJE. FEDERALNE BIURO ŚLEDCZE (FBI) ZOBOWIĄZAŁO SIĘ NIE INTERWENIOWAĆ PODCZAS PRZEKAZANIA OKUPU, ALE *KONIECZNIE MUSIMY MIEĆ DOWÓD, ŻE JOE ŻYJE!*

146

KARMIMY GO TRZY RAZY DZIENNIE. JADA MIĘSNE I WARZYWNE PRZETWORY DLA NIEMOWLĄT. DO TEGO PIJE PÓŁ BUTELKI MLEKA. JEST PRZYZWYCZAJONY DO MLEKA Z PUSZKI ROZCIEŃCZONEGO PRZE-GOTOWANĄ WODĄ STERYLIZOWANĄ W PROPORCJI 1:1. *BŁAGAMY, NIE RÓBCIE MU KRZYWDY. BARDZO GO KOCHAMY.*

JOSEPH GERARD III

Blaze zamknął gazetę. Od tego, co przeczytał, zrobiło mu się smutno, tak jak wtedy, gdy słyszał Lorettę Lynn śpiewającą, że dobre dziewczyny się psują.

– O jeju jeju. Bu hu hu – odezwał się nagle George z sypialni. Blaze aż podskoczył.

– Cicho, bo go obudzisz – powiedział.

– Mam to w dupie – oznajmił George. – Zresztą i tak mnie nie słyszy.

– Aha. – Blaze zastanowił się. Tak chyba faktycznie musiało być. – George, co to jest proprocja? – zapytał. – Bo tam pisze, że trzeba mu dawać mleko w proprocji jedynka, coś tam coś tam, jedynka.

– Nieważne. – George zbył pytanie. – Naprawdę się o niego martwią, co? Karmimy go trzy razy dziennie, do tego pija pół butel-ki... Nie róbcie mu krzywdy, bo my go tak strasznie, okropnie kochamy. Stary, to jest normalnie nowy wymiar popieprzonego bełkotu.

– Posłuchaj... – zaczął Blaze.

– Nie będę słuchać! Nie każ mi słuchać! Ten gówniarz to ich największy skarb, tak? A te czterdzieści milionów zielonych to co, pies? Trzeba odebrać okup, a potem odesłać im gnoja w por-cjach. Najpierw palec od ręki, potem od nogi, potem ten jego kar-łowaty...

– George, zamknij japę!

Blaze zakrył dłonią usta, zatrwożony tym, co powiedział. Ka-załem George'owi zamknąć japę? Co to miało znaczyć? Co się ze mną dzieje?

– George?

147

Cisza.

– George, przepraszam. Nie chciałem, ale nie można tak mówić, no wiesz, tak jak ty powiedziałeś. – Spróbował się uśmiechnąć. – Musimy go oddać całego i zdrowego, co nie? Taki jest plan. Co nie?

Cisza. Blaze poczuł się naprawdę bardzo nieszczęśliwy.

– George? George, co się stało?

Cisza, długa i przeciągła. Kiedy w końcu nadeszła odpowiedź, była prawie bezdźwięczna. Równie dobrze mogła to być jego własna myśl.

– Będziesz musiał zostawić go ze mną samego, Blaze. Prędzej czy później będziesz musiał.

Blaze otarł usta dłonią.

– Nie próbuj mu zrobić krzywdy, George. Lepiej nie próbuj. Ostrzegam.

Cisza.

O dziewiątej rano Joe był już przewinięty, nakarmiony i bawił się na podłodze w kuchni. Blaze siedział przy stole i słuchał radia. Posprzątał już ścinkowy bałagan i wyrzucił zeschnięty, stwardniały klajster. Na blacie pozostał tylko list do rodziny Gerardów. Trzeba było teraz wymyślić, jak go wysłać.

Trzy razy wysłuchał wiadomości. Policja zgarnęła faceta nazwiskiem Charles Victor Pritchett, znanego włóczykija z hrabstwa Aroostook, który pracował w okolicznym tartaku i przed mniej więcej miesiącem wyleciał z roboty. Ale potem go wypuścili. Pewnie Walsh, ten fajansowaty odźwierny, go nie rozpoznał. Szkoda. Dzięki dobremu podejrzanemu można by mieć przez jakiś czas trochę luzu.

Blaze zaczął się wiercić niespokojnie. Trzeba było w końcu ruszyć z tym całym porwaniem. Wymyślić, jak wysłać list. Policja miała przecież jego portret pamięciowy i wiedziała o samochodzie. Znali nawet kolor – też od tego sukinsyna Walsha.

Myśli toczyły się w głowie Blaze'a powoli i ociężale. Wstał, zaparzył sobie jeszcze jedną kawę i wyjął z powrotem gazetę. Przyjrzał się ze zmarszczoną brwią szkicowi policyjnego grafika. Pełna twarz z kwadratową szczęką. Szeroki, płaski nos. Gęsta czupryna dawno nieobcinanych włosów (ostatni raz strzygł go jeszcze George, kuchennymi nożyczkami, niedbale i nieporządnie). Głęboko osadzone oczy. Ale nie narysowali mu takiego byczego karku, jaki miał w rzeczywistości i prawdopodobnie nie mieli pojęcia, jaki był wysoki. Kiedy siedział, ludzie nigdy tego nie zauważali, bo nogi miał najdłuższe ze wszystkiego.

Joe zaczął płakać. Blaze ogrzał mu trochę mleka, ale mały odpychał butelkę, więc wziął go na kolano i pohuśtał, nie myśląc nawet o tym, co robi. Joe ucichł momentalnie i zaczął się rozglądać z tej nowej wysokości, skąd widać było wyraźnie i trzy plakaty na przeciwległej ścianie, i pokrytą tłustym nalotem azbestową płytę przykręconą do ściany za piecem, i okna, brudne od środka, a zaszronione od zewnątrz.

– U ciebie jest pewnie inaczej, co? – zapytał Blaze.

Joe rozpogodził się, a potem wydał z siebie serię dziwacznych parsknięć, które w jego niefachowym wydaniu miały być śmiechem. Blaze wyszczerzył się, rozbawiony. Malec miał dwa zęby, ledwo co wystające z dziąseł. Ciekawe, pomyślał Blaze, czy już go bolą te następne, które próbują się wybić na swobodę; Joe często gryzł palce i czasami popłakiwał przez sen. Blaze wyjął z kieszeni starą, zmiętą chusteczkę higieniczną i wytarł małemu ślinę cieknącą z buzi.

Nie można zostawiać dzieciaka z George'em. Bo George chyba jest zazdrosny albo coś w tym rodzaju. Zupełnie jakby chciał...

Zesztywniał na całym ciele, aż Joe obejrzał się na niego z zabawną pytającą minką pod tytułem: „Co z tobą, kolego?". Blaze ledwie to zauważył, bo uświadomił sobie, że... że teraz George to on. A to znaczyło, że gdzieś w głębi serca skłaniał się ku temu, żeby...

I znów uciekł przed tą myślą, ale jego udręczony umysł zaraz uczepił się kolejnej.

George chodzi z nim wszędzie. Musi tak być, skoro George teraz jest nim. Nie ma innego sensownego wyjścia. Jeśli A, to B, prościej nie da się, jak powiedziałby Johnny Cheltzman.

George chodzi z nim wszędzie.

Co oznacza, że nie ma możliwości, żeby coś zrobić małemu, choćby nawet bardzo chciał.

Blaze rozluźnił się nieco. W dalszym ciągu niechętnie myślał o zostawieniu chłopaka samego, ale lepiej, żeby był sam niż z kimś, kto może zrobić mu krzywdę. A poza tym tak trzeba. Nikt inny tego nie zrobi.

Ale z całą pewnością przydałby mu się jakiś kamuflaż, skoro mają jego portret i tak dalej. Coś w stylu pończochy na twarz, tylko żeby było naturalne. Ale co?

Zaświtał mu pewien pomysł. Nie była to oślepiająca zorza zaranna, lecz raczej niespieszny, leniwy brzask, który przesączył się do jego świadomości powoli, jak bańka powietrza przebijająca się przed wodę gęstą jak błoto.

Położył małego z powrotem na podłodze i poszedł do łazienki. Przygotował sobie nożyczki i ręcznik, a potem wyciągnął elektryczną golarkę George'a z apteczki, gdzie przeleżała kilka miesięcy, owinięta kablem.

Poobcinał sobie włosy byle jak, łapiąc je całymi garściami, aż na głowie zostały mu tylko placki poskręcanych kłaków. Odłożył nożyczki, włączył golarkę do kontaktu i rozprawił się z tymi resztkami. Jeździł maszynką w tę i z powrotem, aż rozgrzała się tak, że zaczęła parzyć dłoń. Pozbawiona włosów, podrażniona skóra zrobiła się różowa.

Przejrzał się w lustrze, ciekawy efektu. Wklęśnięte czoło, odsłonięte całkowicie po raz pierwszy od wielu lat, widać było teraz wyraźniej niż kiedykolwiek przedtem. I faktycznie, wrażenie było dość makabryczne; gdyby położył się na plecach, mógłby wlać do tej dziury, tak na oko, całą filiżankę kawy. Ale poza tym cel został osiągnięty: Blaze nie wyglądał już jak szalony porywacz z portretu w gazecie, tylko bardziej jak jakiś zagraniczniak, z Niemiec czy może z Berlina albo jeszcze skądinąd. Jedynie oczy pozostały takie same. A jeśli to one go zdradzą?

– George ma ciemne okulary – powiedział na głos. – To jest to... co nie?

Niejasno zdawał sobie sprawę, że zamiast się zakamuflować, robi wszystko, żeby zwrócić na siebie uwagę, ale być może właśnie tak miało być. Zresztą czy mógł zrobić ze sobą coś innego? Na jego wzrost, te dwa metry coś tam, nie było żadnej rady. Miał tylko jedną możliwość: tak zmienić swój wygląd, żeby działał na jego korzyść, a nie na niekorzyść.

I nie przyszło mu bynajmniej do głowy, że George nigdy w życiu nie wymyśliłby tak dobrego kamuflażu jak ten, który właśnie stworzył. Nie uświadamiał sobie też, że George był już teraz niczym więcej jak tylko fikcją sfabrykowaną przez rozgorączkowany, na wpół oszalały umysł miotający się pod wyświechtaną maską idioty. Przez całe lata uważał się za matoła, aż wreszcie pogodził się z tym faktem, akceptując go jako część swojego jestestwa, taką samą jak ta dziura w czole. A jednak mimo wszystko coś jeszcze tliło się pod tą zdewastowaną maską. Coś obdarzonego zabójczym instynktem żywych istot – kretów, glist, drobnoustrojów – wciąż toczyło ziemię pod powierzchnią owej wypalonej łąki. I to coś miało też pamięć, pamięć przechowującą absolutnie wszystko. Wszystkie krzywdy, podłości, wszystkie porażki, których doświadczył w starciu ze światem.

Ruszył w drogę na piechotę, boczną szosą okrążającą Apex. Maszerował sobie raźno, całkiem niezłym tempem, ale nagle za jego plecami zarzęził silnik starej, przeładowanej ciężarówki ze ścierem drzewnym. Facet za kółkiem miał siwe włosy i nosił podkoszulek z długim rękawem wprost pod kurtką z kraciastej wełny.

– Wskakuj! – huknął.

Blaze wspiął się na stopień, a z niego wślizgnął się do szoferki. Podziękował. Kierowca skinął głową.

– Do Westbrook jadę – oznajmił.

Blaze, zamiast odpowiedzieć, też skinął głową i pokazał mu kciuki uniesione w górę. Kierowca ze szczękiem wrzucił bieg i ciężarówka ruszyła przed siebie. Dało się wyczuć, że zrobiła to niechętnie.

– Ja cię już kiedyś widziałem, nie? – zawołał szofer, przekrzykując łomoczące dudnienie silnika. Okno w drzwiach po jego stronie było wybite; wiało stamtąd styczniowym mrozem, który ścierał się w kabinie z gorącym powietrzem bijącym z dysz ogrzewania. – Mieszkasz przy Palmer Road?

– Tak! – odkrzyknął Blaze.

– Jimmy Cullum tam kiedyś gospodarzył – powiedział kierowca, podsuwając mu nieprawdopodobnie wymiętoszoną paczkę lucky strike'ów. Blaze wziął jednego.

– Niezły był koleś – przytaknął. Jego świeżo ogolonej głowy nie było widać; schował ją pod czerwoną czapką robioną na drutach.

– Poniosło go na południe. A ten twój kumpel też jeszcze tu siedzi?

Blaze domyślił się, że chodzi o George'a.

– Nie. – Pokręcił głową. – Trafiła mu się robota w New Hampshire.

– Taa? – powiedział kierowca. – Też bym chciał. Mógłby mi coś załatwić.

Ciężarówka minęła szczyt wzgórza i zaczęła staczać się z łomotem po wyboistej, zrytej koleinami drodze. Blaze czuł niemalże, jak nieprzepisowo ciężki ładunek spycha ich w dół. Sam też jeździł przeciążonymi ciężarówkami; raz wiózł do Massachusetts choinki, których było chyba z dobre pół tony powyżej limitu. I nigdy się jakoś tym nie przejmował, ale teraz zaczął. Bo nagle w głowie zaświtała mu pewna myśl: on i tylko on może obronić Joego przed śmiercią.

Po wyjechaniu na główną szosę kierowca zaczął mówić o porwaniu. Blaze spiął się nieco, ale w sumie nawet się nie zdziwił, że rozmowa zeszła na ten temat.

– Tego, co to zrobił, powinni powiesić za jaja, jak go znajdą – oznajmił szofer, z piekielnym zgrzytem wrzucając trójkę.

– Fakt – zgodził się Blaze.

– To już się robi taki sam bajzel jak z tymi, co porywali samoloty. Pamiętasz?

– Pewnie. – Nic nie pamiętał.

Kierowca wyrzucił peta przez okno i natychmiast zapalił kolejnego papierosa.

– Trzeba z tym skończyć. Powinni wprowadzić bezwzględną karę śmierci dla takich gości. Nie wiem, może by ich rozstrzeliwać?

– Myśli pan, że go złapią? – zapytał Blaze. Zaczynał się czuć jak szpieg na filmie.

– A czy papież mieszka w Rzymie? – spytał szofer, skręcając na szosę numer jeden.

– Pewnie tak – mruknął Blaze.

– Nie pytam się, czy mieszka. Mówię tylko, że to jasne jak słońce, że złapią tego porywacza. Takich zawsze łapią. Ale dzieciaka żywego nie dostaną, wspomnisz moje słowa.

– No, nie wiem – mruknął Blaze.

– Taa? A ja wiem. To w ogóle jest poroniony pomysł. Kto się teraz bawi w porwania? Ci z FBI oznaczą mu banknoty albo spiszą numery serii albo podstemplują taką niewidzialną pieczątką, co ją tylko widać w ultrafiolecie.

– Co racja to racja – przytaknął Blaze, nagle zmartwiony. Tego nie przewidział. No, ale jeśli się sprzeda forsę temu znajomemu George'a z Bostonu, to przecież i tak wszystko jedno, nie? Od razu zrobiło mu się lepiej. – A myśli pan, że rodzina poważnie wybuli milion dolców?

Kierowca zagwizdał z wrażenia.

– To aż tyle kazali im zapłacić?

W tym momencie Blaze pomyślał, że z miłą chęcią odgryzłby sobie język i połknął go w całości.

– No – przytaknął, myśląc jednocześnie: Och, George.

– To coś nowego – powiedział szofer. – Rano w gazecie jeszcze o tym nie było. W radiu mówili?

I wtedy nagle odezwał się George, głośno i wyraźnie.

– Zabij go, Blaze – powiedział.

Kierowca przyłożył zwiniętą w trąbkę dłoń do ucha.

– Co? Nie dosłyszałem.

– Mówię, że tak, w radiu. – Blaze przyjrzał się swoim dłoniom, leżącym na kolanach. Były wielkie i silne. Jeden cios zadany tą

153

pięścią ukatrupił owczarka collie – a przecież wtedy Blaze wciąż jeszcze rósł.

– Może i dostaną tę forsę – kierowca znów wyrzucił peta przez okno i zapalił trzeciego papierosa – ale jej nie wydadzą. Nigdy w życiu. Nie ma takiej możliwości.

Jechali szosą numer jeden, mijając zamarznięte moczary i przydrożne jadłodajnie, zamknięte na zimę. Szofer umyślnie omijał płatną autostradę, bo tam przed wjazdem trzeba było stanąć na wadze. Blaze nie miał mu tego za złe.

Gdybym go walnął prosto w gardło, pomyślał, tam gdzie jabłko Adama, to obudziłby się w niebie, zanim by się połapał, że umarł. A ja bym złapał za kierownicę, sprowadził wóz na pobocze i przesadził go na drugą stronę. Wyglądałoby, jakby spał. Gdyby ktoś go zobaczył, to pomyślałby tylko, że biedak pewnie jechał całą noc i...

– ...się wybierasz?

– Co? – Blaze uniósł brwi.

– Pytam, gdzie się wybierasz. Bo zapomniałem.

– Aha. Do Westbrook.

– No, a ja skręcam za jakieś półtora kilometra. Tam, gdzie Marah Road. Umówiłem się z kumplem, rozumiesz.

– Aha – powiedział Blaze. – No.

A George odezwał się tak:

– Musisz to zrobić teraz, Blaze. To jest dobry moment i idealne miejsce. Tak będzie po naszemu.

Więc Blaze odwrócił się w stronę kierowcy.

– A może jeszcze papieroska? – zapytał nagle tamten. – Poczęstujesz się?

Kiedy mówił, przekrzywił lekko głowę. Podał mu cel jak na talerzu.

Blaze na chwilę cały zdrętwiał. Dłonie zaczęły go świerzbieć.

– Nie – odezwał się w końcu. – Próbuję rzucić.

– Taa? Gratuluję. Zimno tu jak diabli, co? – Szofer zredukował biegi, wypatrując swojego zakrętu. Pod podłogą kabiny rozległa się szczekliwa kanonada; to silnik strzelił, łomocząc przerdzewiałą rurą wydechową. – Ogrzewanie wysiadło. Radio też.

– Kiepsko – przyznał Blaze. W gardle zaschło mu tak, jakby ktoś tam wsypał łyżkę popiołu.

– No. Życie jest do dupy, a na końcu się umiera. – Kierowca nadepnął na hamulec; klocki zawyły jak dusze w czyśćcu cierpiące. – Będziesz musiał wyskoczyć w biegu. Nie gniewaj się, ale na jedynce mi gaśnie.

– Dobra, dobra – odparł Blaze. Teraz, kiedy uciekła mu najlepsza sposobność, napadły go mdłości. I zaczął się bać. Żałował, że w ogóle wsiadł do tej ciężarówki.

– Pozdrów tego swojego kumpla, jak go spotkasz – powiedział szofer i znów wrzucił niższy bieg. Przeładowana ciężarówka skręciła w boczną drogę; była to, jak należało przypuszczać, Marah Road.

Blaze otworzył drzwi i wyskoczył, lądując na zmarzniętym na kamień poboczu. Kierowca zatrąbił mu jeszcze na pożegnanie, a potem samochód zniknął za pobliskim wzniesieniem, pozostawiając po sobie chmurę śmierdzących spalin. Po chwili był już tylko dźwiękiem zamierającym w oddali.

Blaze wbił dłonie w kieszenie i ruszył przed siebie wzdłuż szosy numer jeden. Szofer wyrzucił go na zamożnym południowym przedmieściu Portland; mniej więcej dwa kilometry dalej znajdowało się duże centrum handlowe, gdzie oprócz sklepów było także kino. Działała tam pralnia samoobsługowa o nazwie „Pierz to sam do czysta"; na ścianie obok wejścia wisiała skrzynka pocztowa, do której Blaze wrzucił swój list z żądaniem okupu.

W środku stał dystrybutor z gazetami. Wszedł, żeby kupić jedną.

– Mamo, patrz – powiedział synek kobiety wyjmującej uprane do czysta rzeczy z suszarki na monety. – Ten pan ma dziurę w głowie.

– Cicho – skarciła go matka.

Blaze uśmiechnął się do malca, który natychmiast schował się za spódnicą mamy i obserwował go dalej z tej bezpiecznej kryjówki, mocno zadzierając głowę. Wziął gazetę i wyszedł z nią na zewnątrz. Pożar jakiegoś hotelu zepchnął porwanie spadkobiercy Gerardów na sam dół strony, ale portret kidnapera wciąż przyciągał wzrok. Nagłówek brzmiał następująco: POSZUKIWANIA PORYWACZY TRWAJĄ. Blaze wepchnął gazetę do kieszeni. Drażniło go to. Ruszył z powrotem w kierunku szosy. Przechodząc przez parking, zauważył starego mustanga z kluczykami w stacyjce. Niewiele myśląc, wsiadł do niego i odjechał.

ROZDZIAŁ 16

Tego samego szarego styczniowego popołudnia, o godzinie szesnastej trzydzieści, Clayton Blaisdell junior został głównym podejrzanym w sprawie uprowadzenia Josepha Gerarda IV. Było to mniej więcej półtorej godziny po tym, jak wrzucił swój list do skrzynki wiszącej na ścianie pralni samoobsługowej. Wtedy to nastąpił „przełom w śledztwie", jak lubią mawiać rzecznicy policyjni. Ale jeszcze zanim na numer FBI zadzwonił najważniejszy informator, identyfikacja kidnapera była już tylko kwestią czasu. Policja dysponowała bogatym zestawem informacji. Po pierwsze: opis podejrzanego podany przez Mortona Walsha (który dostanie za swoje od pracodawców z Bostonu, kiedy tylko sprawa trochę przycichnie). Po drugie: włókna niebieskiej tkaniny pobrane z ogrodzenia otaczającego parking dla gości przy apartamentowcu Oakwood. Udało się ustalić, że był to dżins marki D-Boy; wyrobami z tego materiału handlowała pewna hurtownia. Następnie, policjanci dysponowali zdjęciami oraz odlewami odcisków obuwia noszącego charakterystyczne znaki szczególne powstałe w wyniku znoszenia. Była także próbka krwi grupy AB Rh minus. Do tego istniały fotografie oraz odlewy śladów pozostawionych w śniegu przez drabinę typu wysuwanego. Jej markę również udało się ustalić; był to produkt firmy Craftwork Ladders, model o nazwie Lightweight Supreme. W domu państwa Gerardów znaleziono i sfotografowano ślady butów identyczne z tymi odciśniętymi w śniegu. Pani Norma Gerard na łożu śmierci złożyła natomiast oświadczenie, w którym potwierdziła, że portret pamięciowy wykonany przez grafika policyjnego odpowiada w dużej mierze rzeczywistemu wyglądowi człowieka, który ją uderzył.

Zanim zapadła w stan śpiączki, podała jeszcze jeden szczegół, który umknął uwagi pana Walsha: jej napastnik miał rozległe wgłębienie w kości czołowej, jakby kiedyś spadła mu na głowę cegła albo ktoś go uderzył metalową rurą.

Niewiele spośród tych informacji przekazano prasie. Oficerów śledczych, poza owym charakterystycznym wgłębieniem w czole, szczególnie zainteresowały dwa fakty. Po pierwsze, na terenie całej północnej Nowej Anglii dżinsy marki D-Boy sprzedawało tylko kilkadziesiąt sklepów. Po drugie (i nawet jeszcze lepsze), Craftwork Ladders była to niewielka firma ze stanu Vermont, która sprzedawała swoje produkty hurtem, ale tylko samodzielnym sklepom z artykułami żelaznymi. Nie było ich w supermarketach typu Ames, Mammoth Mart czy Kmart. Armia policjantów ruszyła w objazd po sklepach z listy odbiorców Craftwork Ladders. Kiedy Blaze wysyłał swój list, nie dotarli jeszcze do pawilonu w Apex Center („Sklep, który potrafi pomóc!"), ale była to kwestia kilku godzin.

W domu państwa Gerardów zainstalowano przystawkę namierzającą połączenia telefoniczne. Ojciec Josepha Gerarda IV otrzymał szczegółowe instrukcje, w jaki sposób rozmawiać z porywaczem, kiedy ten wreszcie, wcześniej czy później, zadzwoni. Matka chłopca leżała w sypialni na piętrze, nafaszerowana środkami uspokajającymi.

Żaden z policjantów biorących udział w śledztwie nie otrzymał rozkazu, aby ująć porywacza, ewentualnie porywaczy, żywcem. Biegli kryminolodzy orzekli, że jeden ze sprawców (a być może jedyny sprawca) miał przynajmniej sto dziewięćdziesiąt trzy centymetry wzrostu przy wadze około stu dziesięciu kilogramów. Pęknięta czaszka Normy Gerard stanowiła dowód (gdyby ktoś takowego potrzebował) siły oraz wyjątkowego okrucieństwa tego człowieka.

Tak właśnie przedstawiała się sytuacja tego szarego popołudnia, kiedy o godzinie szesnastej trzydzieści do Alberta Sterlinga, agenta specjalnego dowodzącego śledztwem, zadzwoniła Nancy Moldow.

Kiedy Sterling i jego partner Bruce Granger zjawili się w sklepie „Dziecięce Królestwo", pierwsze słowa Nancy Moldow brzmiały tak:

– Na tym portrecie brakuje jednej rzeczy. Facet, którego szukacie, ma wielką dziurę na samym środku czoła.

– Zgadza się, proszę pani – odparł Sterling. – Trzymamy to w tajemnicy.

Oczy sprzedawczyni zrobiły się okrągłe jak spodki.

– Nie chcecie, żeby wiedział, że o tym wiecie.

– Otóż to.

Nancy Moldow skinęła w stronę stojącego obok niej młodego chłopaka, który miał na sobie niebieski nylonowy kombinezon ozdobiony czerwoną muchą. Jego mina wyrażała niebotyczną ekscytację.

– To jest Brant – przedstawiła go. – Pomagał temu... temu... Pomagał mu zanieść zakupy do samochodu.

– Pełne nazwisko? – Agent Granger spojrzał na dzieciaka w niebieskim kombinezonie, otwierając notes.

Pomocnik sklepowy poruszył grdyką, która podskoczyła jak pajac na sznurku.

– Brant Romano – odpowiedział – proszę pana. Ten facet miał forda. – Podał rocznik wozu z zadziwiającą pewnością siebie; nie uszło to uwagi Sterlinga. – Tylko, że zielonego, a nie niebieskiego, jak pisali w gazecie.

– Proszę pani – zwrócił się Sterling do Nancy Moldow – co ten człowiek tutaj kupił?

Sprzedawczyni zaśmiała się na to pytanie.

– Mój Boże, a czegóż to on nie kupił! Rzecz jasna, same artykuły dla dzieci, bo przecież to jest sklep dziecięcy. A więc łóżeczko, kołyskę, stolik do przewijania, ubranka... kompletną wyprawkę. Nawet jedno dziecinne nakrycie.

– Czy ma pani spis tego, co kupił? – zapytał Granger.

– Oczywiście. Nie przyszło mi do głowy, że ten człowiek może mieć jakieś złe zamiary. Wydawał się w sumie całkiem miły, tylko to wgłębienie w czole... ta dziura...

Granger pokiwał głową ze współczuciem.

– No i nie był chyba zbyt rozgarnięty – ciągnęła sprzedawczyni – ale, jak widać, na mnie wystarczyło. Powiedział, że chce kupić wyprawkę dla bratanka, a głupia Nan mu uwierzyła.

– I był też wysoki?

– Mój Boże, prawdziwy olbrzym! Czułam się, jakbym... jakbym... – sprzedawczyni zachichotała nerwowo – prowadzała po sklepie żyrafę!

– Ile miał wzrostu?

Wzruszyła ramionami.

– Ja mam metr sześćdziesiąt dwa, a ledwie sięgałam mu do piersi. Czyli mógł mieć jakieś...

– Pewnie panowie nie uwierzą – wtrącił Brant, pomocnik sklepowy – ale dla mnie to on miał ze dwa metry. Może nawet z małym hakiem.

Sterling przygotował się w myślach, aby zadać ostatnie pytanie. Specjalnie zostawił je na koniec, ponieważ był prawie pewien, że zaprowadzi w ślepą uliczkę.

– Pani Moldow, jak ten człowiek zapłacił za to wszystko?

– Gotówką – padła natychmiastowa odpowiedź.

– Rozumiem. – Sterling zerknął na Grangera; tego właśnie obaj się spodziewali.

– Portfel miał wypchany, aż pękaty! – dodała sprzedawczyni.

– Tylko że wydał prawie wszystko – wtrącił Brant. – Dostałem od niego potem piątkę napiwku, ale portfel miał już wtedy cienki jak flak.

– A ponieważ zapłacił gotówką – Sterling puścił te rewelacje mimo uszu – nie ma pani rachunku z jego nazwiskiem.

– Nie. Nie mam żadnego rachunku. Pewnie za kilka lat doczekamy się, że zamontują nam tutaj kamery...

– Prędzej za kilkadziesiąt – wtrącił Brant. – Tutaj się oszczędza na wszystkim.

– W takim razie – Sterling zamknął notes – pożegnamy się już.

Zostawię tylko swoją wizytówkę, na wypadek, gdyby coś się państwu...

– Ale ja wiem, jak on się nazywa – powiedziała Nancy Moldow.

Obaj agenci odwrócili się natychmiast.

– Kiedy wyjmował z portfela ten plik pieniędzy, zobaczyłam jego prawo jazdy. Nazwisko zapamiętałam po części dlatego, że taki klient trafia się raz w życiu, ale przede wszystkim uderzyło mnie to, że jest takie... szlachetne. Nie pasowało do niego. Pomyślałam sobie nawet, że ktoś taki powinien mieć na imię Barney albo Fred, wiedzą panowie, jak Fred Flintstone.

– Jak on się nazywał? – zapytał Sterling.

– Clayton Blaisdell. Wydaje mi się nawet, że jego pełne nazwisko brzmiało Clayton Blaisdell junior.

O siedemnastej trzydzieści agenci mieli już akta podejrzanego na biurku. Clayton Blaisdell junior, alias Blaze, był aresztowany dwukrotnie, pierwszy raz jako nastolatek, za napaść i pobicie dyrektora stanowego domu dziecka, w którym przebywał (placówki o nazwie Hetton House), natomiast drugi raz, wiele lat później, za oszustwo i wyłudzenie. Jego domniemany wspólnik, George Thomas Rackley, alias Rzęch, wywinął się od kary, ponieważ Blaze nie chciał zeznawać przeciwko niemu.

Zgodnie z kartoteką, Blaisdell i Rackley działali razem przez co najmniej osiem lat, dopóki Blaisdell nie wpadł przy próbie wyłudzenia; był to przekręt na podłożu religijnym, o scenariuszu nieco zbyt złożonym dla tego powoli myślącego olbrzyma. W więzieniu South Portland zrobiono mu test na inteligencję. Wynik okazał się na tyle niski, że skazaniec dostał kategorię określaną jako granica ograniczenia umysłowego; na marginesie formularza ktoś dopisał wielkimi czerwonymi literami: UPOŚLEDZONY.

Szczegółowy opis całego zdarzenia szczerze ubawił Sterlinga. Numer polegał na tym, że potężny osiłek (Blaisdell) był wieziony na wózku inwalidzkim przez konusa, który przedstawiał się jako wielebny Gary Crowell (zapewne Rackley). Mężczyzna tytułujący się wielebnym utrzymywał, że zbiera fundusze na podróż do Japonii, dokąd zamierza się wybrać w celu krzewienia ideałów odnowy religijnej.

Jeśli poszkodowani (głównie starsze kobiety, posiadające niewielkie oszczędności złożone w banku) nie chcieli dać się przekonać, wielebny Gary dokonywał na ich oczach cudu: mocą Jezusa sprawiał, że kaleka na wózku odzyskiwał władzę w nogach.

Okoliczności aresztowania sprawcy były jeszcze zabawniejsze. Arlene Merrill, ponadosiemdziesięcioletnia seniorka, nabrawszy podejrzeń, zostawiła „wielebnego" wraz z jego „asystentem" w salonie, a sama zadzwoniła na policję, po czym wróciła, aby zająć mężczyzn rozmową do czasu przybycia funkcjonariuszy. Wielebny Gary wyczuł, co się święci i dał nogę. Blaisdell został. Policjant, który go aresztował, napisał w raporcie: „Podejrzany wyjaśnił, że nie uciekł, ponieważ nie został jeszcze uzdrowiony".

Wziąwszy to wszystko pod uwagę, Sterling doszedł do wniosku, że porywaczy było jednak dwóch. Przynajmniej dwóch. Rackley musiał maczać w tym palce; taki tępak jak Blaisdell z całą pewnością sam nie dałby sobie rady.

Agent podniósł słuchawkę i wykręcił numer. Po kilku minutach otrzymał telefon z odpowiedzią na swoje pytanie, odpowiedzią zaskakującą i niespodziewaną. George Thomas „Rzęch" Rackley umarł tragicznie w zeszłym roku. Znaleziono go w dokach miasta Portland, w miejscu, gdzie, jak było wiadomo policji, urządzano hazardowe gry w kości. Zginął od noża.

Cholera. Czyli to był ktoś inny?

Ktoś, kto potrafił sterować tym osiłkiem, tak jak kiedyś Rackley?

Bo przecież chyba musiał być ktoś taki?

Tego samego dnia, o godzinie dziewiętnastej, wysłano ogólnostanowy list gończy (był to ten sam typ listu gończego, który kilka lat później zyskał nazwę BOLO*) za Claytonem Blaisdellem juniorem.

---

* BOLO – skrót wyrażenia be on the look-out (w przybl. „ktokolwiek zobaczy poszukiwaną osobę..."); nazwa listu gończego w USA (przyp. tłum.).

Do tej pory pan Jerry Green, zamieszkały w Gorham, zdążył odkryć, że jego samochód marki mustang został skradziony. Około czterdziestu minut później zguba trafiła do stanowego rejestru poszukiwanych pojazdów.

Mniej więcej w tym samym czasie do Sterlinga zadzwonił funkcjonariusz z komendy policji w Westbrook i podał mu numer kobiety nazwiskiem Georgia Kingsbury. Pani Kingsbury miała małego syna. Kiedy przeglądała tego dnia popołudniową gazetę, chłopiec, który zaglądał jej przez ramię, zapytał nagle: „Dlaczego piszą o tym panu z pralni? I czemu na obrazku nie widać tamtej dziury, którą miał w głowie?".

– Rzuciłam tylko raz okiem i powiedziałam: „O Boże" – zwierzyła się Sterlingowi pani Kingsbury.

O dziewiętnastej czterdzieści Sterling i Granger odwiedzili ją w domu. Przywieźli ze sobą odbitkę policyjnego zdjęcia wykonanego po aresztowaniu Claytona Blaisdella juniora. Zdjęcie było niewyraźne, ale mimo to matka i syn natychmiast rozpoznali na nim człowieka z pralni. Sterling domyślił się, dlaczego: kto raz zobaczył Blaisdella, już nigdy nie mógł go zapomnieć. Na myśl, że ten bydlak był ostatnim człowiekiem, którego Norma Gerard ujrzała w domu, gdzie mieszkała przez całe swoje życie, agent FBI wpadł w taką wściekłość, że aż chwyciły go mdłości.

– Uśmiechnął się do mnie – powiedział synek pani Kingsbury.

– To miło. – Sterling potargał mu włosy.

Chłopiec odsunął się.

– Ma pan zimną rękę.

Kiedy wrócili już do samochodu, Granger zapytał:

– Trochę to dziwne, nie uważasz? Żeby kupić rzeczy dla porwanego dzieciaka, wielki szef wysyła kolesia, którego na sto procent wszyscy zapamiętają.

Po zastanowieniu Sterling uznał, że to faktycznie nieco dziwne, ale sklepowe szaleństwo Blaisdella podsunęło mu też inną myśl. Była optymistyczna, więc postanowił się jej trzymać. Zakup takiej ilości dziecięcych produktów mógł oznaczać, że porywacze nie zamierzali zabić chłopczyka, przynajmniej nie od razu.

163

Granger nie spuszczał wzroku z partnera. Czekał na odpowiedź.

Więc Sterling odpowiedział:

– A kto tam dojdzie za tymi palantami? Jedziemy.

Dane osobowe sprawcy podejrzanego o współudział w porwaniu Josepha Gerarda IV i zidentyfikowanego z prawie stuprocentową pewnością jako Clayton Blaisdell junior, alias Blaze, trafiły do stanowych i lokalnych organów ścigania o godzinie dwudziestej zero pięć. O dwudziestej dwadzieścia do agenta Sterlinga zadzwonił policjant stanowy Paul Hanscom z komendy w Portland. Poinformował go, że z parkingu przy tym samym centrum handlowym, gdzie pani Georgia Kingsbury widziała Blaisdella, a w dodatku mniej więcej o tej samej godzinie, ukradziono mustanga rocznik 1970. Posterunkowy Hanscom chciał wiedzieć, czy FBI życzy sobie, aby dodać tę informację do stanowego listu gończego. Sterling potwierdził, że FBI istotnie bardzo sobie tego życzy.

Teraz agent Sterling znał już odpowiedź na pytanie agenta Grangera. W gruncie rzeczy było to zupełnie proste. Mózgiem operacji był ktoś bystrzejszy niż Blaisdell (na tyle niegłupi, aby to jego wysyłać w teren, samemu wymawiając się tym, że ktoś musi opiekować się porwanym dzieckiem), ale z drugiej strony – wcale nie najbystrzejszy.

Teraz naprawdę pozostało już tylko czekać, aż pętla się zaciśnie. I mieć nadzieję, że...

Albert Sterling uznał jednak, że zna sposób, aby dopomóc nadziei. O godzinie dwudziestej drugiej piętnaście zaszedł do męskiej ubikacji w swoim biurze i pozaglądał do wszystkich kabin. Wszędzie było pusto. Absolutnie go to nie zdziwiło. Biuro było niewielkie, można powiedzieć – prowincjonalny siniak na dalekim tyłku FBI. A do tego robiło się już późno.

Wszedł do jednej z kabin, padł na kolana i złożył ręce, tak jak to czynił w dzieciństwie.

– Boże – szepnął – tu Albert. Jeśli to dziecko jeszcze żyje, czy

164

mógłbyś, proszę, czuwać nad nim? A jeśli tak się stanie, że spotkam tego faceta, który zamordował Normę Gerard, to proszę Cię, niech mnie czymkolwiek sprowokuje, żebym mógł zastrzelić sukinsyna. Dziękuję. W imię Twojego Syna, Jezusa Chrystusa.

A ponieważ męska toaleta w dalszym ciągu była całkiem pusta, dorzucił jeszcze na dokładkę jedną zdrowaśkę.

ROZDZIAŁ 17

Joe obudził go w nocy, za piętnaście czwarta. Dostał butelkę, ale się nie uspokoił; płakał i płakał, aż Blaze zaczął się troszeczkę bać. Dotknął czoła małego. Skóra była chłodna, ale płacz nasilił się tak, że brzmiał już przerażająco. Blaze zaniepokoił się, że od takich wrzasków może pęknąć żyłka, albo coś. Położył dziecko na stoliku do przewijania. Zdjął mu pieluszkę. No, tutaj nie było mowy o problemie: zmoczona, ale nie zabrudzona. Blaze zasypał pupę pudrem dla dzieci i założył świeżą pieluchę. Krzyki nie ustały. Do strachu dołączyła teraz desperacja.

Wziął rozwrzeszczanego malucha na ręce, opierając mu główkę na swoim ramieniu. Zaczął go nosić po kuchni, powoli zataczając szerokie kręgi.

– Luli, luli – szeptał mu do ucha. – Już dobrze. Nic się nie dzieje. Wszystko gra. Śpij, malutki. Pora na dobranoc. Cicho, cicho, ćśś. Stary niedźwiedź mocno śpi. Jak się zbudzi, to nas zje. Ćśśś.

Może podziałało przytulenie i noszenie, a może głos Blaze'a; w każdym razie Joe najpierw przycichł, a po chwili umilkł. Jeszcze kilka kółek dookoła kuchni i główka oparła się o szyję Blaze'a, a oddech nabrał powolnego, spokojnego rytmu snu.

Blaze delikatnie ułożył chłopca w kołysce i zaczął ją popychać. Joe poruszył się, ale spał dalej. Włożył palce do buzi i zaczął przygryzać je zajadle. Blaze poczuł, jak schodzi z niego napięcie. Może jednak wszystko w porządku. Wyczytał w książce, że dzieci gryzą palce, kiedy ząbkują albo są głodne, a mógł się założyć, że Joe nie był głodny.

Przyjrzał się małemu i do głowy przyszła mu kolejna myśl, tym razem bardziej przytomna: ten Joe jest w sumie całkiem fajny. I słodki. Każdy to widzi. Ciekawie by było obserwować, jak przechodzi te wszystkie etapy, o których pisał doktor w książce „Opieka nad dzieckiem". Niedługo powinien zacząć raczkować. Odkąd zamieszkał w chałupie Blaze'a, kilka razy zdarzyło mu się już stanąć na czworakach. Sukinkotek! A potem nauczyłby się chodzić... Przestałby paplać, a zaczął mówić... I... I... I w końcu by sobie kogoś znalazł.

To była niepokojąca myśl. Kompletnie wybiła Blaze'a ze snu. Wstał i włączył radio, przykręcając gałkę, żeby grało cicho. Drugą gałką przeszukał eter, jak co dzień przed wschodem słońca zasypany trajkotem tysiąca konkurencyjnych rozgłośni, aż wreszcie natrafił na silny sygnał stacji WLOB.

Z porannego serwisu informacyjnego o czwartej nie dowiedział się nic nowego na temat porwania. Czyli wszystko szło dobrze: Gerardowie dostaną jego list dopiero dziś, a może nawet jutro. Wszystko zależało od tego, o której listonosz wybierze pocztę ze skrzynki w centrum handlowym. Blaze nie wyobrażał sobie, w jaki sposób policja może zdobyć inne tropy w swoim śledztwie; przecież był ostrożny, a wszystko poszło zupełnie gładko, oprócz tego palanta stróża w Oakwood (Blaze zdążył już zapomnieć, jak on się nazywał). To był „czysty numer", jak mawiał George.

Czasami, kiedy wyszedł im dobry kant, kupowali z George'em butelkę burbona marki Four Roses, a potem szli do kina, żeby ją obalić; na popitkę mieli colę ze sklepiku w kinowym holu. Kiedy film był długi, bywało tak, że po skończonym seansie George ledwie dawał radę wyjść o własnych siłach. Miał mniejszą masę i alkohol rozbierał go szybciej. W każdym razie zabawa była przednia. Blaze zawsze przypominał sobie wtedy swojego kumpla Johnny'ego Cheltzmana i te wszystkie śmieszne stare filmy, które wyświetlali w kinie „Nordica".

Po wiadomościach w radiu puścili muzykę. Joe dalej smacznie spał. Blaze pomyślał, że on też powinien już wrócić do łóżka. Jutro czekało go mnóstwo pracy. A właściwie nawet dziś. Chciał wysłać Gerardom jeszcze jeden list. Wymyślił dobry patent na przekazanie okupu. Przyszło mu to do głowy we śnie, zeszłej nocy. To był dziwaczny, pokręcony sen; przez cały dzień Blaze nie mógł go rozgryźć, ale teraz, kiedy dziecięcy płacz zbudził go ze słodkiej, twardej drzemki bez żadnych snów, znaczenie tamtej wizji nagle stało się jasne. Trzeba im kazać, żeby zrzucili okup z samolotu. Takiego małego, który będzie leciał bardzo nisko. W liście napisze się, żeby samolot kierował się z Portland na południe, w kierunku granicy z Massachusetts, lecąc wzdłuż szosy numer jeden, a miejsce zrzutu będzie oznaczone czerwonym światłem. Wymyślił nawet, jak zrobi to światło: alarmowe sygnały drogowe. Kupi kilka takich lamp w mieście, w sklepie elektrycznym i ustawi je razem na wybranym miejscu. Dadzą dobre, mocne światło. Miejsce też już miał obmyślone: droga na porębę w lesie na południe od Ogunquit. Znał przy niej polanę, na którą zjeżdżali kierowcy pracujący przy wyrębie, żeby zjeść lunch albo uciąć sobie drzemkę na wyrku z tyłu kabiny. To było całkiem blisko szosy numer jeden, więc pilot lecący wzdłuż tej drogi nie mógł przegapić lamp alarmowych zebranych w pęczek i strzelających w górę czerwonym promieniem jak z wielkiej latarki. Ta leśna droga rozgałęziała się potem, tworząc istną sieć nieoznaczonych na żadnej mapie szlaków, noszących dziwne obiegowe nazwy, na przykład Bagnisty Strumień albo Rozbijnos. Blaze znał je wszystkie. Jeden z tych szlaków prowadził do szosy numer czterdzieści jeden, którą można było pojechać z powrotem na północ i zaszyć się w jakiejś kryjówce, dopóki sprawa nie przycichnie. Może nawet w Hetton House? Jego dawny dom dziecka stał teraz pusty i zamknięty na cztery spusty, a przy bramie stała tablica z napisem NA SPRZEDAŻ. Blaze w ciągu ostatnich lat przejeżdżał tamtędy kilka razy. To gmaszysko przyciągało go, tak jak „nawiedzony" dom przyciąga chłopca z sąsiedztwa, który raz się tam zakradł i coś go wystraszyło.

Z tą różnicą, że dla Blaze'a Hetton House to naprawdę był nawiedzony dom. Wiedział o tym dobrze; w końcu był jednym z duchów tego miejsca.

Tak czy inaczej, najważniejsze, że wszystko zbliżało się do szczęśliwego zakończenia. Przez chwilę było strasznie, no i szkoda tej starszej pani (jej imię Blaze też zdążył już zapomnieć), ale teraz wyszedł z tego naprawdę czysty nu...

– Blaze.

Rzucił okiem w stronę łazienki. George, a jakże. Drzwi były uchylone, tak jak zawsze je zostawiał, kiedy chciał pogadać, siedząc na tronie. Mówił wtedy, że bluzga na dwa końce; zawsze ich to bawiło. George, kiedy tylko chciał, potrafił błysnąć poczuciem humoru, ale dziś, sądząc po głosie, humor mu raczej nie dopisał. Blaze miał dodatkowo wrażenie, że zamknął za sobą drzwi, kiedy wychodził ostatnim razem z łazienki. Mógł je chyba otworzyć przeciąg, ale nie było czuć żadnego prze...

– Już prawie cię mają, Blaze – powiedział George. I dorzucił wściekłe warknięcie, w którym brzmiała czysta rozpacz: – Ty tępy ćwoku.

– Kto mnie ma? – zdziwił się Blaze.

– Gliny. A myślałeś, że kto? Krajowy Komitet Partii Republikańskiej? Nie. FBI. Policja stanowa. Nawet miejscowe, tutejsze krawężniki.

– Wcale że nie. Świetnie mi idzie, George. Powaga. To jest czysty numer. Opowiem ci, jak wszystko zrobiłem, jaki byłem ostro...

– Jeśli szybko stąd nie pryśniesz, to najdalej jutro w południe cię zgarną.

– Jak to...? Co ty...

– Jesteś taki głupi, że nawet nie potrafisz sam sobie nie przeszkadzać. Ja w ogóle nie wiem, dlaczego zawracam sobie tym wszystkim głowę. Błąd na błędzie i błędem pogania. Możesz mówić o szczęściu, jeśli do tej pory gliny wykryły tylko sześć czy najwyżej osiem twoich wpadek.

Blaze zwiesił głowę, czując, że zaczynają mu płonąć policzki.

– Co mam teraz zrobić? – zapytał.

– Spływaj stąd. Natychmiast.

– Dokąd...

– I pozbądź się dzieciaka – dorzucił George, jakby mimochodem.

– Co!?

– Niewyraźnie mówię? Pozbądź się go. To jest kula u nogi. Nie potrzebujesz go, żeby wziąć okup.

– Ale jeśli go zwrócę rodzicom, to jak…

– A czy ja mówię, żeby go zwrócić rodzicom!?! – ryknął George. – Ty uważasz, że co to, kurwa, jest? Butelka zwrotna? Nie masz go zwrócić, tylko zabić! Teraz i zaraz! Blaze przestąpił z nogi na nogę. Serce waliło mu jak młotem. Miał nadzieję, że George nie będzie siedział długo w tej łazience, bo jemu chciało się siku, a przy pieprzonym duchu na pewno nic by nie zrobił.

– Zaczekaj – powiedział. – Muszę się zastanowić. Idź sobie może na spacer, co…? A jak wrócisz, to coś wymyślimy.

– Ty nie umiesz myśleć! – George wrzasnął jeszcze głośniej, prawie zawył, jakby z bólu. – Czy mają tu przyjść gliniarze i wsadzić ci kulkę w ten pusty baniak, żebyś to wreszcie zrozumiał? Ty nie umiesz myśleć, Blaze! Ale ja umiem!

Przycichł. I zaczął argumentować. Tonem łagodnym, niemalże przesłodzonym w tej łagodności.

– W tej chwili on śpi, więc niczego nie poczuje. Weź swoją poduszkę. Ona nawet pachnie jak ty, na pewno mu się to spodoba. Weź poduszkę i zakryj mu nią twarz. Tylko szczelnie. Jego rodzice i tak myślą, że już dawno jest po wszystkim, idę o każde pieniądze. Pewnie od razu następnej nocy zabrali się do robienia nowego republikanina na zastępstwo. Będziesz miał wolne ręce, żeby przejąć okup. I pojedziesz sobie gdzieś, gdzie jest ciepło. Zawsze chcieliśmy tak zrobić. Mam rację? Tak czy nie?

Miał rację. Gdzieś, gdzie jest ciepło. Do Acapulco albo na Bahamy.

– No, co powiesz, Blejziu? Mam rację czy stawiam kolację?

– Masz rację, George. Chyba.

– Nie chyba. Wiesz, że mam rację. Tak będzie po naszemu.

I nagle wszystko zrobiło się straszliwie skomplikowane. Jeśli George mówił, że policja depcze porywaczowi po piętach, to raczej się nie mylił; zawsze potrafił zwęszyć psa. A jeśli trzeba się spieszyć, to dzieciak faktycznie stawał się kulą u nogi – w tej kwestii George też się nie mylił. Najważniejsze w tej chwili było to, żeby przejąć ten zasrany okup i przyczaić się gdzieś. Ale zabić dziecko? Blaze miałby zamordować… Joego?

Nagle przyszła mu do głowy taka myśl: gdyby go rzeczywiście zabił – bardzo, ale to bardzo delikatnie – Joe poszedłby prosto do nieba i powiększył grono aniołków. Więc może George po raz trzeci miał rację? Blaze żywił poważne przekonanie, że pójdzie do piekła, tak jak większość ludzi. Świat jest brudny, a im dłużej człowiek się na nim obraca, tym bardziej nasiąka tym brudem.

Wziął z łóżka swoją poduszkę i zaniósł ją do dużego pokoju, gdzie w kołysce ustawionej obok pieca spał Joe. Nie trzymał już rączki w buzi, ale na palcach wciąż jeszcze widniały ślady wściekłego przygryzania. Świat jest także pełen cierpienia. Nie dość, że brudny, to jeszcze pełen cierpienia. Ząbkowanie to tylko pierwsza i najmniejsza z męczarni, które czekają człowieka.

Blaze stanął nad kołyską i uniósł poduszkę. Poszewka była ciemna od niezliczonych warstw toniku, który spłynął na nią z włosów właściciela. W czasach, gdy właściciel miał jeszcze włosy wymagające toniku.

George zawsze miał rację... Tylko, że czasami się mylił. Blaze czuł, że to, co chce zrobić, jest właśnie jedną z tych pomyłek.

– Jezu... – szepnął, prawie załkał.

– Zrób to szybko – odezwał się George z łazienki. – Nie każ mu cierpieć.

Blaze ukląkł i przykrył poduszką twarz dziecka. Oba łokcie miał w kołysce, oparte na materacyku, obejmował nimi tę maleńką klatkę piersiową, czuł, jak Joe wciąga powietrze: raz... drugi raz... stop... jeszcze raz... i znów stop. Niemowlak szarpnął się, wyprężył, a jednocześnie obrócił głowę i znów zaczerpnął powietrza. Blaze docisnął poduszkę.

Joe nie rozpłakał się. Blaze pomyślał, że byłoby lepiej, gdyby zaczął płakać. Dziecko umierające w milczeniu, jak jakiś owad – to już nawet nie było żałosne, tylko po prostu straszne. Uniósł poduszkę.

Joe odwrócił główkę, otworzył oczy, zamknął je, uśmiechnął się szeroko i włożył kciuk do buzi. Po chwili znowu już spał.

Blaze dyszał ciężko, urywanie. Na jego wklęśnięte czoło wystąpiły grube krople potu. Spojrzał na poduszkę, którą ściskał w garści i rzucił ją na podłogę, jakby parzyła ręce. Zaczął dygotać, więc chwycił się dłońmi za brzuch, żeby zapanować nad drgawkami. Nic to nie dało. Trząsł się już na całym ciele. Napięte mięśnie buczały jak przewody telegraficzne na słupie.

– Dokończ, Blaze.

– Nie.

– Zrób to, albo się pożegnamy.

– Do widzenia.

– Wydaje ci się, że będziesz mógł go sobie zatrzymać? – Z łazienki dobiegł go drwiący śmiech George'a. Brzmiał tak, jakby któraś rura nagle zaczęła chichotać. – Ty biedny ośle. Jeśli pozwolisz mu żyć, będzie cię nienawidził do końca swoich dni. Już tamci się o to postarają. Ci dobrzy ludzie. Ta banda dobrych, zasranych republikańskich milionerów. Czy ja cię naprawdę niczego nigdy nie nauczyłem, Blaze? Dobra, wyjaśnię ci to tak, że nawet osioł by zrozumiał: choćbyś stał w płomieniach, żadnemu z nich nie chciałoby się nawet na ciebie naszczać, żeby zgasić ogień.

Blaze spojrzał na tę koszmarną poduszkę leżącą na podłodze. Wciąż jeszcze dygotał, ale teraz dodatkowo spłonął palącym rumieńcem. Wiedział, że George ma rację. Mimo to odpowiedział inaczej:

– Nie planuję żadnych zabaw z ogniem, George.

– Bo ty niczego nie planujesz! Zrozum, że kiedy ten twój wesoły szczebiotek dorośnie, to z radością nadłoży piętnaście kilometrów drogi tylko po to, żeby napluć na twój grób. Ostatni raz ci mówię: zabij gnoja!

– Nie.

I nagle George'a już nie było. Być może jednak faktycznie cały czas siedział w tej chałupie, bo Blaze był całkowicie pewien, że poczuł, jak coś odchodzi, jak znika czyjaś obecność. Okna pozostały zamknięte, nie trzasnęły żadne drzwi, ale tak: w chałupie zrobiło się bardziej pusto niż do tej pory.

Otworzył kopniakiem drzwi do łazienki. Zobaczył tylko umywalkę. Rdzewiejący prysznic. I sracz.

Nie mógł już zasnąć, chociaż bardzo się starał. Czyn, którego był tak bliski, położył cień na jego myślach, cień pogłębiony słowami George'a: Już cię prawie mają. A potem przypomniał sobie, co George mówił dalej: Jeśli szybko stąd nie pryśniesz, to najdalej jutro w południe cię zgarną.

I najgorsze ze wszystkiego: Kiedy on dorośnie, to z radością nadłoży piętnaście kilometrów drogi tylko po to, żeby napluć na twój grób.

Po raz pierwszy Blaze naprawdę poczuł się osaczony. Zaczęło mu się nawet w pewien sposób wydawać, że już go złapali, jakby był owadem zaplątanym w sieć, z której nie może się uwolnić. Zaczęły mu się przypominać teksty ze starych filmów. Brać go żywym albo martwym. Jeśli w tej chwili nie wyjdziesz, my wejdziemy po ciebie i najpierw będziemy strzelać, a potem pytać. Ręce do góry, łajdaku – jesteś skończony.

Zerwał się i usiadł na łóżku, zlany potem. Dochodziła piąta; mniej więcej godzinę temu Joe obudził go swoim płaczem. Zbliżał się świt, ale na razie zapowiadała go tylko blada, pomarańczowa kreska pociągnięta wzdłuż horyzontu. Gwiazdy na niebie, obojętne na wszystko, zataczały kręgi dookoła swojej zwykłej, starej osi.

Jeśli szybko stąd nie pryśniesz, to najdalej jutro w południe cię zgarną.

Uciec, ale dokąd?

Tak się składało, że znał odpowiedź na to pytanie. Znał ją nie od dziś.

Wstał i ubrał się szybko: ciepły podkoszulek z długim rękawem, wełniana koszula, dwie pary skarpetek, levisy, buty. Mały spał dalej, ale Blaze poświęcił mu tylko jedno przelotne spojrzenie, nie miał czasu na nic więcej. Spod zlewu wyjął stos papierowych toreb i zaczął pakować do nich pieluchy, butelki, puszki z mlekiem.

Kiedy napełnił już wszystkie torby, zaczął nosić je do mustanga, którego postawił drzwi w drzwi z tamtym ukradzionym fordem. Teraz przynajmniej miał klucz do bagażnika, więc mógł tam wszystko ładować. Biegał z pakunkami do samochodu i wracał też biegiem. Kiedy już podjął decyzję o ucieczce, panika dodała mu skrzydeł.

Wziął kolejną torbę i napchał do niej dziecięcych ubranek. Złożył stolik do przewijania i też załadował go do samochodu, myśląc przy tym nieskładnie, że Joe ucieszy się, kiedy zobaczy znajomy mebel w nowym, nieznanym miejscu. Mustang miał nieduży bagażnik, ale po przełożeniu części toreb na tylne siedzenie udało się wcisnąć tam złożony stolik. Kołyska, uznał, też będzie musiała pojechać z tyłu, a obiadki dla dziecka pójdą na podłogę z przodu, po stronie pasażera. Na wierzch będzie można położyć parę kocyków. Joe rozsmakował się w tych obiadkach; wciągał je jak pompa ssąca.

Po ostatnim obrocie z torbami Blaze włączył silnik i podkręcił ogrzewanie, żeby w samochodzie było miło i ciepło jak w piekarniku. Dochodziła piąta trzydzieści. Na dworze jaśniało, a gwiazdy bladły; jasno świeciła już tylko Wenus.

Blaze pobiegł do domu, wyjął małego z kołyski i położył na swoim łóżku. Joe zamamrotał przez sen, ale się nie obudził. Blaze wyniósł kołyskę i upchnął ją w samochodzie.

Wrócił jeszcze raz i rozejrzał się gorączkowo po wszystkich kątach. Zdjął radio z parapetu, wyłączył je z kontaktu i owinął kablem, a potem położył na stole. Poszedł do pokoju i wyciągnął spod łóżka swoją starą brązową walizkę, poobijaną i wytartą na rogach do białego. Wrzucił do niej byle jak resztkę swoich ubrań, a na wierzch cisnął jeszcze parę świerszczyków i kilka komiksów. Zaniósł walizkę i radio do samochodu, w którym zaczęło już brakować miejsca. Potem wrócił do domu po raz ostatni.

Rozłożył koc, zawinął w niego malucha, a całość otulił swoją kurtką, którą potem zapiął. Joe już nie spał; wyciągał szyję, wyglądając z tego kokonu jak myszoskoczek z norki.

Blaze zaniósł go do samochodu, ukląkł bokiem za kierownicą i położył swoje zawiniątko na siedzeniu pasażera.

– Tylko mi się stąd się sturlaj, chudziaku – przykazał.

Joe uśmiechnął się i natychmiast naciągnął sobie koc na głowę. Blaze prychnął z cicha – i w tej samej chwili zobaczył w myślach siebie, jak nakrywa malca poduszką. Wzdrygnął się cały.

174

Wyjechał tyłem z szopy, zawrócił i potoczył się podjazdem w stronę szosy. Nie wiedział tego, ale już za niecałe dwie godziny na każdej okolicznej drodze miała stanąć policyjna blokada.

Jechał bocznymi, drugorzędnymi drogami, omijając szerokim łukiem Portland i jego przedmieścia. Joe zasnął niemalże natychmiast, ukołysany miarowym warkotem silnika i szumem nawiewu ogrzewania. Blaze złapał swoją ulubioną stację country, która zaczynała nadawać o świcie. Wysłuchał porannego czytania z Biblii, potem ogłoszeń dla farmerów, potem prawicowego komunikatu z houstońskiej rozgłośni Freedom Line, który przez George'a zostałby zbluzgany do suchej nitki. Wreszcie zaczął się serwis informacyjny.

– Trwają poszukiwania porywaczy Josepha Gerarda IV – oznajmił spiker poważnym głosem. – W sprawie pojawił się obecnie przynajmniej jeden nowy wątek.

Blaze nastawił ucha.

– Jak dowiedzieliśmy się ze źródła bliskiego prowadzonemu śledztwu, wczoraj, w godzinach wieczornych, do Miejskiego Urzędu Pocztowego w Portland przyszedł list, który być może zawiera żądanie okupu od porywaczy. Przekazano go specjalnym samochodem wprost do domu państwa Gerardów. Lokalne władze oraz agent Albert Sterling, prowadzący śledztwo z ramienia Federalnego Biura Śledczego, nie udzielili komentarza na ten temat.

Blaze puścił zakończenie wiadomości mimo uszu. Rodzina dostała jego list – świetnie. Następnym razem trzeba będzie do nich zadzwonić. Zresztą i tak zapomniał zabrać z chałupy gazety i coś, z czego można by zrobić klajster. A zadzwonić zawsze lepiej. Szybciej.

– A teraz pogoda – kontynuował spiker. – Ośrodek niskiego ciśnienia, znajdujący się obecnie nad stanem Nowy Jork, przesunie się na wschód i przyniesie mieszkańcom Nowej Anglii największą w tym roku śnieżycę. Krajowy Instytut Meteorologiczny rozesłał na terenie całego stanu ostrzeżenia przed opadami śniegu, które mogą się rozpocząć już nawet dziś w południe.

Blaze skręcił na szosę numer sto trzydzieści sześć, a trzy kilometry dalej zjechał na Stinkpine Road. Minął zamarznięty staw, gdzie kiedyś razem z Johnnym Cheltzmanem chodził obserwować, jak bobry budują tamę; na ten widok naszło go bardzo silne wrażenie *déjà vu*. Stał tam też opuszczony wiejski dom; Blaze, Johnny i jeszcze jeden chłopak, który wyglądał jak Włoch, włamali się kiedyś do niego. Myszkując po szafach, znaleźli stos pudełek na buty. W jednym z nich były świńskie zdjęcia: faceci i babki robiący dosłownie wszystko, babki z babkami, a nawet jedna babka z koniem albo osłem. Oglądali to do samego wieczora, najpierw ze zdumieniem, potem z podnieceniem, wreszcie z obrzydzeniem. Blaze zapomniał, jak miał na imię tamten chłopak, który wyglądał jak Włoch; pamiętał tylko, że wszyscy wołali na niego Farfocel.

Półtora kilometra dalej było rozwidlenie; Blaze skręcił w prawo, wjeżdżając na wyboistą, trzeciorzędną drogę, odśnieżoną niedbale i tylko częściowo (wąski pas pośrodku), a teraz znów na wpół zasypaną. Po przejechaniu kolejnych czterystu metrów, za zakrętem, który u chłopaków nosił nazwę „wirażu towarów" (w zamierzchłej przeszłości Blaze wiedział, skąd się ona wzięła, ale do tej pory zdążyło mu to wylecieć z głowy), mustang zatrzymał się przed łańcuchem rozciągniętym w poprzek drogi. Blaze wysiadł i otworzył zardzewiałą kłódkę jednym łagodnym pociągnięciem. Poprzednim razem musiał szarpnąć chyba z sześć razy, zanim stare zapadki puściły.

Położył łańcuch na drodze i przyjrzał się temu, co było dalej. A dalej nie było odśnieżane chyba od ostatnich dużych opadów. Mimo to uznał, że mustang da radę przetoczyć się tędy, trzeba będzie tylko odrobinę cofnąć, żeby wziąć dobry rozpęd. A później się wróci i założy łańcuch z powrotem, tak jak zawsze. Blaze był już tutaj nieraz. To miejsce go przyciągało.

A co było w tym wszystkim najlepsze? Nadchodziła śnieżyca: śnieg zatrze ślady.

Wcisnął swoją olbrzymią postać za kierownicę, wrzucił wsteczny bieg i cofnął mustanga o jakieś sześćdziesiąt metrów, po czym znów chwycił za drążek, ustawił przełożenie terenowe i wdepnął pedał gazu. Wóz ruszył z kopyta, zgodnie z firmową nazwą. Silnik zaczął wściekle warczeć, a wskazówka zainstalowanego przez właściciela obrotomierza tańczyła na granicy czerwonego pola, więc Blaze walnął kantem dłoni w drążek zmiany biegów, ustawiając z powrotem wyższe przełożenie drogowe. Gdyby jego mały kradziony rumak naprawdę zaczął robić bokami, zawsze mógł zredukować.

Samochód wrył się w śnieg. Przez chwilę balansował na granicy poślizgu, ale poradził sobie i wyszedł na prostą, a jego zgrabna, wąska maska uniosła się ponad grzbietami zasp. Blaze prowadził z pamięci, na wpół świadomie, a na wpół jakby we śnie; bardzo liczył na to, że ów sen pomoże mu uniknąć niewidocznych rowów, w których wóz zakopałby się na amen. Po obu stronach pędzącego mustanga wystrzeliły fontanny śniegu. Wrony obsiadające gałęzie pobliskich sosen wzbiły się ociężale w mętnobiałe niebo.

Samochód dotarł na szczyt pierwszego wzniesienia, za którym droga skręcała w lewo. Znów mało brakowało, a wpadłby w poślizg, ale Blaze, tak jak poprzednio, zapanował nad nim, chociaż trzeba powiedzieć, że z ledwością. Kierownica przez chwilę obracała się sama w jego dłoniach, aż wreszcie opony znalazły odrobinę tarcia i powróciła sterowność. Spod przedniego błotnika brysnął śnieg, oblepiając całą przednią szybę. Blaze włączył wycieraczki, ale przez moment prowadził na oślep, rżąc dziko z przerażenia i euforii. Kiedy odzyskał widoczność, zobaczył wprost przed sobą główną bramę. Była zamknięta, ale w tym momencie Blaze mógł już tylko przytrzymać dłonią śpiące obok dziecko i szybko zacząć się modlić. Prędkościomierz pokazywał sześćdziesiąt pięć kilometrów na godzinę, a mustang brnął przed siebie, zanurzony po same progi w śniegu. Dał się słyszeć przenikliwy szczęk metalu, a wóz zadygotał; osiowanie najprawdopodobniej właśnie poszło w diabły. Potrzaskane deski rozprysnęły się na wszystkie strony. Mustang zarzucił tyłem... zatoczył się... i zgasł.

Blaze sięgnął do stacyjki, żeby włączyć silnik z powrotem, ale ręka odmówiła mu posłuszeństwa i opadła bezwładnie.

177

Oto przed nim majaczyła ponura bryła Hetton House, trzy piętra cegły poczerniałej od sadzy z komina. Patrzył jak porażony, nie mogąc oderwać wzroku, na okna zabite deskami. Przyjeżdżał tutaj nie raz i nie dwa, ale wszystko zawsze wyglądało tak samo. Stare wspomnienia ożyły, nabierając kształtów i barw. John Cheltzman odrabia za niego lekcje. Koślaw ich demaskuje. Znaleziony portfel. Długie noce szeptania w łóżkach i planowania, co zrobić z forsą. Zapach kredy i lakieru do podłogi. Złowrogie portrety wiszące na ścianach, śledzące człowieka spojrzeniem malowanych oczu. Na drzwiach przybito dwie tabliczki. Pierwsza głosiła: WSTĘP WZBRONIONY Z NAKAZU SZERYFA HRABSTWA CUMBERLAND. Na drugiej widniała następująca wiadomość: NA SPRZEDAŻ LUB DO WYNAJĘCIA. INFORMACJE W BIURZE NIERUCHOMOŚCI GERALDA CLUTTERBUCKA W CASTLE ROCK, STAN MAINE.

Blaze włączył silnik i wrzucił niski bieg. Mustang zaczął pełznąć naprzód. Koła wciąż się ślizgały i żeby jechać prosto, trzeba było ściągać kierownicę w lewo. Ale w każdym razie mały samochód wciąż wykazywał chęć do współpracy i tak Blaze powoli przejechał pod wschodnie skrzydło Hetton House, gdzie stała długa, niska szopa. Pomiędzy nią a ścianą budynku była wąska przerwa. Blaze wprowadził tam mustanga; żeby się przebić, musiał wciskać gaz do dechy prawie na wylot. Kiedy wreszcie wyłączył silnik, cisza była ogłuszająca. Doskonale zdawał sobie sprawę, że mustang zakończył już służbę, w każdym razie u niego; postoi tutaj do samej wiosny.

Wzdrygnął się, chociaż w samochodzie nie było zimno. Czuł się tak, jakby wrócił do domu.

Na stałe.

Wybił zamek na zapleczu i wniósł małego, opatulonego w trzy kocyki, do środka. Wydawało mu się, że tutaj jest chłodniej niż na dworze, jakby przenikliwy ziąb zadomowił się w samych murach i fundamentach.

Poszedł z chłopcem do gabinetu dyrektora. Z oszronionej szklanej tabliczki na drzwiach ktoś zdrapał nazwisko „Martin Coslaw", a wewnątrz były tylko puste ściany. W tym pokoju nie czuło się już starego Koślawa. Blaze chciał sobie przypomnieć, kto przyszedł po nim, ale nie udało mu się. Zresztą kiedy Coslaw kończył pracę w Hetton House, jego i tak już tutaj nie było. Przeniósł się do North Windham, gdzie trafiają łobuzy. Ułożył Joego na podłodze i obszedł budynek. Znalazł kilka biurek, co nieco drewna porozrzucanego luzem w różnych miejscach, trochę pogniecionego papieru. Nabrał tego tyle, ile zmieściło mu się w rękach, wrócił do gabinetu i rozpalił ogień w maleńkim kominku wykutym w ścianie. Kiedy miał już pewność, że komin ciągnie, a drewno zajęło się jak należy, poszedł do mustanga i zaczął wyładowywać rzeczy.

Do południa był już urządzony. Mały, ciepło otulony, leżał w kołysce i spał jeszcze, ale powoli zaczynał się budzić. Jego pieluchy i puszki z jedzeniem leżały we wzorowym porządku na półkach. Blaze znalazł dla siebie jakieś krzesło, a w kącie urządził posłanie z dwóch koców. Tutaj było odrobinę cieplej, ale i tak wciąż czuło się ten wszędobylski chłód, bijący ze ścian i szczeliny pod drzwiami. Dzieciaka nie można było odkrywać ani odwijać.

Blaze włożył kurtkę i wyszedł na dwór. Najpierw przebrnął do łańcucha na drodze i założył go z powrotem. Był bardzo zadowolony, że kłódka, chociaż zepsuta, wciąż jeszcze trzyma. Żeby zauważyć, że coś jest z nią nie tak, trzeba było dosłownie dotknąć jej nosem. Potem wrócił do rozwalonej bramy, pozbierał największe kawałki desek i poustawiał, jak umiał najlepiej. Nędznie to wyglądało, ale kiedy powbijał je głęboko w śnieg (spocił się przy tym jak mysz), przynajmniej trzymały się prosto. A zresztą, do cholery, jeśli ktoś dotrze aż tutaj, pod bramę, to tak czy inaczej Blaze będzie miał kłopoty. Rozumiał to dobrze; był tępy, ale nie aż tak.

Kiedy wrócił do gabinetu, Joe już nie spał. Leżał w kołysce i zanosił się donośnym wrzaskiem. Blaze nie bał się już tego tak jak kiedyś. Ubrał małego w kurteczkę (zieloną i słodką) i położył go na podłodze, żeby sobie pobrykał. Joe zaczął czynić przymiarki do raczkowania, a on otworzył dla niego puszkę z przetworem z wołowiny. Nie mógł znaleźć łyżki (pewnie w końcu znajdzie się sama, jak wszystko), więc nakarmił małego palcem. Kiedy odkrył, że przez noc Joemu wyrżnął się kolejny ząbek (już trzeci!), jego zachwyt nie miał granic.

– Wybacz, że zimne – przeprosił niemowlaka. – Potem coś wymyślimy, dobra?

Joe nie przejął się, że dostał zimny obiad. Łykał, aż mu się uszy trzęsły, a kiedy skończył, zaczął płakać, bo rozbolał go brzuszek.

Blaze wiedział, dlaczego mały płacze: nauczył się odróżniać, kiedy Joe płacze, bo boli go brzuszek, kiedy płacze, bo ząbkuje, a kiedy płacze, bo po prostu jest zmęczony. Wziął go na ręce i zaczął chodzić po gabinecie, masując mu plecy i nucąc pod nosem. Kiedy to nie pomogło, wyszedł z nim na nieogrzany korytarz, nie przestając nucić. Joe zaczął się trząść z zimna, ale płakał dalej. Blaze zawinął go więc w kocyk, którego rąbek zarzucił mu na główkę jak kaptur.

Z maluchem na ręku wszedł po schodach na trzecie piętro i znalazł drzwi do sali numer siedem, gdzie niegdyś spotykał się z Martinem Coslawem na lekcjach arytmetyki. Zostały tam jeszcze trzy pulpity, zwalone jeden na drugim w kącie. Na blacie jednego z nich, między zachodzącymi na siebie grafikami i napisami z lat późniejszych (serca, organy płciowe męskie i żeńskie, formy rozkazujące czasowników „ssać" i „wypinać", ze stosownymi dopełnieniami), natrafił na inicjały **CB**, dwie drukowane litery starannie wyryte w drewnie jego własną ręką.

Zafascynowany odkryciem, zdjął rękawiczkę i przesunął palcami po tych sędziwych nacięciach. W tej sali, tak jak teraz on, był kiedyś chłopak, którego Blaze pamiętał jak przez mgłę. Niesamowite. Niesamowite i na swój sposób (który przywodził na myśl ptaki siedzące samotnie na drucie telefonicznym) smutne. Szramy były stare; czas zdążył je zabliźnić. Drewno przyjęło te rany, zespoliło się z nimi.

Nagle wydało mu się, że słyszy za plecami czyjś stłumiony śmiech. Odwrócił się błyskawicznie.

– George?

Cisza. Słowo rozpłynęło się w echach, a po chwili powróciło, odbite. I jakby zmieniło znaczenie. Jakby chciało mu powiedzieć, że nie ma żadnego miliona dolców, jest tylko ta sala. Miejsce, gdzie on, Blaze, czuł wstyd i strach. Klasa, w której niczego się nie nauczył.

Joe poruszył się i kichnął. Nosek miał czerwony. Zaczął płakać. W tym zimnym, pustym gmaszysku jego kwilenie było słabe i cichutkie. Wydawało się, że to wilgotne cegły pochłaniają głosik dziecka.

– Już, już – zamruczał Blaze. – Już dobrze, nie płacz. Jestem. Już dobrze. Nic ci nie jest. Mnie też nic jest.

Ponieważ Joe znów zaczął się trząść, postanowił wrócić do gabinetu Koślawa i położyć malucha do kołyski, a kołyskę ustawić przed kominkiem. I dać mu jeszcze jeden kocyk.

Ale Joe płakał, dopóki starczyło mu sił. A kiedy wreszcie przestał, niemalże natychmiast zaczął sypać śnieg.

ROZDZIAŁ 18

Niecały rok po wyprawie do Bostonu, latem, Blaze i Johnny Cheltzman wraz z kilkoma innymi chłopakami z Hetton House wyjechali na zbieranie borówek. Człowiek, który ich wynajął, nazywał się Harry Bluenote i był wieśniakiem z krwi i kości. Później, kiedy Blaze poznał George'a, nasłuchał się, jak można używać owego określenia z najwyższą pogardą, ale pan Bluenote był wieśniakiem w najlepszym tego słowa znaczeniu, a jego gospodarstwo mogłoby służyć jako żywy model idei lorda Badena-Powella. Miał plantację w West Harlow, dwadzieścia hektarów pierwszorzędnej ziemi pod borówki. Wypalał glebę co roku na wiosnę, a w lipcu wynajmował do zbierania owoców kilkanaście okazów trudnej młodzieży. Zarabiał na tej uprawie marnie, tyle samo co każdy właściciel małego gospodarstwa produkującego owoce na skup. Mógł zatrudniać chłopaków z Hetton House i dziewczęta z Żeńskiego Domu Wychowawczego w Wiscassett nawet za trzy centy od kwarty*. Przystaliby bez namysłu na taką cenę, ciesząc się, że spędzą kawałek lata na świeżym powietrzu. Ale on płacił im całe siedem, czyli tyle, ile brały za pracę miejscowe dzieciaki. Koszty przejazdu młodocianych zbieraczy na swoją farmę i z powrotem pokrywał z własnej kieszeni.

Harry Bluenote był to stary, wysoki i chudy jankes o twarzy pooranej głębokimi zmarszczkami i bladych oczach. Te oczy miały taką właściwość, że każdy, kto patrzył w nie zbyt długo, nabierał przekonania, że ma do czynienia z szaleńcem. Nie należał

---

* Kwarta – anglosaska jednostka objętości, w USA równa 0,946 l (przyp. tłum.).

do The Grange* ani też do żadnej innej organizacji zrzeszającej farmerów. I tak by go nie przyjęli. Kto by chciał faceta, który zatrudnia przestępców do zbierania borówek? Bo to byli przestępcy, do pioruna, szesnaście lat czy sześćdziesiąt jeden, wszystko jedno. Zjeżdżali się do przyzwoitego miasteczka i przyzwoici ludzie nagle musieli ryglować drzwi i uważać na ulicy, żeby nie wpaść na zgraję obcych wyrostków i nie tylko wyrostków, bo dziewczyny też tam były. Zbierz do kupy takich delikwentów i kryminalistki – to, co otrzymasz, będzie warte tyle samo co Sodoma i Gomora. Każdy tak mówił. To nie jest w porządku, zwłaszcza, jeśli człowiek sam się stara wychować własne dzieciaki na porządnych ludzi.

Sezon borówek zaczynał się w drugim tygodniu lipca i trwał do trzeciego albo i czwartego tygodnia sierpnia. Nad rzeką Royal, biegnącą prościutko przez sam środek jego ziemi, pan Bluenote postawił dziesięć domków: sześć dla chłopaków, a trochę dalej kolejne cztery dla dziewcząt. Na kwatery dla chłopaków mówiło się „domki nad łachą", bo stały w pobliżu piaszczystej łachy; podobnie na te dla dziewczyn mówiło się „domki na zakolu". Douglas, jeden z synów pana Bluenote'a, mieszkał razem z chłopakami. Co roku w czerwcu jego ojciec dawał do gazety ogłoszenie o letniej pracy dla kobiety w podwójnym charakterze „obozowej mamy" dla dziewcząt mieszkających w domkach na zakolu oraz kucharki dla wszystkich. Płacił dobrze – i też z własnej kieszeni.

Ten oburzający skandal wypłynął pewnego roku na zgromadzeniu mieszkańców miasta, kiedy koalicja z Southwest Bend próbowała przeforsować wniosek o ponowne wyliczenie podatku od nieruchomości, który płacił pan Bluenote. Chodziło najwyraźniej o to, żeby przyciąć mu dochody i tym samym uniemożliwić dalsze prowadzenie tego, jak mówiono, programu opieki społecznej, który z daleka śmierdział komuchem.

---

* The Grange (ang. „farma") – potoczna nazwa powstałej w 1867 r. organizacji The Patrons of Husbandry (Protektorowie Rolnictwa), działającej na zasadzie towarzystwa wzajemnej pomocy (przyp. tłum.).

Pan Bluenote do samego końca dyskusji nie odezwał się ani słowem. Miał po swojej stronie syna Douglasa i dwóch albo trzech znajomych, którzy mieszkali na tym samym krańcu miasta co on. Kiedy przewodniczący zgromadzenia miał już uderzyć młotkiem na znak zakończenia dyskusji, wstał i poprosił o głos. Pozwolono mu mówić. Niechętnie.

Powiedział tak:

– Nie ma między wami nikogo, kto by w sezonie zbierania borówek stracił choćby najmniejszą rzecz. Nie było ani jednego włamania, nikt nie ukradł ani jednego samochodu, nikt nie podpalił ani jednej stodoły. Zginęła bodajże łyżka do zupy. Jeśli chodzi o te dzieciaki, to ja chcę im tylko pokazać, co daje człowiekowi porządne, przyzwoite życie. Co oni dalej z tym zrobią, to już jest ich sprawa. Czy nikt z was nigdy nie utknął w martwym punkcie i nie potrzebował, żeby ktoś mu wskazał którędy droga? Nie zapytam was teraz, jak możecie popierać taki wniosek i nazywać siebie chrześcijanami, bo macie wśród was jednego takiego, co znajdzie jakąś odpowiedź na to pytanie w tej księdze, na którą ja mówię Przenajświętszy Regulamin. Ale tak sobie myślę: rany koguta, jak ci ludzie mogą czytać w niedzielę przypowieść o dobrym Samarytaninie, a w poniedziałek wieczorem popierać takie wnioski na zgromadzeniu?

Na te słowa pani Beatrice McCafferty zapłonęła świętym oburzeniem. Zerwała się z własnego składanego krzesła (które być może wydało wtedy z siebie ciche skrzypnięcie wdzięczności) i nie czekając nawet na najmniejszy gest przyzwolenia ze strony przewodniczącego zebrania, zagrzmiała wielkim głosem:

– W porządku! Powiedzmy to sobie wprost! O co chodzi? O bara-bara! Chcesz nam może powiedzieć, Harry Bluenote, że nigdy do tego nie doszło? Tu chłopaki, tam dziewczyny i niby nigdy nic? – Potoczyła dookoła złowieszczym spojrzeniem. – A może pan Bluenote urodził się wczoraj? Ciekawe, co jego zdaniem się wyprawia po nocach w tych jego domkach, skoro nikt nie kradnie ani nie podpala stodół?

Harry Bluenote nie siedział podczas tej tyrady. Stał po przeciwnej stronie sali zgromadzeń z kciukami zatkniętymi za szelki. Jego twarz miała matowy, rumiany odcień, taki sam jak twarze wszystkich farmerów. Możliwe, że zmrużył lekko swoje osobliwe oczy, rozbawiony przemową pani McCafferty. Lecz wcale niekoniecznie. A kiedy był już całkiem pewny, że skończyła, że powiedziała, co miała do powiedzenia, odparł spokojnym i obojętnym tonem:

– Ja tam ich nie podglądam, Beatrice, ale na sto procent nikt tam nikogo nie gwałci.

Po tych słowach sprawa została „odłożona do ponownego przedyskutowania", co w północnej części Nowej Anglii stanowi kulturalne określenie całkowitego zapomnienia.

John Cheltzman i inne chłopaki z Hetton House od samego początku zapalili się bardzo do tego pomysłu, ale Blaze miał wątpliwości. Zbyt dobrze pamiętał psią hodowlę państwa Bowie, żeby cieszyć się na myśl o pracy „na wyjeździe".

Farfocel bez przerwy trajkotał, że musi znaleźć sobie dziewczynę, z którą „da się pofiglować". Blaze nie zamierzał zajmować się tą kwestią. Wciąż jeszcze myślał o Marjorie Thurlow, ale nie rozumiał, po co ma zawracać sobie głowę jakąś inną. Dziewczyny lubią twardych facetów, takich, którzy potrafią owinąć je sobie dookoła palca, jak na filmach.

Poza tym bał się ich. Fajnie było czasem pożyczyć od Farfocla jego bezcenny numer „Girl Digest", zamknąć się w kiblu i wybranzlować; prosty sposób, żeby zrobić sobie dobrze, kiedy było źle. Na tyle, na ile się orientował z opowieści innych chłopaków, przy waleniu konia czuje się mniej więcej to samo co przy prawdziwym ciupcianiu – i w tym miejscu trzeba nadmienić, że konia można zwalić ze cztery albo pięć razy dziennie.

Blaze miał piętnaście lat i powoli osiągał pełnię swoich wymiarów. Miał sto dziewięćdziesiąt osiem centymetrów wzrostu i siedemdziesiąt jeden centymetrów w barach; John kiedyś zmierzył go sznurkiem. Włosy brązowe, gęste, nierówne i tłuste. Łapska jak patelnie: trzydzieści centymetrów od czubka kciuka do koniuszka małego palca. Oczy zielone jak butelkowe szkło, o roziskrzonym, uderzającym spojrzeniu – nikt by nie powiedział, że to są oczy matoła. Każdy chłopak wyglądał przy nim jak pigmej, a mimo to śmiali się z niego bezczelnie w żywe oczy. John Cheltzman – znany szerzej jako J.C. albo Jezu Ce Ha – został zaakceptowany przez ogół w charakterze maskotki Blaze'a. Wypad do Bostonu uczynił z nich ludowych bohaterów hermetycznej społeczności Hetton House, a sam Blaze zdobył jeszcze bardziej wyjątkową pozycję; każdy, kto choć raz widział bernardyna obleganego przez dzieci, domyśli się bez trudu, o co chodzi.

Na farmie pana Bluenote'a czekał już na nich jego syn Dougie. Po przyjeździe zaprowadził chłopaków z Hetton House na kwatery i powiedział, że tego lata w domkach nad łachą będzie mieszkało jeszcze sześciu wychowanków zakładu poprawczego w South Portland. Reakcją na tę wiadomość były zaciśnięte usta i skrzywione twarze. Chłopaki z South Portland mieli opinię twardzieli jak się patrzy.

Blaze trafił do domku numer trzy razem z Johnem i Farfoclem. Od czasu wyprawy do Bostonu John schudł jeszcze bardziej. Chorował na gorączkę reumatyczną, ale lekarz z Hetton House (stary konował nazwiskiem Donald Hough, który jarał camele całymi paczkami) zbadał go i orzekł, że to tylko ciężki przypadek grypy. Ta diagnoza miała uśmiercić Johna, ale na razie pozostał mu jeszcze rok życia.

– To jest wasz domek – powiedział Doug Bluenote. Twarz miał po ojcu, jak rasowy farmer, ale nie odziedziczył jego dziwnych bladych oczu. – Sporo chłopaków mieszkało tu przed wami. Podoba się? To szanujcie wszystko, co w nim jest, żeby posłużyło jeszcze innym, którzy przyjdą po was. Jakby w nocy było wam zimno, to macie piecyk, ale raczej nie sądzę, żeby był potrzebny. Łóżka są cztery, więc jest z czego wybierać. Gdyby trafił nam się jeszcze jakiś chłopak do pracy, to damy go do was, na to wyrko, które zostanie wolne. Tu jest płyta do podgrzewania jedzenia i kawy. Rano przed wyjściem i wieczorem przed spaniem trzeba pamiętać, żeby ją wyłączyć z kontaktu. Tu są popielniczki. Do nich wrzucacie pety. Nie na podłogę i nie na podwórko. Nie ma picia ani grania w pokera. Jeśli ja albo ojciec przyłapiemy was na jednym albo na drugim, to koniec. Nie ma przebacz. Śniadanie o szóstej w dużym domu. Lunch dostaniecie w południe, tamoj. – Machnął ręką w stronę pól, gdzie rosły borówki. – Obiad o szóstej, w dużym domu. Pracę zaczynacie jutro o siódmej rano. Miłego dnia, panowie.

Kiedy zostali sami, rozejrzeli się po domku. Nie wyglądało to najgorzej. Piecyk, stary model marki Invincible*, miał pożyteczny dodatek – solidny żeliwny garnek na nóżkach. Nie było piętrowych łóżek; po raz pierwszy od lat mieli spać normalnie, a nie jak cegła na cegle. W domku wydzielono dwie sypialnie i kuchnię, a do tego jeszcze całkiem spory pokój wspólny. Na ścianie wisiała tam nieduża biblioteczka zrobiona ze skrzynki na pomarańcze; była w niej Biblia, podręcznik wychowania seksualnego dla młodzieży, „Dziesięć nocy w knajpie"** i „Przeminęło z wiatrem". Na podłodze leżał spłowiały tkany dywanik ze wzorkiem, a sama podłoga składała się z pojedynczych desek, zupełnie inaczej niż w Hetton House, gdzie były tylko kafelki i lakierowane klepki. Tutaj deski skrzypiały, kiedy się po nich chodziło.

Chłopaki zabrały się do ścielenia łóżek, ale Blaze wyszedł na ganek. Chciał zobaczyć, gdzie jest rzeka. Znalazł ją szybko. Natrafiała w tym miejscu na płytkie wklęśnięcie terenu, ale kawałek dalej znajdowało się bystrze; dochodził stamtąd usypiający pomruk szybko płynącej wody. Sękate, powykręcane dęby i wierzby pochylały się nad nurtem, jakby chciały się w nim przejrzeć. Nad samym lustrem wody śmigały ważki i komary, czasami pozostawiając na niej rozpływający się ścieg szybko bijących skrzydeł. Z daleka dobiegało chropowate trzeszczenie cykady.

Blaze poczuł, że zaczyna mięknąć.

Przysiadł na najwyższym schodku. Po chwili z domku wyszedł John i dołączył do niego.

---

* Invincible (ang.) – niezwyciężony (przyp. tłum.).

** „Dziesięć nocy w knajpie" (Ten Nights in a Barroom, przekł. tytułu M.J.) – powieść autorstwa T.S. Arthura, napisana w 1854 r. Jest to utwór moralizatorski, propagujący wstrzemięźliwość i dzięki swojej wymowie przyczynił się do demonizacji alkoholu w oczach amerykańskiego społeczeństwa (przyp. tłum.).

– Gdzie Farfocel? – zapytał Blaze.

– Przegląda tę książkę do seksu. Szuka obrazków.

– Znalazł jakieś?

– Jeszcze nie.

Przez chwilę siedzieli w milczeniu.

– Blaze?

– No?

– Nie jest źle, co nie?

– Nie jest – przyznał.

Ale psiej farmy nie mógł zapomnieć.

O wpół do szóstej wieczorem poszli do dużego domu. Ścieżka biegła brzegiem rzeki i zaprowadziła ich prosto do domków na zakolu. A tam stała gromadka sześciu dziewczyn. Chłopaki z Hetton House i twardziele z South Portland jak jeden mąż minęli je bez zatrzymywania, zupełnie jakby dziewczyny – i to takie, którym już rosną piersi – widywali na co dzień. A żeńska gromadka dołączyła do nich. Dziewczyny gawędziły sobie swobodnie, a niektóre nawet poprawiały szminkę, jakby spotykanie się z chłopakami – i to z takimi, którym już sypie się zarost – to była najzwyklejsza rzecz pod słońcem, coś jak bieganie z packą na muchy. Jedna albo dwie miały nylony; wszystkie pozostałe były w wywijanych skarpetkach, podciągniętych dokładnie na taką samą wysokość. Pryszcze pokrywał makijaż – czasami było go tyle, co lukru na cieście. Jedna z dziewczyn była obiektem zazdrości wszystkich innych, bo miała zielony cień do powiek. Nie było za to pośród nich takiej, która nie opanowała do perfekcji kręcenia tyłkiem; John Cheltzman nazwał potem taki sposób chodzenia „krokiem podlatarnianym".

Jeden twardziel z South Portland charknął i splunął. A potem zerwał źdźbło lucerny i wsadził je sobie w zęby. Reszta chłopaków obserwowała go czujnie, usiłując wymyślić dla siebie jakikolwiek sposób wykazania się nonszalancją w kontaktach z płcią piękną. Większość wybrała sprawdzone charknięcie i splunięcie. Kilku ekscentryków wetknęło dłonie do tylnich kieszeni spodni. Jeszcze inni dokonali mariażu obu metod.

Chłopcy z South Portland mieli tę przewagę nad wychowankami Hetton House, że byli z miasta, a w mieście dziewczyna jest dobrem bardziej masowym. Możliwe, że ten czy ów miał matkę pijaczkę, narkomankę albo cichodajkę za dziesięć dolców, niewykluczone, że siostra tego czy tamtego brandzlowała facetów za dwa zielone, ale większość z nich miała przynajmniej jakieś ogólne pojęcie o dziewczynach. Wychowankowie Hetton House żyli w zamkniętej męskiej społeczności, gdzie widok kobiety był wielką rzadkością. Na ich edukację seksualną składały się gościnne wykłady miejscowych kaznodziejów, którzy przeważnie mieli do powiedzenia tylko tyle, że onanizm ogłupia, a podczas stosunku można złapać taką chorobę, od której penis robi się czarny i zaczyna śmierdzieć. Oprócz tego były jeszcze świńskie pisemka, które czasami załatwiał skądś Farfocel; ten numer „Girl Digest" to była jego najnowsza i najlepsza zdobycz. Jeśli chodzi o sztukę konwersacji, wzorce czerpało się z kina. O prawdziwym życiu płciowym nie mieli bladego pojęcia, a to z tej przyczyny, że, jak mawiał Farfocel, tylko we francuskich filmach widać, jak się dymają. Jedynym francuskim filmem, który mieli okazję zobaczyć, był „Francuski łącznik".

Tak więc od domków na zakolu mieszane towarzystwo szło w milczeniu, z rzadka tylko przerywanym. Dawało się odczuć pewnego rodzaju napięcie, aczkolwiek nie było mowy o niechęci. Gdyby młodzież nie była tak zaabsorbowana nową sytuacją i tym, jak sobie z nią poradzić, to być może komuś przyszłoby do głowy, żeby chociażby rzucić okiem na Dougiego Bluenote'a, który naprawdę bardzo się starał panować nad twarzą.

Pan Harry Bluenote czekał na nich w drzwiach do jadalni, oparty o framugę. Weszli, gapiąc się na obrazy wiszące na ścianach (litografie Curriera i Ivesa, reprodukcje ilustracji N.C. Wyetha), na szlachetnie postarzałe meble, na długi stół z dwoma ławami ozdobionymi napisami PRZYSIĄDŹ NA CHWILĘ i PRZYJDZIESZ GŁODNY, WYJDZIESZ SYTY. Ale najdłużej patrzyli na duży olej wiszący na wschodniej ścianie. Był to portret Marian Bluenote, zmarłej żony gospodarza.

Mogli uważać się za twardych – i w jakimś sensie z pewnością tacy byli – ale z drugiej strony każde z nich wciąż było przecież dzieckiem, u którego dopiero zaczęły się zaznaczać pierwsze cechy płciowe. Instynktownie stanęli w szeregu, tak jak to robili przez całe życie. Pan Bluenote nie bronił im tego. A kiedy wchodzili gęsiego do jadalni, wszystkim chłopakom po kolei podawał rękę. Dziewczynom skinął uprzejmie głową i nawet słowem nie skomentował ich garderoby, choć można było powiedzieć, że są wystrojone jak lalki.

Blaze wszedł na samym końcu. Był o dobre piętnaście centymetrów wyższy od pana Bluenote'a, ale i tak szurał niezdarnie nogami, nie odrywając wzroku od podłogi i żałując, że w ogóle wyjeżdżał z Hetton House. To było dla niego nie do zniesienia. Okropieństwo. Czuł wyraźnie, że język przyschnął mu do podniebienia. Stanął i na oślep wyciągnął przed siebie rękę.

Bluenote uścisnął mu dłoń.

– Jezu – powiedział – aleś ty wielki. Za wielki do zbierania borówek.

Blaze spojrzał na niego tępym wzrokiem.

– A nie wolałbyś jeździć ciężarówką? – zapytał gospodarz.

Blaze przełknął ślinę. Miał wrażenie, że coś utknęło mu w gardle.

– Nie umiem prowadzić, proszę pana.

– Ja cię nauczę – wyjaśnił pan Bluenote. – To nic trudnego. Wejdź i zjedz kolację.

Blaze wszedł do jadalni. Stół był wykonany z mahoniu, a jego blat lśnił jak woda w sadzawce. Po obu stronach ułożono nakrycia. Pod sufitem wisiał migotliwy żyrandol, taki sam jak na filmach. Blaze usiadł. Robiło mu się na przemian gorąco i zimno. Po lewej miał dziewczynę, co dodatkowo zwiększało jego konsternację. Za każdym razem, gdy rzucał okiem w tamtą stronę, wzrok zatrzymywał się na sterczących pod sukienką piersiach. Nie mógł absolutnie nic na to poradzić. Tam po prostu … były piersi. Zajmowały kawałek przestrzeni. Kawałek świata.

Kolację podali pan Bluenote i opiekunka dziewczyn, obozowa mama. Do jedzenia była duszona wołowina z warzywami i cały pieczony indyk. Na stół wjechała też przepastna drewniana micha kopiasto nałożonej sałatki, a do tego trzy różne sosy do mięsa, talerz fasolki szparagowej, drugi talerz grochu i trzeci marchewki krojonej w plastry. Tłuczone kartofle podano w ceramicznym naczyniu.

Kiedy już to wszystko stanęło na stole, a każdy siedział nad swoim lśniącym talerzem, zapadła cisza niczym po zejściu lawiny. Chłopcy i dziewczęta pożerali wzrokiem te frykasy, chyba nie do końca mogąc uwierzyć, że to nie jest fatamorgana. Komuś zaburczało w brzuchu, głucho, dudniąco, jakby ciężarówka toczyła się po drewnianym moście.

– No dobrze – odezwał się pan Bluenote, siedzący u szczytu stołu, z obozową mamą po swojej lewej stronie; jego syn zajął miejsce na przeciwległym końcu. – Pomodlimy się chwilę.

Wszyscy pochylili głowy, czekając na kazanie.

– Panie – powiedział pan Bluenote – pobłogosław tych chłopców i te dziewczęta. Pobłogosław także ten posiłek. Niech jedzą na zdrowie. Amen.

Nastąpiła chwila konsternacji, pełna ukradkowych spojrzeń na sąsiadów. Wszyscy zadawali sobie to pytanie: czy to żart, czy może jakiś podstęp? Po „amen" można było już jeść, ale jeśli teraz też znaczyło to tyle, co zwykle, to właśnie usłyszeli najkrótszą modlitwę w dziejach ludzkości.

– Podajcie mi to mięso – powiedział pan Bluenote.

Jego wynajęci robotnicy z wielkim apetytem zabrali się do jedzenia.

Rankiem następnego dnia, po śniadaniu, gospodarz wraz z synem zajechali pod duży dom dwoma pickupami forda. Cała ekipa wskoczyła na pakę i ruszyła w drogę na pierwsze borówkowe pole. Dziewczyny były dziś ubrane w luźne robocze spodnie. Miały opuchnięte od snu twarze, przeważnie wolne od makijażu. Nadawało im to młodszy, delikatniejszy wygląd.

Zaczęły się pierwsze rozmowy. Z początku niezręczne, szybko stały się nieco bardziej swobodne. Kiedy samochód podskakiwał na wybojach, wszyscy wybuchali śmiechem. Nie dokonywano żadnych oficjalnych prezentacji. Sally Ann Robichaux miała paczkę winstonów, którą puściła w obieg; nawet Blaze, siedzący na szarym końcu, dostał papierosa. Jeden twardziel z South Portland wdał się z Farfoclem w dyskusję o świerszczykach. Nazywał się Brian Wick i tak jakoś szybko się okazało, że przywiózł na farmę kieszonkowy magazyn pod tytułem „Fizzy". Farfocel przyznał, że słyszał dobre rzeczy o tym pisemku; po chwili doszli do porozumienia i ustalili warunki wymiany. Dziewczynom udała się pewna niełatwa sztuka: zachowywały się tak, jakby cała ta rozmowa w ogóle się nie odbyła, demonstrując jednocześnie miny świadczące o wielkodusznym pobłażaniu.

Zajechali na pole. Niskie krzewy borówkowe były obsypane owocami. Pan Bluenote i jego syn opuścili klapy i wszyscy wyskoczyli z ciężarówek. Pole podzielono na zagony, każdy zagon był oznaczony białą chorągiewką trzepoczącą na krótkiej żerdce. Po chwili podjechała do nich jeszcze jedna ciężarówka – starsza i większa, z wysoką płócienną plandeką. Przyprowadził ją niewysoki Murzyn. Nazywał się Sonny. Blaze ani razu nie słyszał, żeby Sonny uronił choć słowo.

Pan Bluenote i jego syn rozdali wszystkim zbieraczom – oprócz Blaze'a – krótkie grabki do borówek, z zębami osadzonymi blisko siebie.

– Te grabki są tak pomyślane, żeby łapać tylko i wyłącznie dojrzałe owoce – wyjaśnił pan Bluenote. Przechodzący za jego plecami Sonny wyciągnął z kabiny dużej ciężarówki wędkę i kosz na ryby, po czym ruszył przez pole w kierunku rosnących nieopodal drzew. Nie obejrzał się ani razu.

– Z tym, że – ciągnął dalej pan Bluenote – jako dzieło rąk ludzkich, to narzędzie nie jest bynajmniej doskonałe i razem z dojrzałymi borówkami łapie też zielone i trochę liści. Ale nie martwcie się i nie przerywajcie pracy z tego powodu. W szopie przebierzemy to, co zebraliście. Wy też przy tym będziecie, więc bez obaw, że pojedziemy wam po zarobkach. Wszystko jasne?

Brian i Farfocel, stojący obok z rękami skrzyżowanymi na piersi (zanim dzień dobiegł końca, zostali parą nierozłącznych kumpli), skinęli zgodnie głowami.

– I jeszcze jedno, do waszej wiadomości – powiedział pan Bluenote z nagłym błyskiem w swoich dziwnych oczach. – Dostaję za te borówki na skupie dwadzieścia sześć centów od kwarty. Wy za kwartę zebranych dostajecie siedem. Wychodzi na to, że zarabiam na waszej robocie dziewiętnaście centów, ale tak nie jest. Po odliczeniu wszystkich kosztów mam dziesięć centów za kwartę. O trzy więcej niż wy. Wiecie, co to jest, te trzy centy? Kapitalizm. Moje pole i mój zysk, w którym wy macie działkę. Mówię to do waszej wiadomości – powtórzył. – Jakieś zastrzeżenia?

Zastrzeżeń nie było. Wszyscy stali w milczeniu, jakby zahipnotyzowani porannym upałem.

– Dobra. Kierowcę już mam. Czyli ciebie, mistrzu – gospodarz spojrzał na Blaze'a. – Potrzebny mi jeszcze drugi mistrz. Rachmistrz. Jak się nazywasz, chłopaku?

– Ee... John. John Cheltzman.

– Podejdź no tu.

Pan Bluenote pomógł Johnny'emu wsiąść na pakę ciężarówki z płócienną plandeką, a potem wyjaśnił mu, na czym polega jego zadanie. Było tam mnóstwo wiader z cynkowanej stalowej blachy, ustawionych w słupy. Johnny miał je wydawać zbieraczom, żeby mieli do czego składać owoce. Na każdym wiadrze był przyklejony pasek białej taśmy samoprzylepnej, na którym przy odbiorze trzeba było zapisać nazwisko zbieracza. Pełne wiadra wstawiało się do przegródek w specjalnej drewnianej kracie, żeby się nie poprzewracały podczas jazdy. Na pace wisiała też zakurzona, wiekowa tablica do prowadzenia konta każdemu zbieraczowi.

– W porządku, synu – powiedział pan Bluenote. – Każ im stanąć w szeregu i rozdaj wiadra.

John poczerwieniał jak burak, odchrząknął i wykrztusił polecenie. Szeptem. A potem dodał „proszę". Miał przy tym taką minę, jakby tylko czekał, aż wszyscy się na niego rzucą. Ale nie. Posłuchali. Stanęli w szeregu; kilka dziewczyn wiązało na głowach chustki albo odwijało gumy z papierków. John rozdał im wiadra, wypisując nazwiska na skrawkach taśmy. Każdy wybrał sobie zagon i zaczął się dzień pracy.

Blaze czekał obok ciężarówki. Na piersi zalegał mu bezkształtny ciężar wielkiej ekscytacji. Od lat marzył o prowadzeniu samochodu. To była jego ambicja. Pan Bluenote chyba usłyszał i zrozumiał tajemny szept jego serca. O ile naprawdę mówił to na poważnie z tym kierowcą.

Gospodarz podszedł do niego.

– Jak na ciebie mówią, synu? Oprócz „mistrzu"?

– Blaze. Czasami. A czasami Clay.

– Dobra. Chodź, Blaze. – Pan Bluenote pokazał mu, żeby wsiadł do kabiny ciężarówki, a sam wskoczył za kierownicę. – To jest trzybiegowy international harvester. „Trzybiegowy" znaczy tyle, że ma trzy biegi, żeby jechać do przodu i jeden do tyłu. To, co sterczy tutaj z podłogi, to jest wajcha do zmiany biegów. Widzisz?

Blaze skinął głową.

– Pod lewą nogą mam sprzęgło. Widzisz?

Blaze skinął głową.

– Sprzęgło jest do zmiany biegów. Trzeba je wdepnąć i przełożyć tę wajchę. Jak już wskoczy na właściwe miejsce, puszczasz sprzęgło. Jak puścisz za wolno, silnik zgaśnie. Za szybko – powywalasz wszystkie wiadra na pace, wysypiesz owoce, a twój kumpel wyląduje z hukiem na tyłku, bo wóz ci się szarpnie. Rozumiesz?

Blaze skinął głową. Zbieracze zdążyli już się nieco oddalić od początku zagonów. Douglas Bluenote chodził od jednego do drugiego i pokazywał, jak najlepiej trzymać grabki, żeby na rękach nie robiły się purchle. Nauczył ich też lekkiego podkręcenia nadgarstkiem, dzięki któremu można było osypać z grabek większość liści i kawałków gałązek.

Jego ojciec odchrząknął i splunął.

– Biegami się na razie nie przejmuj. Na początku będziesz jeździł tylko na wstecznym i na przełożeniu terenowym. Popatrz no tutaj. Pokażę ci, gdzie masz jeden, a gdzie drugi.

Blaze spojrzał. Dodawania i odejmowania uczył się całymi latami (a przenoszenie cyfr w rachunkach to była dla niego czarna magia, dopóki John mu nie powiedział, że ma myśleć o tym jak o noszeniu wiader z wodą). Podstawowe umiejętności kierowcy opanował do południa. Silnik zgasł mu tylko dwa razy. Pan Bluenote powiedział później synowi, że jeszcze nigdy nie widział, żeby ktoś w tak krótkim czasie rozwiązał zagadkę subtelnej równowagi pomiędzy sprzęgłem a pedałem gazu. Blaze'owi powiedział co innego: „Nieźle ci idzie. Nie wjedź mi tylko w zagony".

Obowiązki Blaze'a nie ograniczały się do prowadzenia samochodu. Zbierał też pełne wiadra, zanosił je do ciężarówki i oddawał Johnowi, a potem wracał z pustymi do zbieraczy. Uśmiech nie schodził mu z twarzy przez cały dzień, a to jego szczęście udzieliło się wszystkim, jak choroba zakaźna.

Około trzeciej po południu zerwała się burza z piorunami. Dzieciaki zbiegły się z pola i wskoczyły pod plandekę największej ciężarówki, upomniane przez pana Bluenote'a, żeby uważały, na czym sadzają swoje cztery litery.

– Zawiozę was do domu – postanowił gospodarz, wskakując na stopień. Zauważył, jak Blaze'owi nagle wyciągnęła się twarz, i uśmiechnął się szeroko. – Cierpliwości, mistrzu. To znaczy: Blaze. Nie wszystko od razu.

– Dobrze. A gdzie ten Sonny?

– Gotuje obiad – odparł krótko pan Bluenote, wciskając sprzęgło i wrzucając pierwszy bieg. – Jeśli mamy szczęście, zjemy świeże ryby. Jeśli nie, to znów będzie wołowina. Chcesz pojechać ze mną do miasta po obiedzie?

Blaze skinął głową, zbyt przejęty, żeby wykrztusić choć słowo.

Wieczorem przyglądał się w milczeniu razem z Douglasem, jak Harry Bluenote targuje się o cenę skupu borówek z przedstawicielem Federal Foods, Inc. i w końcu dostaje tyle, ile chciał. Wrócili do domu z Douglasem za kierownicą. Nikt nic nie mówił. Blaze patrzył, jak droga ściele się pod światłem reflektorów forda pickupa i nagle pomyślał: Jadę w dobre miejsce. A potem: Jestem w dobrym miejscu. Pierwsza myśl sprawiła, że poczuł się szczęśliwy. Przy drugiej zachciało mu się płakać.

Mijały dni, układając się w tygodnie, a czas biegł ustalonym rytmem: wczesna pobudka. Potężne śniadanie. Praca do południa i olbrzymi lunch na polu (Blaze znany był z tego, że potrafi pochłonąć aż cztery kanapki, nikt mu zresztą nie bronił). Potem dalej praca, którą kończyła albo popołudniowa burza albo Sonny, zwołujący robotników na obiad za pomocą wielkiego mosiężnego gongu. Jego dźwięk, niosący się w upale upływającego szybko dnia, brzmiał jak zasłyszany w bardzo rzeczywistym śnie.

Pan Bluenote z czasem zaczął pozwalać Blaze'owi jeździć ciężarówką na pola i z powrotem, oczywiście bocznymi drogami. Chłopak prowadził coraz lepiej, aż wreszcie stało się jasne, że ma do tego wyjątkową smykałkę. Nigdy ani jedno wiadro z borówkami nie wypadło mu z niskich drewnianych stojaków. Po obiedzie często jechał z Bluenote'ami do Portland i przysłuchiwał się targom gospodarza z agentami różnych firm spożywczych.

Lipiec dobiegł końca i odszedł tam, dokąd odchodzą zużyte miesiące. Potem połowa sierpnia podążyła w jego ślady. Niedługo skończy się lato; na tę myśl Blaze'owi robiło się przykro. Niedługo z powrotem do Hetton House. A potem zima. Perspektywa kolejnej zimy w Hetton była nie do zniesienia.

Nie miał zielonego pojęcia, że Harry Bluenote go polubił, i to bardzo. Młody olbrzym był naturalnym strażnikiem porządku; jeszcze nigdy sezon borówkowy nie przebiegł w aż tak przyjacielskiej atmosferze. Tylko raz dwóch chłopaków się pobiło, a zazwyczaj bójek było co najmniej kilka. Poszło o partię blackjacka (formalnie rzecz biorąc, blackjack to nie poker). Niejaki Henry Gilette z South Portland oskarżył kolegę, że ten oszukiwał przy kartach. Blaze po prostu podszedł, złapał go za kołnierz i odstawił od stołu, a potem kazał temu drugiemu oddać mu pieniądze.

Natomiast w trzecim tygodniu sierpnia na tym sielankowym torcie pojawiła się jeszcze wisienka. Blaze stracił cnotę.

Nazywała się Anne Bradstay. Trafiła do Pittsfield za podpalenia. Razem ze swoim chłopakiem, zanim ich złapano, spaliła sześć magazynów na ziemniaki w regionie pomiędzy Presque Isle a Mars Hill. Tłumaczyli się tym, że nie mieli co robić, a fajnie było patrzeć, jak się pali. Wyglądało to tak, opowiadała Anne: Curtis dzwonił do niej, proponował wypad „na pieczone kartofle" i wystarczyło. Sędzia (który stracił w Korei syna w wieku Curtisa Prebble'a) nie potrafił jednak zrozumieć, że młodzi ludzie mogą aż tak się męczyć z powodu nudy. Nie znalazł też w sobie choćby odrobiny współczucia dla oskarżonych. Skazał chłopaka na sześć lat w więzieniu stanowym Shawshank. Anne dostała rok w zakładzie w Pittsfield, który jego podopieczne nazywały Cipsfield. Nie miała zresztą nic przeciwko temu. W wieku trzynastu lat rozprawiczył ją ojczym, a brat po pijaku brał się do bicia, a że lubił wypić, więc obrywała całkiem często. W porównaniu z tym szambem, Pittsfield było jak wakacje nad morzem.

Ten, kto chciałby widzieć w niej poharataną przez życie dziewczynę ze złotym sercem, miałby rację tylko w połowie. I to w tej pierwszej. Nie była podła, ale miała w sobie nienasyconą pazerność i jak sroka była łasa na wszystko, co błyszczy. Farfocel, Brian Wick i jeszcze dwaj inni z South Portland zrobili zrzutkę i dali jej cztery dolary za numerek z Blaze'em. Zrobili to tylko i wyłącznie z ciekawości. John Cheltzman nie był wtajemniczony (bali się, że uprzedzi Blaze'a albo nawet wypaple wszystko Dougowi Bluenote'owi), ale wszyscy inni wiedzieli.

Co wieczór do każdego domku przynosiło się dwa wiadra wody – do picia i do mycia. Studnia była przy drodze wiodącej do dużego domu. Chłopcy chodzili po wodę na zmianę. Tego konkretnego wieczoru wypadła kolej Farfocla, ale ten wykręcił się nagłym atakiem kolki i poprosił Blaze'a, żeby poszedł za niego; chciał mu nawet dać za to dwadzieścia pięć centów.

– Nie ma sprawy, mogę iść za darmo – odparł Blaze, biorąc wiadra.

Farfocel zerknął z uśmieszkiem na zaoszczędzoną ćwiartkę i poszedł zawiadomić swojego kumpla Briana.

Noc była czarna i pełna aromatów. Księżyc dopiero wstał, cały pomarańczowy. Blaze człapał drogą, nie myśląc o niczym konkretnym. Wiadra, niesione w jednej dłoni, obijały się o siebie. Nawet nie drgnął, kiedy szczupła dłoń musnęła jego ramię.

– Mogę pójść z tobą? – zapytała Anne, unosząc własne dwa wiadra.

– Jasne – odpowiedział, a potem język przykleił mu się do podniebienia, a na twarz uderzył rumieniec.

Ruszyli razem w kierunku studni. Anne pogwizdywała cicho przez zęby. Kiedy dotarli na miejsce, Blaze rozsunął deski przykrywające cembrowinę. Umocniony kamieniami otwór miał tylko sześć metrów głębokości, ale kiedy wrzuciło się tam kamyk, głuchy plusk budził tajemnicze echa. Dookoła betonowego kręgu studziennego rosła gęsto tymotka i dzikie polne róże, a kilka starych dębów jakby czuwało na straży. Blada poświata księżyca przebijała się przez dębowe liście.

– Mogę nabrać ci wody? – zapytał Blaze, czując, jak płoną mu uszy.

– Chcesz? Jak miło.

– Pewnie. – Wyszczerzył się bezmyślnie. – Pewnie, że miło. – Pomyślał o Margie Thurlow, chociaż ta dziewczyna absolutnie niczym jej nie przypominała.

W betonie osadzono pierścień, do którego przywiązana była długa, wybielona słońcem lina. Blaze uwiązał na niej jedno wiadro i wrzucił je do studni. Rozległ się plusk. Teraz trzeba było poczekać, aż się napełni.

Anne Bradstay nie była mistrzynią sztuki uwodzenia. Podeszła, chwyciła Blaze'a za krocze i zacisnęła palce na jego członku.

– Ej! – wykrztusił, zaskoczony.

– Podobasz mi się – wyjaśniła. – Może byś mnie tak przeleciał, co? Masz chęć?

Blaze spojrzał na nią, oniemiały ze zdumienia... A jednak spomiędzy jej zaciśniętych palców dobiegła odpowiedź, szept w prastarym języku. Dziewczyna miała na sobie długą sukienkę, którą podciągnęła wysoko, odsłaniając uda. Była chuda i mizerna, ale księżycowe światło wyświadczyło jej twarzy sporą przysługę. A nocne cienie jeszcze większą.

Pocałował ją niezdarnie, zagarnąwszy w ramiona.

– Jezuu, ale ci stanął – wysapała, z trudem łapiąc oddech (i jeszcze mocniej ściskając go za fiuta). – To teraz tylko spokojnie, okej?

– Jasne – powiedział Blaze, biorąc dziewczynę na ręce. Położył ją na miękkim posłaniu z tymotki. Rozpiął pasek u spodni.

– Wiesz, ja się na tym kompletnie nie znam – mruknął.

Anne uśmiechnęła się, ale był w tym uśmiechu cień niezadowolenia.

– To nic trudnego – uspokoiła go, podciągając sukienkę powyżej bioder. Pod spodem nie miała majtek. W świetle księżyca Blaze zobaczył wąski trójkąt ciemnych włosów; wydało mu się, że jeśli będzie na to patrzył zbyt długo, to umrze.

Anne rzeczowo pokazała mu palcem.

– Tutaj wkładasz fujarę. Dawaj.

Blaze spuścił spodnie i położył się na niej. A Brian Wick, przycupnięty w wysokich krzakach jakieś sześć metrów dalej, spojrzał na Farfocla szeroko wytrzeszczonymi oczami i szepnął:

– Widziałeś tę pałę?

Farfocel popukał się w głowę i odszepnął:

– Bóg poskąpił mu tutaj, to dał więcej tam. Zamknij się już.

Patrzyli.

Następnego dnia Farfocel zagadnął Blaze'a. Powiedział mu, że chodzą słuchy, jakoby w studni znalazł nie tylko wodę. Blaze prawie posiniał na twarzy, odwrócił się i poszedł, ale zanim to zrobił, pokazał mu zęby. Farfocel już więcej nie odważył się o tym wspominać.

Blaze został kawalerem Anne Bradstay. Wszędzie za nią chodził i oddał jej swój zapasowy koc, na wypadek, gdyby marzła w nocy. Anne było z tym całkiem dobrze. Na swój sposób nawet się w nim zakochała. Do końca sezonu nosili wodę ze studni i nikt nie pisnął ani słowa na ten temat. Nikt się nie odważył.

Wieczorem ostatniego dnia przed powrotem do Hetton pan Harry Bluenote poprosił Blaze'a, żeby został chwilę dłużej po kolacji. Blaze zgodził się bez namysłu, ale zaczął się trochę niepokoić. Najpierw pomyślał, że pan Bluenote dowiedział się, co on i Anne Bradstay robili wieczorami przy studni i że gniewa się o to na niego. Zmartwił się, bo lubił pana Bluenote'a.

Kiedy w jadalni nie było już nikogo, pan Bluenote zapalił sobie cygaro i zaczął spacerować dookoła uprzątniętego po kolacji stołu. Okrążył go dwa razy. Odkaszlnął. Zmierzwił swoje i tak już mocno rozczochrane włosy. I w końcu niemalże warknął:

– To co, chcesz tu zostać?

Blaze rozdziawił usta. W pierwszej chwili przepaść pomiędzy tym, czego się spodziewał, a tym, co faktycznie usłyszał, wydała mu się nie do przeskoczenia.

– No? Chcesz czy nie chcesz?

– Chcę – wykrztusił Blaze. – Jasne. No... jasne.

– To dobrze – powiedział pan Bluenote z widoczną ulgą. – Bo Hetton House to nie jest miejsce dla kogoś takiego jak ty. Z ciebie jest dobry chłopak, tylko potrzebujesz czyjejś ręki. Widzę, że starasz się, jak możesz, ale... – Wskazał palcem głowę Blaze'a. – Jak to się stało?

Blaze momentalnie uniósł dłoń, dotykając wbitego zagłębienia. Zaczerwienił się jak burak.

– Straszne to jest, prawda? – zapytał. – To znaczy, strasznie wygląda. Jak nie wiem co.

– Ładne faktycznie nie jest, ale widywałem gorsze rzeczy. – Pan Bluenote opadł na krzesło. – Jak to z tym było?

– Tato mnie wziął i zrzucił ze schodów. Miał kaca czy coś tam. Nie bardzo pamiętam. W każdym razie... – Wzruszył ramionami. – To wszystko.

– Wszystko, hę? Ale, jak widzę, starczyło. – Pan Bluenote wstał z powrotem, podszedł do stojącej w kącie lodówki, wyciągnął butelkę z wodą i nalał jej sobie do papierowego kubeczka. – Byłem dzisiaj u lekarza. Musiałem, bo czasem mam kołatanie serca, ale odkładałem to jak mogłem. Powiedział, że jestem zdrowy. Ulżyło mi, nie powiem. – Wypił wodę, zmiął kubek w dłoni i wrzucił go kosza na śmieci. – Człowiek się starzeje, w tym cały problem. Ty jeszcze nie wiesz, jak to jest, ale się dowiesz. Człowiek się starzeje i całe jego życie zaczyna przypominać mu sen, który się przyśnił podczas popołudniowej drzemki. Wiesz?

– Jasne – odpowiedział Blaze. Nie usłyszał ani jednego słowa z całej tej przemowy. Zamieszkać tutaj, z panem Bluenote'em! Dopiero zaczynało do niego docierać, co to tak naprawdę znaczy.

– Chciałem się najpierw upewnić, czy dam radę wykierować cię na ludzi – powiedział gospodarz. Wskazał kciukiem portret kobiety wiszący na ścianie. – Ona lubiła chłopaków. Urodziła mi trzech, a przy tym ostatnim umarła. Dougie to mój średni. Najstarszy mieszka w stanie Waszyngton i buduje samoloty dla Boeinga. Najmłodszy zginął cztery lata temu w wypadku drogowym. Niewesołe to, ale lubię sobie pomyśleć, że jest teraz razem z mamą. Może to głupie, ale człowiek szuka pociechy, gdzie tylko może. Prawda, Blaze?

– Tak jest – odpowiedział Blaze. Myślał o Anne stojącej przy studni. Anne w blasku księżyca. I wtedy zauważył łzy w oczach pana Bluenote'a. Wstrząsnęło to nim i trochę go wystraszyło.

– Idź już – powiedział gospodarz. – I nie siedź za długo przy tej studni, słyszysz mnie?

A jednak został trochę przy studni. Opowiedział Anne, co się wydarzyło, a ona tylko skinęła głową. A potem zaczęła płakać.

– Co się stało, Annie? – zapytał. – Co się stało, kochana?

– Nic – ucięła. – Nabierz mi wody, dobrze? Przyniosłam wiadra. Zaczerpnął dla niej wody. Patrzyła na niego jak urzeczona.

Ostatniego dnia praca skończyła się o pierwszej po południu. Nawet Blaze zauważył, że ten ostatni zbiór był wyjątkowo skąpy. Borówki się skończyły.

Teraz już zawsze prowadził ciężarówkę. Zapuścił silnik i czekał na luzie, a Harry Bluenote zawołał:

– No, ferajna! Wskakiwać na pakę! Blaze was odwiezie! Przebierzcie się i przyjdźcie do dużego domu! Będzie ciasto i lody.

Zbieracze zaczęli wdrapywać się przez zamkniętą klapę, wyjąc jak banda dzieciaków, aż John musiał na nich krzyczeć, żeby uważali na wiadra z owocami. Blaze siedział za kierownicą z szerokim uśmiechem na twarzy. Zapowiadało się, że będzie tak się szczerzył do samej nocy.

Pan Bluenote wsiadł z prawej strony. Chociaż twarz miał opaloną, to widać było, że zbladł. Na czole perlił mu się pot.

– Dobrze się pan czuje?

– Jasne – odpowiedział pan Bluenote i uśmiechnął się ostatni raz. – Chyba za dużo zjadłem na lunch. Jedziemy, Bla... Urwał i chwycił się za pierś. Po obu stronach szyi wystąpiły mu nagle grube żyły. Patrzył prosto na chłopaka, ale tak, jakby wcale go nie widział.

– Co się stało? – zapytał Blaze.

– Serce – wyjaśnił gospodarz i zgiął się wpół, waląc czołem o metalową deskę rozdzielczą. Chwycił się obiema dłońmi za krawędź fotela i zacisnął palce na starym, podartym pokrowcu, jakby cały świat stanął na głowie. A potem przechylił się na bok i runął przez otwarte drzwi prosto na ziemię.

Dougie Bluenote, nie spiesząc się, obchodził właśnie ciężarówkę od przodu. Kiedy zobaczył, co się dzieje, podbiegł natychmiast.

– Tato! – krzyknął przeraźliwie.

Pan Bluenote umarł w objęciach swojego syna, w kabinie ciężarówki telepiącej się wyboistą, wpółdziką polną drogą. Blaze praktycznie przegapił moment jego śmierci. Prowadził, zgarbiony nad szeroką, popękaną kierownicą, mierząc wściekłym wzrokiem szaleńca pylistą drogę znikającą pod kołami.

Pan Bluenote wstrząsnął się raz, a potem jeszcze raz, jak pies złapany na dworze przez ulewę. I już było po wszystkim.

Kiedy go wnieśli, pani Bricker, obozowa mama, upuściła dzbanek pełen lemoniady. Kostki lodu rozprysnęły się na wszystkie strony po podłodze z sosnowych desek. Położyli go na kanapie w pokoju dziennym. Jedna ręka opadła mu na podłogę. Blaze podniósł ją i złożył na piersi pana Bluenote'a. Za chwilę opadła znowu, więc odtąd stał przy nim i trzymał ją w miejscu.

Dougie Bluenote rozmawiał w jadalni przez telefon. Miotał się gorączkowo przy aparacie stojącym obok dużego stołu, nakrytego do lodowej uczty na koniec sezonu (obok talerza każdego z zatrudnionych zbieraczy leżał drobny pożegnalny upominek). Chłopcy i dziewczyny przywiezieni z pola tłoczyli się na ganku, zaglądając przez okna do środka. Byli przerażeni – wszyscy oprócz Johna Cheltzmana. Na twarzy Johna malowała się ulga.

Blaze powiedział mu o wszystkim poprzedniego wieczoru.

Przyjechał lekarz i przeprowadził krótkie badanie. Kiedy skończył, zaciągnął koc na twarz pana Bluenote'a.

Pani Bricker, której zdążyły już obeschnąć łzy, rozpłakała się na nowo.

– A lody? – zaszlochała. – Tyle lodów! Co my z tym zrobimy? Och, świecie mój, świecie…! – Zakryła twarz fartuchem, a potem naciągnęła go sobie na głowę jak kaptur.

– Niech usiądą do stołu i zjedzą – postanowił Doug Bluenote.

– Ty też, Blaze. Wcinajcie.

Blaze potrząsnął głową. Czuł się tak, jakby już nigdy w życiu nie miał poczuć głodu.

– Dobra, nieważne – powiedział Doug. Przeczesał włosy ręką. – Będę musiał zadzwonić do Hetton… i do South Portland… Pittsfield… Jezu, Jezu, Jezu. – Oparł czoło o ścianę i też się rozpłakał. A Blaze tylko siedział, z wzrokiem wbitym w zarysy postaci przykrytej kocem.

Duży osobowy samochód z Hetton House przyjechał pierwszy. Blaze siedział z tyłu, wyglądając przez zakurzoną szybę. Duży dom malał coraz bardziej, aż w końcu zniknął mu z oczu.

Chłopcy zaczęli rozmawiać, ale Blaze milczał. Powoli zaczęło do niego docierać, co się stało. Próbował poukładać to sobie w głowie, ale nie umiał. Nie widział w tym sensu, ale mimo to rzeczywistość i tak dobijała się do jego świadomości.

Mięśnie twarzy Blaze'a drgnęły i zaczęły pracować. Najpierw usta skrzywiły się lekko, potem zmrużyły się kąciki oczu. Zatrzęsły się policzki. Nie panował nad tym w żaden sposób. Te rzeczy były niezależne od niego. W końcu wybuchnął płaczem: oparł czoło o szybę samochodu i rozszlochał się głośno, jednostajnym zawodzeniem, które brzmiało jak końskie rżenie.

– Ucisz no tam który tego wyjca – powiedział szwagier pana Martina Coslawa, siedzący za kierownicą.

Ale nikt nie śmiał go nawet dotknąć.

Dziecko Anne Bradstay przyszło na świat osiem i pół miesiąca później. Był to dorodny chłopczyk – cztery kilogramy i osiemset gramów. Matka oddała synka do adopcji i niemalże natychmiast wzięła go bezdzietna para nazwiskiem Wyatt pochodząca z miasta Saco. Mały Bradstay nazywał się odtąd Rufus Wyatt. W szkole średniej na stanowych mistrzostwach futbolowych zdobył tytuł najlepszego blokującego. Rok później powtórzył ten wyczyn, ale już na mistrzostwach wszystkich stanów Nowej Anglii. Po ukończeniu szkoły średniej złożył papiery na Uniwersytet Bostoński, gdzie chciał specjalizować się w literaturze. Do jego ulubionych twórców zaliczali się Shelley i Keats, a także amerykański poeta nazwiskiem James Dickey.

ROZDZIAŁ 19

Mrok nastał wcześnie, spowity w tumany śniegu. O piątej po południu jedynym źródłem światła w gabinecie dyrektorskim był migotliwy ogień na kominku. Joe smacznie spał, ale Blaze martwił się o niego. Malec miał przyspieszony oddech, ciekło mu z nosa, a w płucach coś świszczało. Na policzkach płonęły wielkie plamy czerwonych rumieńców.

W książce o dzieciach wyczytał, że gorączka często pojawia się przy ząbkowaniu, a czasem towarzyszy katarowi albo też jest symptomem przeziębienia. Blaze zrozumiał, że chodzi o przeziębienie (nie wiedział, co to są „symptomy"). W książce było napisane, że dziecko musi mieć ciepło i to wystarczy. Jasne, łatwo takiemu pisaczowi mówić! A co zrobić, jak Joe się obudzi i będzie chciał sobie poraczkować?

Wiedział, że musi zadzwonić do Gerardów, i to jeszcze dziś. W tej śnieżycy nie dadzą rady zrzucić forsy z samolotu, ale do jutra rana pewnie przestanie padać. Postanowił, że weźmie forsę, ale dzieciaka im nie odda. Kij w dupę tym bogatym republikanom. On i Joe są od teraz stworzeni dla siebie. Ucikną. W taki czy inny sposób.

Zapatrzył się w ogień i zaczął śnić na jawie. Zobaczył siebie, jak zapala lampy alarmowe na polanie. Potem dostrzegł światła pozycyjne małego samolotu migoczące nad głową. Usłyszał bzyczący warkot silnika. Samolot skręca, zwabiony jego sygnałem, pękiem lamp płonących jak urodzinowy tort. W powietrzu błyska coś białego – to spadochron z przywiązaną pod spodem walizeczką!

Następna scena: z powrotem tutaj, w gabinecie. Otwiera walizeczkę. W środku jest pełno forsy. Każdy pliczek banknotów owinięty śliczną banderolą. Blaze liczy. Jest wszystko, co do centa. I znów zmiana scenerii: mała wyspa Acapulco (Blaze myślał, że Acapulco jest na Bahamach, chociaż podejrzewał, że może się mylić). Własny domek na wysokiej skarpie, z widokiem na spienione fale. Dwie sypialnie: jedna duża, druga mała. Na tyłach dwa hamaki: jeden duży, drugi mały. Płynie czas. Mija może z pięć lat. Plażą idzie chłopak, ubijając stopami piasek, który lśni w słońcu niczym muskuły pod mokrą skórą. Jest opalony. Ma długie, czarne włosy, jak indiański wojownik. Macha ręką. Blaze macha do niego w odpowiedzi.

I znów usłyszał tamten zagadkowy śmiech. Odwrócił się błyskawicznie. Nie zobaczył nikogo.

Ale jego sen na jawie prysnął. Blaze wstał, wciągnął kurtkę, potem usiadł z powrotem i włożył buty. Postanowił, że dopnie swego. Decyzja była podjęta, a nogi wiedziały, dokąd iść; z takim nastawieniem zawsze dawał sobie radę i realizował to, co zapowiedział. Z tego właśnie był dumny. I tylko z tego.

Sprawdził, co u małego, i wyszedł. Zamknął za sobą drzwi do gabinetu, a po chwili jego kroki zadudniły na schodach. Pistolet George'a miał zatknięty za pasek. Tym razem broń była nabita.

Wiatr uganiający się z wyciem po starym boisku był tak silny, że Blaze zaczął się zataczać. Dopiero później się przyzwyczaił. Zacinający śnieg smagał go po twarzy, wbijając igły mrozu w czoło i policzki. Wierzchołki drzew chwiały się na wszystkie strony. Na zamarzniętej, stwardniałej powierzchni zaległego śniegu tworzyły się świeże zaspy, miejscami wysokie na metr. O ślady, które zostawił mustang, nie musiał się już martwić.

Żałując, że nie ma rakiet śnieżnych, dobrnął do siatki i wdrapał się na nią niezgrabnie. Zeskoczył, zapadając się po uda w śniegu, a potem ruszył na przełaj w kierunku północnym. Celem jego wyprawy było centrum handlowe Cumberland Center.

Odległość wynosiła pięć kilometrów, a już w połowie zabrakło mu tchu. Skóra na twarzy zmarzła mu tak, że przestał czuć cokolwiek. Stracił też czucie w dłoniach i stopach; nie pomogły grube skarpety i rękawice. Ale mimo wszystko brnął dalej. Nie próbował nawet obchodzić zasp, wbijał się w nie czołowo jak pług śnieżny. Dwa razy wszedł na płot ukryty pod śniegiem; jedno ogrodzenie było zrobione z drutu kolczastego, na którym rozdarł sobie dżinsy i skaleczył nogę. Wygrzebał się z zaspy i ruszył dalej. Nie chciało mu się nawet kląć, żeby nie marnować oddechu.

Godzinę po wyruszeniu z Hetton House dotarł do szkółki świerków srebrzystych. Nienagannie przystrzyżone drzewka maszerowały szeregami, jedno dwa metry za drugim. Blaze wszedł w długi, osłonięty korytarz, gdzie śniegu leżało najwyżej na pięć centymetrów... a miejscami ciemniała nawet zupełnie czysta ziemia. To był już rezerwat przyrody hrabstwa Cumberland, który graniczył z główną szosą.

Blaze dotarł na zachodni skraj miniaturowego lasu. Tutaj zaczynał się stok. Usiadł na ziemi i zjechał na dół, prosto na szosę numer dwieście osiemdziesiąt dziewięć. Kawałek stąd było już skrzyżowanie z sygnalizacją, którą doskonale pamiętał: czerwone światła z jednego kierunku, żółte z drugiego. Za skrzyżowaniem stało kilka latarni ulicznych, jarzących się jak duchy.

Blaze przeszedł na drugą stronę ulicy, pustej i zasypanej śniegiem, do stacji benzynowej Exxonu, która stała na rogu skrzyżowania. Pod jedną ze ścian wzniesionego z pustaków budynku rozlewała się niewielka kałuża światła z lampy zamontowanej nad automatem telefonicznym. Blaze, który w tym momencie wyglądał jak chodzący bałwan, podszedł do aparatu, a właściwie zawisł nad nim. Nagle ogarnęła go panika: przeraził się, że nie ma drobnych. Po chwili znalazł dwie ćwierćdolarówki w kieszeni spodni i jeszcze jedną w kurtce. Wrzucił je do szczeliny i brzdęk! Wypadły z powrotem. Połączenie z biurem numerów było darmowe.

– Chcę zadzwonić do pana Josepha Gerarda – powiedział telefonistce. – Mieszka w Ocoma.

Na chwilę zapadła głucha cisza, a potem telefonistka podyktowała mu numer. Blaze zapisał go na zaparowanej szybie, która w założeniu miała chronić aparat przed śniegiem. Nie miał zielonego pojęcia, że poprosił o numer zastrzeżony i że podano mu go tylko dlatego, że takie było polecenie FBI. Rzecz jasna, to otwierało furtkę różnej maści „życzliwym" i pomyleńcom, ale żeby namierzyć porywaczy, trzeba było umożliwić im rozmowę przez telefon.

Blaze wykręcił zero i podał drugiej telefonistce numer domu Gerardów. Zapytał, czy to będzie rozmowa międzystrefowa. Okazało się, że tak, zapytał więc, czy będzie mógł rozmawiać przez trzy minuty za siedemdziesiąt pięć centów. Telefonistka odpowiedziała, że nie; trzyminutowe połączenie z Ocoma kosztuje dolara dziewięćdziesiąt. A czy ma pan może telefoniczną kartę kredytową?

Pan takiej karty nie miał. Nie miał zresztą żadnej karty kredytowej.

Telefonistka powiedziała, że może obciążyć rachunek jego numeru domowego; w chałupie faktycznie był telefon (chociaż od czasu śmierci George'a nie zadzwonił ani razu), ale Blaze był zbyt cwany, żeby dać się tak podpuścić.

– Czyli mam połączyć na koszt rozmówcy? – zapytała kobieta z centrali.

– O właśnie! Na koszt rozmówcy! – zgodził się ochoczo.

– Pańskie nazwisko?

– Clayton Blaisdell junior – odpowiedział bez namysłu; jego ulga, kiedy znalazł drobne (a już myślał, że brnął taki kawał w śniegu zupełnie bez sensu), była tak wielka, że uświadomił sobie tę fatalną taktyczną pomyłkę dopiero po blisko dwóch godzinach.

– Dziękuję.

– To ja dziękuję – odbił piłeczkę. To było chytre zagranie. Chytre jak cholera.

Ktoś odebrał telefon już po pierwszym dzwonku.

– Tak? – Głos w słuchawce był znużony i podejrzliwy.

– Mam twojego syna – oznajmił Blaze.

– Wie pan co, odebrałem dzisiaj dziesięć takich telefonów. Proszę o dowód.

208

Blaze był skołowany. Tego się nie spodziewał.

– Przecież nie przyniosłem go tutaj ze sobą – zripostował. – Został z moim partnerem.

– Tak? – To była cała odpowiedź. „Tak?" i koniec.

– Widziałem pańską żonę, jak wszedłem przez okno – powiedział Blaze. Nic więcej nie udało mu się wymyślić. – Bardzo ładna. Była w białej koszuli nocnej. Na komodzie stało zdjęcie. A właściwie trzy zdjęcia złożone razem.

– Proszę powiedzieć coś więcej. – Z głosu w słuchawce zniknęło znużenie.

Blaze zaczął przetrząsać pamięć, szukając czegoś, co mogłoby przekonać tego uparciucha na drugim końcu linii. Nic. A potem nagle go olśniło.

– Tamta starsza pani miała kota. To dlatego zeszła na dół. Myślała, że to ja jestem ten kot, ten... – Poszperał jeszcze chwilę w pamięci. – Mikey! – krzyknął do słuchawki. – Przepraszam, że walnąłem ją tak mocno. Naprawdę nie chciałem, ale się przestraszyłem.

Mężczyzna po drugiej stronie nagle zaczął płakać. Blaze słuchał, wstrząśnięty.

– Jak się czuje Joey? – padło rozgorączkowane pytanie. – Na miłość boską, proszę powiedzieć, czy nic mu nie jest?

W tle dał się słyszeć gwar pomieszanych głosów. Jedna kobieta coś mówiła, druga krzyczała i płakała. Ta krzycząca i zapłakana to pewnie była matka. Wychodziło na to, że te parmenki to jakaś wyjątkowo uczuciowa nacja. Tak samo jak Francuzki.

– Proszę się nie rozłączać! – powiedział Joseph Gerard (to chyba raczej musiał być on). W jego głosie zadźwięczała panika. – Czy chłopcu nic nie jest?

– Pewnie, że nie wszystko w porządku – odparł Blaze. – Wyrżnął mu się następny ząbek. To już będzie trzeci. Wysypka po pieluchach ładnie schodzi. Smaruję... to znaczy smarujemy... mu pupę jak trzeba. A pana żona to co? Brzydzi się smarować mu pupy?

Gerard dyszał jak zgoniony pies.

– Niech pan posłucha. Zrobimy wszystko. Pan tu rządzi.

Blaze drgnął, słysząc to zapewnienie. Zdążył już prawie zapomnieć, po co dzwoni.

– Dobra – powiedział. – Macie zrobić tak.

Telefonistka z portlandzkiego biura firmy AT&T przyniosła agentowi specjalnemu Albertowi Sterlingowi informację, na którą czekał.

– Cumberland Center – oznajmiła. – Automat na stacji benzynowej.

– Zrozumiałem – odpowiedział, unosząc zaciśniętą pięść.

– Skołujcie mały samolot, jutro wieczorem o ósmej – polecił Blaze. Zaczął się trochę niepokoić; wydawało mu się, że już za długo gada przez ten telefon. – Lećcie nim na południe wzdłuż szosy numer jeden, w kierunku granicy New Hampshire. Macie lecieć nisko. Zrozumiano?

– Proszę zaczekać... Nie jestem pewien...

– To lepiej niech pan będzie – uciął Blaze, starając się powiedzieć to tak, jak powiedziałby George. – Nie trzymajcie mnie na siłę przy tym telefonie, bo dostaniecie dzieciaka w worku na śmieci.

– W porządku – powiedział Gerard. – W porządku. Zrozumiałem. Chcę to tylko sobie zapisać.

Sterling wręczył karteluszek Bruce'owi Grangerowi i pokazał mu na migi, że ma zadzwonić. Granger wykręcił numer komendy policji stanowej.

– Pilot zobaczy sygnał świetlny – wyjaśnił Blaze. – Włóżcie pieniądze do walizki, a walizkę uwiążcie na spadochronie. Zrzućcie ją tak, jakbyście chcieli wylądować prosto na tych lam... na tym świetle. Na tym sygnale. Następnego dnia dostaniecie dzieciaka. Dorzucę wam nawet trochę tego, czym smaruję... to znaczy smarujemy... mu pupę. W ramach promocji – błysnął poczuciem humoru.

A potem spojrzał na swoją dłoń i zauważył, że mówiąc o oddaniu im Joego, skrzyżował palce. Zupełnie jak małe dziecko, które po raz pierwszy w życiu kłamie.

– Proszę się nie rozłączać! – zawołał Gerard. – Nie jestem pewien, czy zrozumiałem...

– Pan jest inteligentny facet – przerwał mu Blaze. – Wszystko pan zrozumiał.

Odwiesił słuchawkę i puścił się pędem przed siebie, byle dalej od tej stacji benzynowej. Nie wiedział, dlaczego tak biegnie, czuł tylko, że z jakiegoś powodu pośpiech jest wskazany. Wręcz konieczny. Przemknął pod światłami na skrzyżowaniu, przeciął pod ostrym kątem szosę i wielkimi susami wspiął się na stok, znikając wśród rzędów młodych świerków.

W ślad za nim zza szczytu wzgórza wypadł ogromny potwór ze ślepiami płonącymi białym ogniem. Przedzierał się przez gęsto sypiący śnieg, a spod jego trzymetrowego lemiesza tryskały fontanny mokrej bieli. Był to pług śnieżny, który zatarł ślady stóp Blaze'a, biegnące skosem przez jezdnię. A kiedy dziewięć minut później na stację Exxonu zajechały z przeciwnych kierunków dwa radiowozy policji stanowej, dziury w śniegu zalegającym stok były już tylko na wpół widocznymi zagłębieniami. Funkcjonariusze wysiedli i otoczyli automat telefoniczny, oświetlając go latarkami, a tymczasem za ich plecami wiatr dokończył dzieła.

Pięć minut później zadzwonił telefon na biurku agenta Sterlinga.

– Był tutaj – powiedział policjant na drugim końcu. Sterling słyszał w tle świst wiatru. Nie, nie świst. Wycie. – Był tutaj, ale już uciekł.

– Jak? – zapytał Sterling. – Na piechotę czy samochodem?

– A kto to wie? Zaraz przed naszym przyjazdem przeszedł tędy pług śnieżny. Ale jakbym miał zgadywać, to bym powiedział, że samochodem.

– Nikt wam nie każe zgadywać. Widział go może ktoś ze stacji benzynowej?

– Stacja jest zamknięta z powodu śnieżycy. A nawet jakby mieli otwarte... to telefon wisi na bocznej ścianie.

– Pieprzony szczęściarz – zazgrzytał Sterling. – Trafiło mu się jak ślepej kurze ziarno. Otoczyliśmy tę jego zasraną ruderę w Apex

211

i co nam wpadło w ręce? Cztery świerszczyki i słoik przecieru z groszku. Są jakieś ślady czy może już je zawiało?

– Dookoła telefonu były jeszcze ślady – odpowiedział policjant.

– Wiatr zatarł wzór podeszwy, ale to był on.

– Znów zgadujecie?

– Nie. Były wielkie.

– W porządku. Blokady stoją, tak?

– Wszystkie drogi, większe i mniejsze, są w tej chwili blokowane.

– Leśne dukty też.

– Dukty też – przytaknął policjant nieco urażonym tonem. Sterling miał gdzieś jego ton.

– Czyli mamy go w garści? – zapytał. – Można tak powiedzieć, panie władzo?

– Można.

– Cieszę się. Jutro, jak tylko śnieg przestanie padać, bierzemy ze trzystu chłopaków i jedziemy tam. Za dużo już tego dobrego.

– Tak jest.

– Pług śnieżny – prychnął Sterling. – Zdycham ze śmiechu. Odłożył słuchawkę.

Blaze wrócił do Hetton House kompletnie wyczerpany. Przełażąc przez siatkę, zwalił się głową naprzód prosto w śnieg. Z nosa ciekła mu krew. Powrót zajął mu tylko trzydzieści pięć minut. Pozbierał się, okrążył chwiejnym krokiem gmach sierocińca i wszedł do środka.

Powitało go wściekłe, rozdzierające wycie Joego.

– Jezu!

Rzucił się na górę po schodach, skacząc po dwa stopnie na raz. Wpadł z hukiem do gabinetu Coslawa. Ogień na kominku zgasł. Kołyska była przewrócona. Joe leżał na podłodze. Całą głowę miał zalaną krwią, oczy zamknięte, a rączki białe od zalegającego wszędzie kurzu.

– Joe! – krzyknął Blaze. – Joe! Joe!

Porwał dziecko na ręce i pobiegł z nim w kąt pokoju, gdzie leżały pieluszki. Chwycił jedną i przyłożył mu do rozcięcia na czole. Krew lała się stamtąd strumieniami, tak to przynajmniej wyglądało. Widać też było sterczącą z rany dużą drzazgę. Blaze wyciągnął ją i rzucił na podłogę. Mały zaczął mu się wyrywać i wrzasnął jeszcze głośniej. Blaze otarł mu krew, która pociekła teraz obficiej. Trzymając go mocno w ramionach, pochylił się, żeby dokładnie obejrzeć skaleczenie. Miało nierówne brzegi, ale kiedy zniknęła ta wielka drzazga, nie wyglądało najgorzej. Dzięki Bogu nie trafiła mu w oko. Mogła mu trafić w oko.

Odszukał butelkę i dał małemu zimne mleko. Joe złapał się jej obiema rączkami i zaczął ssać zachłannie. Blaze, cały zdyszany, zawinął go w koc, a potem położył się na własnym posłaniu i przytulił zawiniątko z dzieckiem do piersi. Zamknął oczy i w tym samym momencie dostał przeraźliwego zawrotu głowy. Wydawało mu się, że cały świat odpływa w niebyt: Joe, George, Johnny, Harry Bluenote, Anne Bradstay, ptaki na drutach i noce spędzone w drodze.

Po chwili wszystko wróciło do normy.

– Od dziś jesteśmy tylko my dwaj, Joey – powiedział Blaze. – Ty masz mnie, a ja mam ciebie. Będzie dobrze. W porządku?

Śnieżna zawieja łomotała w okna. Joe wypuścił z ust smoczek, odwrócił głowę i rozkaszlał się chrapliwie, wysuwając język z wielkiego wysiłku, jakim było dla niego oczyszczenie płuc. Kiedy skończył, z powrotem przyssał się do smoczka. Blaze czuł wyraźnie, jak pod jego dłonią trzepocze się maleńkie serce.

– Tak będzie po naszemu – szepnął, całując zakrwawione czoło malca.

Razem zapadli w sen.

ROZDZIAŁ 20

Na tyłach głównego budynku sierocińca Hetton House znajdowała się spora działka zagospodarowanej ziemi uprawnej. Był to tak zwany ogród zwycięstwa*; kolejne pokolenia wychowanków owej instytucji przekazywały sobie tę nazwę. Dyrektorka – ta, po której przyszedł Martin Coslaw – nie dbała o niego, tłumacząc się wszystkim, że „ma złą rękę do roślin", ale Kosław dostrzegł w ogrodzie zwycięstwa co najmniej dwie wspaniałe możliwości. Pierwszą z nich była oszczędność w budżecie żywnościowym, którą można było uzyskać, gdyby chłopcy sami uprawiali dla siebie warzywa. Druga polegała na wdrożeniu wychowanków do ciężkiej pracy, będącej, jak wiadomo, fundamentem tego świata. „Praca i matematyka dały światu piramidy", mawiał pan Coslaw, tak więc co roku na wiosnę chłopcy sadzili warzywa, latem pełli grządki (o ile nie złapali pracy „na wyjeździe" w którymś z okolicznych gospodarstw), a jesienią zbierali plony.

Mniej więcej czternaście miesięcy po tamtym sezonie, który Farfocel nazwał szumnie „bajecznym latem borówkowym", John Cheltzman zbierał wraz z innymi chłopakami dynie z zagonów wydzielonych na północnym krańcu ogrodu zwycięstwa. Podczas pracy przeziębił się, zachorował i umarł. Odwieźli go do szpita-

---

* „Ogrodami zwycięstwa" (ang. *victory gardens*), a także „ogrodami wojennymi" i „budującymi obronność kraju" nazywano prywatne uprawy warzyw, owoców i ziół, zakładane podczas pierwszej i drugiej wojny światowej w celu odciążenia krajowego zaopatrzenia żywnościowego, borykającego się z problemami reglamentacji wojennej (przyp. tłum.).

la miejskiego w Portland, w samo Holoween, kiedy wszyscy inni byli na lekcjach: albo w Hetton, albo „na wyjeździe". Umarł na oddziale dla najbiedniejszych, samotnie.

Z jego łóżka w Hetton House najpierw zniknęła cała pościel, a potem posłano je na nowo. Pewnego popołudnia Blaze usiadł na swoim łóżku i siedział tak parę godzin, patrząc na łóżko Johna. Długa sypialnia, nazywana przez chłopaków „syfialnią", była całkiem pusta. Wszyscy poszli na pogrzeb Johnny'ego. Niewielu z nich widziało już kiedyś pogrzeb, więc wybrali się dość chętnie.

Blaze patrzył na łóżko przyjaciela z przerażeniem, a jednocześnie z fascynacją. Zniknął słoik masła orzechowego, który był tam zawsze, schowany za wezgłowiem, od ściany. Blaze wiedział, że go nie ma, bo specjalnie zaglądał. Nie było też krakersów firmy Ritz. Johnny podjadał to sobie na ciszy nocnej i często rzucał przy tym taki tekst: „Mam krakersy i mam gówno, posmaruję i zjem równo". Zawsze rozbawiał tym Blaze'a do łez. Samo łóżko było teraz zasłane jak w wojsku, równo przykryte kocem wygładzonym jak oheblowana deska. Pościel – śnieżnobiała i nieskazitelnie czysta, choć przecież Johnny był zapalonym nocnym onanistą. Blaze pamiętał niejedną noc, gdy leżał na plecach, wpatrując się w ciemność i słuchając poskrzypywania sprężyn pod J.C. strugającym chojaka. Na jego prześcieradle zawsze były żółte, zaschnięte plamy. Zresztą, Jezu Chryste, każdy starszy chłopak miał takie plamy na prześcieradle. Blaze też; siedział na nich w tej chwili, kiedy tak patrzył na łóżko Johnny'ego. Nagle olśniła go myśl, że gdyby teraz umarł, to z jego łóżka tak samo zdjęliby całą pościel, a miejsce żółtego od starej spermy prześcieradła zajęłoby, takie samo jak tamto, śnieżnobiałe i nieskazitelnie czyste. Nie byłoby na nim nawet najmniejszego śladu po kimś, kto leżał w tym łóżku, śnił tam swoje sny i miał w sobie dość życia, żeby się spuścić. Blaze zaczął płakać, łkając z cicha.

Dzień był słoneczny, sam początek listopada. Blask bezstronnego słońca zalewał syfialnię. Na wyrku J.C. kładł się krzyż okiennych szprosów, wprawiony w kwadraty jasnego światła. Blaze posiedział jeszcze chwilę, a potem wstał, podszedł do łóżka, na którym spał jego kumpel i zerwał z niego koc. Poduszkę cisnął w drugi koniec syfialni. Wreszcie zdarł prześcieradło, a materac zrzucił na podłogę. Ale to mu nie wystarczyło. Wywrócił łóżko do góry nogami, ale to wszystko było za mało, więc przykopał w jedną z tych śmiesznych, krótkich i cienkich nóżek; osiągnął tylko tyle, że stłukł sobie stopę. Rzucił się na swoje łóżko, kryjąc twarz w dłoniach. Pierś falowała mu ciężko.

Mało który z chłopaków, którzy wrócili po skończonym pogrzebie, odważył się zaczepić Blaze'a. Nikt nawet nie zapytał o wywrócone łóżko, ale Farfocel zrobił jedną dziwną rzecz: złapał go za rękę i ucałował ją. To było faktycznie dziwne. Blaze zastanawiał się nad tym przez wiele lat. Nie żeby bez przerwy, ale od czasu do czasu przypominało mu się tamto zdarzenie.

Wybiła piąta. Od tej godziny zaczynał się czas wolny. Większość chłopaków rzuciła się na podwórko, żeby trochę poganiać i zgłodnieć przed kolacją. Blaze poszedł do gabinetu dyrektora. Koślaw siedział za biurkiem. Zmienił już buty na pantofle i bujał się na odchylonym w tył krześle, czytając „Evening Express".

– Czego? – zapytał, unosząc głowę.

– Masz, ty skurwysynu – powiedział Blaze i pobił go do nieprzytomności.

Wyruszył na piechotę w stronę granicy New Hampshire. Na piechotę, bo bał się, że jeśli ukradnie samochód, to nie pojeździ nim dłużej niż cztery godziny. Dzięki temu policja zgarnęła go w dwie. Blaze nigdy nie pamiętał, że jest wysoki i bykowaty, ale Martin Coslaw bynajmniej o tym nie zapomniał, tak więc drogówka nie miała zbyt skomplikowanego zadania: wystarczyło szukać dwumetrowego białego chłopaka z dziurą pośrodku czoła.

Rozprawa w sądzie okręgowym hrabstwa Cumberland była krótka. Pan Martin Coslaw, który występował jako świadek, przyjechał z ręką na temblaku i głową grubo okręconą bandażem zachodzącym aż na oko. Wezwany do złożenia zeznań, wszedł za barierkę o kulach.

Prokurator zapytał go, ile ma wzrostu. Pan Coslaw podał liczbę stu sześćdziesięciu siedmiu centymetrów. Kolejne pytanie dotyczyło wagi. Odpowiedź brzmiała: siedemdziesiąt dwa i pół kilograma. Prokurator z kolei chciał wiedzieć, czy świadek w jakikolwiek sposób sprowokował, uraził bądź też niesprawiedliwie ukarał oskarżonego Claytona Blaisdella juniora. Pan Coslaw zaprzeczył. Na tym prokurator zakończył przesłuchanie i przekazał świadka obrońcy Blaze'a, odpicowanemu żółtodziobowi prosto ze szkoły prawniczej. Odpicowany żółtodziób zasypał pana Coslawa serią jadowitych pytań o niejasnym związku ze sprawą, na które pan Coslaw odpowiadał z całym spokojem, a tymczasem gips, kule i bandaż na jego głowie dawały własne, milczące świadectwo. Kiedy odpicowany żółtodziób oznajmił, że nie ma więcej pytań, sędzia zakończył przedstawianie sprawy.

Obrońca z urzędu wezwał z kolei Blaze'a do złożenia zeznań i zapytał go, dlaczego pobił dyrektora Hetton House. Blaze wydukał swoją wersję wydarzeń. Umarł jego dobry przyjaciel. Winę za to, ponosił jego zdaniem pan Coslaw, który nie powinien posyłać Johnny'ego do zbierania dyń, zwłaszcza w taki zimny dzień. Johnny miał słabe serce. To było nie w porządku, a pan Coslaw dobrze wiedział, co robi. Sam się prosił o lanie.

Po tych ostatnich słowach młody adwokat usiadł ciężko, tocząc dookoła zrozpaczonym wzrokiem.

Prokurator wstał zza swojego stołu i podszedł do barierki. Zapytał Blaze'a, ile ma wzrostu. Blaze odpowiedział, że metr dziewięćdziesiąt osiem albo dwa z małym hakiem. Kolejne pytanie dotyczyło wagi. Blaze powiedział, że nie wie dokładnie, ale na pewno mniej niż sto trzydzieści kilo. Z ławek dla prasy rozległy się śmiechy. Blaze spojrzał w tamtą stronę, zdziwiony, a potem uśmiechnął się lekko, żeby wiedzieli, że on też ma poczucie humoru, jak każdy. Prokurator oznajmił, że nie ma więcej pytań do świadka i wrócił na swoje miejsce.

Obrońca z urzędu wygłosił zajadłe podsumowanie o niejasnym związku ze sprawą i na tym zakończył. Sędzia wysłuchał go, wyglądając przez okno, z brodą opartą na dłoni. Z kolei wstał prokurator. Nazwał Blaze'a młodym bandytą i oświadczył, że władze stanu Maine mają obowiązek „ukrócić jego proceder jak najszybciej i z całą surowością". Blaze nie miał zielonego pojęcia, co to znaczy, ale czuł, że nie jest dobrze.

Sędzia zapytał go jeszcze, czy chciałby coś powiedzieć.

– Chciałbym – przytaknął Blaze – tylko że nie wiem jak.

Sędzia skinął głową i skazał go na dwa lata pozbawienia wolności w więzieniu South Portland.

Nie było mu tam tak źle jak niektórym, ale na tyle niedobrze, żeby zrozumiał, że już nigdy nie chce wrócić za kratki. Dzięki swojemu wzrostowi oraz szerokim barom uniknął bicia i gwałtów, udało mu się też trzymać z daleka od wszelakich podziemnych koterii i ich tragikomicznych bossów. Niemniej ciężko znosił długotrwałe zamknięcie w maleńkiej, zakratowanej celi. Było mu tam bardzo smutno. W ciągu pierwszych sześciu miesięcy dwa razy mu „odwaliło". Zaczynał wtedy wyć, domagając się, żeby go wypuścić i tłukł czym popadło w kraty, dopóki nie zjawili się strażnicy. Za pierwszym razem najpierw przybiegło czterech, ale musieli wezwać kolejnych czterech, a potem jeszcze sześciu, żeby dać sobie z nim radę. Za drugim razem dostał zastrzyk, po którym padł i leżał martwym bykiem przez szesnaście godzin.

Jeszcze gorszy był karcer. Blaze chodził w kółko po mikroskopijnej celi (sześć kroków w każdą stronę), a czas powoli hamował, aż w końcu zatrzymywał się zupełnie. Kiedy w końcu go wypuścili i mógł wrócić do chłopaków – cieszyć się swobodą na spacerniaku albo pracą przy ciężarówkach, które zajeżdżały na plac wyładunkowy – to z wdzięczności i ogromnej ulgi prawie oszalał. A kiedy wychodził z karceru po drugiej karze, uściskał klawisza, który otworzył mu drzwi i zarobił za to wpis do swojej teczki w kartotece: „Wykazuje skłonności homoseksualne".

Ale nawet karcer nie był jeszcze najgorszy. Blaze miał słabą pamięć, ale to jedno najgorsze wspomnienie pozostało mu na zawsze: co robią z człowiekiem po aresztowaniu. Otóż sadzają go na krześle w salce o białych ścianach, a sami stają w kółeczku dookoła. I zaczynają się pytania. Zanim zdąży się chociażby pomyśleć, o co chodziło temu pierwszemu, który pytał – co chciał powiedzieć tym pytaniem – już goni drugi, potem trzeci i tak dalej. Maglują wte i wewte, i w koło Macieju, i dookoła Wojtek. Człowiek się czuje jak mucha w pajęczej sieci. W końcu przyzna się do wszystkiego, do czego każą, byle tylko zamknęli japy. A potem przynoszą ci papier, mówią: „podpisz" i, bracie, już podpisałeś.

Przesłuchanie Blaze'a prowadził niejaki Holloway, zastępca prokuratora okręgowego. Pan Holloway zjawił się w białej salce dopiero po mniej więcej półtorej godziny, kiedy tamci zdążyli już sobie popracować nad aresztantem. Blaze siedział z podwiniętymi rękawami, a dół koszuli wyszedł mu ze spodni. Był zlany potem i musiał wyjść za potrzebą, i to już natychmiast. Czuł się tak, jakby znów trafił do psiej zagrody na farmie państwa Bowie, jakby ze wszystkich stron opadły go kłapiące zębami owczarki collie. Pan Holloway, w tym swoim granatowym garniturze w prążki, prezentował totalny luz i sam szczyt mody. Na nogach miał czarne półbuty z noskami usianymi miriadą mikroskopijnych otworków. Blaze nigdy nie zapomniał tych otworków na butach pana Hollowaya.

Zastępca prokuratora okręgowego przysiadł na stole pośrodku pokoju, z jednym półdupkiem na blacie, a drugim w powietrzu. Zaczął kiwać nóżką – elegancki czarny półbut chodził w tę i z powrotem jak wahadło w zegarze. Uśmiechnął się do Blaze'a po przyjacielsku i zapytał:

– Chcesz pogadać, synu?

Blaze wyjąkał, że tak, chce pogadać. Jeśli naprawdę ktoś chce go wysłuchać i okaże mu odrobinę sympatii, to on bardzo chętnie z tym kimś pogada.

Holloway kazał się wszystkim wynieść.

Blaze zapytał, czy może wyjść do toalety.

Holloway wskazał palcem drzwi po drugiej stronie salki, których Blaze nawet nie zauważył i powiedział: „Na co czekasz?", z tym samym przyjacielskim uśmiechem na twarzy.

Kiedy Blaze wrócił z łazienki, na stole stał dzbanek wody z lodem, a obok niego szklanka. Spojrzał na Hollowaya, a ten ski-

219

nął głową. Wydudlił trzy szklanki tej wody i usiadł z powrotem na krześle, mając wrażenie, że ktoś wbił mu szpikulec do lodu prosto w czoło.

– Już dobrze? – zapytał Holloway.

Blaze skinął głową.

– Jasne – powiedział tamten. – Zawsze chce się pić, jak człowiek musi odpowiadać na tyle pytań. Papierosa?

– Nie palę.

– Dobry chłopak. Papierosy to tylko kłopoty – oznajmił Holloway i sam zapalił. – Masz jakąś ksywę, synu? Jak na ciebie mówią kumple?

– Blaze.

– No dobra, Blaze. Ja jestem Frank Holloway. – Wyciągnął do niego dłoń, a kiedy Blaze ją uścisnął, skrzywił się, przygryzając peta zębami. – Opowiedz mi teraz dokładnie, jak tutaj trafiłeś.

Blaze zaczął snuć swoją smutną historię, od samego początku, czyli od zmiany dyrektora w Hetton House i kłopotów z arytmetyką.

Holloway uniósł rękę.

– Nie będziesz miał nic przeciwko, Blaze, jeśli poproszę tutaj stenografa? Stenograf to jest ktoś w rodzaju sekretarki. Żebyś nie musiał już potem tego powtarzać.

Blaze odparł, że nie, nie ma nic przeciwko.

Kiedy było już po wszystkim, do salki z powrotem zeszli się tamci, a Blaze zauważył, że oczy Hollowaya straciły nagle ten swój przyjacielski błysk. Prokurator zsunął się ze stołu, otrzepał tyłek dwoma energicznymi klepnięciami i polecił:

– Przestukajcie to na maszynie i niech ten matoł podpisze.

Wyszedł, nawet się nie obejrzawszy.

Blaze nie odsiedział w pudle pełnych dwóch lat – darowali mu cztery miesiące za dobre sprawowanie. Przy zwolnieniu dostał dwie pary więziennych dżinsów, jedną kurtkę z tego samego materiału i torbę, żeby miał w czym nieść to wszystko. Wręczyli mu także czek na czterdzieści trzy dolary i osiemdziesiąt cztery centy. To były jego więzienne oszczędności.

Wyszedł w październiku, kiedy wiatr przesycał powietrze słodką wonią. Strażnik na bramie pomachał mu ręką: raz w lewo, raz w prawo, jak wycieraczka w samochodzie. Zawołał za nim, żeby był grzeczny. Blaze przeszedł przez bramę bez słowa, nie rozglądając się, a kiedy zatrzasnęła się za nim z głuchym hukiem, wzdrygnął się na całym ciele.

Szedł przed siebie, aż skończył się chodnik, a miasto zniknęło w oddali. Przyglądał się wszystkim i wszystkiemu. Mijały go pędzące samochody o dziwnie nowoczesnym wyglądzie. Jeden z nich zwolnił, a Blaze obejrzał się, myśląc, że może go zabiorą, ale ktoś tylko zawył: „Eeej, za co żeś garował?" i wóz wyrwał do przodu.

W końcu Blaze przysiadł na kamiennym murku otaczającym mały wiejski cmentarz i po prostu patrzył na szosę. Dotarło do niego wreszcie, że jest wolny. Od tej chwili nikt nie mógł mu mówić, co ma robić, ale Blaze zdawał sobie sprawę, że sam też tego nie wie, a do tego nie może liczyć na żadnych przyjaciół. Nie siedział już w karcerze, ale nie miał żadnej pracy. Nie umiał nawet zamienić tego kawałka sztywnego papieru, który dostał przy zwolnieniu, na pieniądze.

A jednak, mimo wszystko, ogarnęła go jakaś cudowna, kojąca ulga. Zamknął oczy i uniósł twarz do słońca. Świetlista czerwień zalała mu cały mózg. Czuł zapach trawy i świeżo wylanego asfaltu; gdzieś niedaleko drogowcy naprawiali dziurę w jezdni. Czuł zapach spalin, kiedy mijały go samochody jadące tam, dokąd sobie życzyli ich kierowcy. Objął się ramionami, owładnięty tą swoją ulgą.

Tej nocy przespał się w czyjejś stodole, a następnego dnia znalazł pracę: zbieranie kartofli po dziesięć centów od kosza. Zimę przepracował w przędzalni wełny w New Hampshire; był to zakład niezrzeszony i ściśle odcinający się od wszelkich związków zawodowych. Wiosną wsiadł do autobusu i pojechał do Bostonu, gdzie zaczepił się w szpitalnej pralni w Brigham and Women's Hospital. Pół roku później spotkał znajomka z South Portland, faceta nazwiskiem Billy St. Pierre. Poszli razem do knajpy i przegadali tam kupę czasu, stawiając jeden drugiemu piwo za piwem. Billy zwierzył się Blaze'owi, że zamierza razem z kumplem obrobić monopolowy w Southie. Żadna wielka akcja, bułka z masłem. I było miejsce dla jeszcze jednego.

Blaze nie dał się długo prosić. Jego działka wyniosła siedemnaście dolarów. Po skoku dalej pracował w pralni. Cztery miesiące później, razem z Billym i szwagrem Billy'ego imieniem Dom, napadł na stację benzynową połączoną ze sklepem spożywczym w Danvers. W następnym miesiącu do Blaze'a i Billy'ego dołączył jeszcze jeden adept zakładu karnego w South Portland, niejaki Calvin Surks; obrobili we trzech agencję kredytową, która miała na zapleczu punkt przyjmowania zakładów. Zgarnęli tam ponad tysiąc dolarów.

– Od dziś jedziemy na dużą skalę – powiedział Billy, kiedy dzielili się dolą w pokoju motelowym w Duxbury. – To jest dopiero początek.

Blaze przytaknął, ale i tak dalej pracował w pralni. Przez jakiś czas jego życie biegło takim właśnie torem. W Bostonie nie miał ani jednego prawdziwego przyjaciela. Znał właściwie tylko Billy'ego St. Pierre'a i jego luźną paczkę drobnych macherów. Po pracy jeździł z nimi do Lynn, do cukierni „U Moochiego”. Siedzieli tam, grali na flipperach i wygłupiali się. Blaze nie miał dziewczyny, ani na stałe ani z doskoku. Był chorobliwie nieśmiały i hodował obsesję na punkcie swojej, jak to mówił Billy, wgiętej czachy. Kiedy udał im się skok, czasami brał sobie dziwkę.

Mniej więcej rok po tym, jak Blaze zwąchał się z Billym, pewien muzyk jazzowy, który miał taki feler, że bardzo szybko mówił, dał mu do spróbowania „szprycę” z heroiny. Blaze pochorował się po tym koncertowo; prawdopodobnie był uczulony albo na heroinę, albo na jakąś domieszkę, która była w działce. Już nigdy więcej nie dał się namówić na żadną szprycę. Od czasu do czasu, w towarzystwie, brał kilka machów trawki, ale wiedział, że twardsze narkotyki to nie dla niego.

Niedługo po tym eksperymencie z heroiną Billy i Calvin (który obnosił się, dumny jak paw, z tatuażem DZIESIĘĆ W SKALI CALVINA) wpadli przy skoku na supermarket. Ale znaleźli się inni chętni do zabierania Blaze na akcje. I to nawet całkiem szybko. Ktoś wymyślił mu ksywę Diabeł i tak już zostało. Każdy sprzedawca albo właściciel sklepu, nawet nie widząc jego oszpeconej twarzy schowanej pod maską, najpierw musiał się dobrze zastanowić, zanim wyciągnął spod lady gnata.

Tak sprawy się miały przez całe dwa lata od aresztowania Billy'ego. Parę razy Blaze sam był o krok od wpadki. Czasem naprawdę bardzo mało brakowało. Kiedyś obrobił z dwoma braćmi kryminalistami sklep odzieżowy w Saugus. Po skoku powiedzieli, że go podrzucą; wysiadł na rogu i pożegnał się, a zaraz za zakrętem zgarnęła ich policja. Bracia bardzo chętnie wydaliby wspólnika, żeby uzyskać mniejszy wyrok, ale znali go tylko jako Diabła, przez co policjanci nabrali przekonania, że trzeci członek gangu był czarnoskóry.

W czerwcu Blaze wyleciał z pracy w szpitalnej pralni. Nie próbował nawet szukać sobie jakiegoś normalnego zajęcia. Wałęsał się bez celu, aż pewnego dnia poznał George'a Rackleya i ta znajomość przypieczętowała jego los.

ROZDZIAŁ 21

Niebo rozjaśniło się pierwszą zapowiedzią świtu. Albert Sterling przysypiał w miękkim, wyściełanym fotelu, jakich kilka stało w gabinecie pana Gerarda. Był pierwszy dzień lutego. Ktoś zastukał we framugę drzwi. Sterling otworzył oczy. Na progu stał Granger.

– Możliwe, że coś mamy – powiedział.

– Słucham.

– Blaisdell wychował się w sierocińcu. Konkretnie w stanowym domu dziecka, ale to w sumie żadna różnica. Ten sierociniec nazywa się Hetton House i jest w tej samej okolicy, co aparat, z którego dzwonił Blaisdell.

Sterling wstał z fotela.

– Działa jeszcze?

– Nie. Zamknęli go piętnaście lat temu.

– Kto tam teraz mieszka?

– Nikt. Władze miasta sprzedały go jakimś ludziom, którzy chcieli tam urządzić zwykłą dzienną szkołę. Inwestycja splajtowała, a miasto przyjęło nieruchomość z powrotem. Od tej pory stoi pusta.

– Założę się, że tam go znajdziemy – oznajmił Sterling. To była czysta intuicja, ale coś mu mówiło, że ma rację. Dorwą tego drania już dziś, z samego rana. Jego i wszystkich, którzy mu pomagają. – Dzwoń do policji stanowej – polecił partnerowi. – Mają nam dać dwudziestu ludzi. Przynajmniej! Plus nas dwóch... – zastanowił się – I Frankland. Ściągnij Franklanda z biura.

– Prędzej z łóżka...

– Ściągnij go. I niech Norman ruszy dupę tu, do gabinetu. Będzie pilnował telefonu.

– Na pewno tak to chcesz...

– Na pewno. Ten Blaisdell to kanciarz, kretyn i leń. – Niepodważalne przeświadczenie, że każdy kanciarz to leń, stanowiło jeden z dogmatycznych fundamentów osobistej wiary Alberta Sterlinga. – Gdzie miałby się ukryć? Tylko tam – powiedział twardo. Zerknął na zegarek. Była za kwadrans szósta. – Mam tylko nadzieję, że dzieciak jeszcze żyje. Ale nie daję za to głowy.

Blaze obudził się kwadrans po szóstej. Obrócił się na bok, żeby spojrzeć na Joego, który przespał tę noc razem z nim. Dodatkowe ciepło ciała chyba dobrze mu zrobiło. Czoło miał chłodne i rzęził już znacznie mniej niż przedtem, ale plamy od gorączki nie zniknęły z jego policzków. Blaze włożył mu palec do ust (mały natychmiast zaczął go ssać) i w dziąśle po lewej stronie wyczuł kolejny obrzęknięty guzek. Nacisnął go lekko, a Joe jęknął przez sen i odwrócił głowę.

– Cholerne zęby – szepnął Blaze, spoglądając z kolei na czoło malucha. Krew już zakrzepła i raczej nie wyglądało na to, żeby po ranie miała pozostać blizna. Bardzo dobrze. Przez życie trzeba iść z podniesionym czołem. To nie miejsce na bliznę.

Skończył ogląd, ale nie odrywał zafascynowanego wzroku od uśpionej twarzyczki chłopca. Jeśli nie liczyć tego gojącego się zadrapania, Joe miał skórę bez zarzutu. Białą, ale z lśniącą oliwkową nutą. Blaze pomyślał, że taka skóra nigdy nie spiecze się na słońcu, a tylko opali na piękny kolor starego drewna; zrobi się taka ciemna, że chłopaka będzie można wziąć za Murzyna. Nie tak jak u mnie, dodał w myślach, bo ja w lato chodzę czerwony jak gotowany homar. Powieki Joego miały delikatny, lecz wyraźny bladoniebieski odcień; w podobnym kolorze były dwa cienkie półksiężyce rysujące się pod oczami. Usta – różowe, lekko zaciśnięte.

Blaze dotknął jednej małej rączki, uniósł ją odrobinę do góry. Cała dłoń natychmiast zacisnęła się na jego najmniejszym palcu. To będzie duża dłoń, pomyślał. Któregoś dnia te ręce będą trzymać stolarski młotek albo klucz mechanika. Może nawet pędzel.

Poczuł nagły dreszcz, patrząc na ten świt nowego życia, pełnego możliwości. Zapragnął porwać małego na ręce. Dlaczego? Żeby zobaczyć, jak otwiera oczka i patrzy prosto na niego. Kto wie, co zobaczą te oczy w przyszłości, w nadchodzących latach? Tego nie wie nikt, ale na razie są zamknięte. Tak jak cały Joe, cudowna i straszliwa księga zapisana niewidzialnym atramentem. Blaze zrozumiał, że pieniądze przestały się już dla niego tak naprawdę liczyć. Teraz chciał już tylko jednego: zobaczyć, jakie słowa pojawią się na tych stronicach. Jakie ilustracje.

Ucałował skrawek czystej skóry tuż pod skaleczeniem, a potem odrzucił koc i podszedł do okna. Wciąż padał śnieg; białe powietrze na tle białej ziemi. Przez noc musiało napadać chyba ze dwadzieścia centymetrów. I to jeszcze wcale nie był koniec.

Już prawie cię mają, Blaze.

Odwrócił się błyskawicznie.

– George! – zawołał cicho. – To ty, George?

To nie był on. Te słowa wyszły z jego własnej głowy. Ale na miłość boską, skąd u niego taka myśl?

Wrócił do okna. Jego zniekształcone czoło ściągnęło się w głębokim zamyśleniu. Tamci wiedzą już, jak nazywa się facet, którego szukają; przecież sam, w swojej głupocie, przedstawił się telefonistce prawdziwym nazwiskiem, pełnym, nawet tego juniora jej wypaplał. Wydawało mu się to cwane, ale to była czysta głupota. Jak zawsze. Głupota to więzienie, z którego nigdy się nie wychodzi. Nie ma zwolnień za dobre sprawowanie, każdy kibluje tam na dożywociu.

Gdyby George o tym usłyszał, to z całą pewnością obśmiałby się tym swoim końskim śmiechem i powiedział: „Założę się, że już się wzięli do roboty i wyciągnęli twoje akta. Listę przebojów Claytona Blaisdella. Poczytali tam sobie i o tym numerze z wielebnym Garym, i o twojej odsiadce w South Portland, i o Hetton House…

Nagle, jak meteor przecinający nieboskłon jego świadomości, błysnęło mu: Przecież jestem w Hetton House!!

Potoczył dzikim spojrzeniem dookoła, jakby chciał sprawdzić, czy to prawda.

Już prawie cię mają, Blaze.

I znów poczuł się jak zaszczuty pies, osaczony przez zacieśniający się krąg łowców. Pomyślał o białej salce do przesłuchań, o pełnym pęcherzu, o pytaniach ciskanych ze wszystkich stron bez czekania na odpowiedź. A tym razem przecież to nie będzie skromniutka rozprawa przy półpustej sali, tylko wielki cyrk, wszystkie miejsca wyprzedane. A potem więzienie do końca życia. I karcer, kiedy człowiekowi odwali.

Przeraził się, ale to jeszcze wcale nie było najgorsze. Najgorsza była myśl o tym, że wpadną tutaj ze spluwami w łapach i zabiorą mu dzieciaka. Że znów go porwą. Jego mały Joe porwany.

W gabinecie było zimno, ale na czoło i ręce i tak uderzył mu pot.

Ty biedny frajerze. Będzie cię nienawidził do końca swoich dni. Już tamci się o to postarają.

To też nie był George, lecz jego własna myśl. Szczera prawda.

Zaczął kombinować, zmuszając mózg do wściekłego wysiłku, usiłując ułożyć sobie jakiś plan działania. Musi się znaleźć jakaś kryjówka. Musi.

Joe zaczął się budzić i wiercić, ale Blaze nawet go nie słyszał. Kryjówka. Bezpieczne miejsce. Gdzieś blisko. Gdzieś, gdzie by go nie znaleźli. Takie miejsce, o którym nawet George nie wie, takie miejsce…

I nagle doznał olśnienia.

Zawirował na pięcie i skoczył do posłania. Joe leżał z otwartymi oczami. Kiedy zobaczył Blaze'a, uśmiechnął się do niego szeroko i wsadził kciuk do buzi – ten gest wyglądał prawie że zawadiacko.

– Dostaniesz papu, Joe. Jedz szybko. Musimy wiać, ale mam pomysł.

Nakarmił malucha przecierem z wołowiny i sera. Joe potrafił już wciągnąć cały słoiczek za jednym posiedzeniem, ale tym razem zaczął odwracać głowę już po piątej łyżce, a kiedy Blaze próbował karmić go na siłę, rozpłakał się głośno. Dostał więc butelkę, do której przyssał się łapczywie. Cały problem polegał na tym, że zostały już tylko trzy takie porcje.

Kiedy Joe leżał sobie na kocu z butelką w łapkach, Blaze biegał po całym gabinecie, pakując się pospiesznie. Rozerwał paczkę pampersów i wypchał sobie nimi koszulę, aż brzuch wydął mu się jak u cyrkowego grubasa.

Potem przykląkł i zaczął ubierać malucha najcieplej jak tylko się dało: dwie koszulki, dwie pary spodenek, sweterek i jego maleńka czapeczka robiona na drutach. Przez cały czas Joe krzyczał z oburzeniem, pokazując, jak bardzo go to męczy. Blaze nie zwracał uwagi na te krzyki. Kiedy już go ubrał, złożył swoje dwa koce, tworząc małą, grubą kopertę i wsunął dziecko do środka. Joe był już taki wściekły, że aż zrobił się fioletowy na buzi. Blaze zabrał go z gabinetu i zniósł po schodach; wrzaski niemowlaka niosły się echem po niszczejącym korytarzu. Na parterze włożył Joemu na główkę własną czapkę, pamiętając, żeby przekrzywić ją na lewą stronę; opadła małemu aż na ramiona. Blaze otworzył drzwi i wyszedł na zewnątrz, prosto w śnieżną zawieję.

Przeciął dziedziniec na tyłach budynku i przelazł niezdarnie przez otaczający go betonowy murek. Po drugiej stronie znajdował się kiedyś ogród zwycięstwa. Teraz nie rosło tutaj już nic oprócz krzaków (widocznych jako garby pod płaszczem śniegu) i młodych, strzępiastych sosenek, rozsianych kompletnie bez ładu i składu. Blaze biegł truchtem, przyciskając dziecko mocno do piersi. Joe przestał już płakać, ale czuć było jego szybki, urywany oddech – walczył z powietrzem o temperaturze minus dwanaście.

Ogród zwycięstwa kończył się kolejnym murkiem, tym razem ułożonym z kamieni. Wiele z nich wypadło, pozostawiając duże, ziejące wyrwy. Blaze przeszedł przez jedną z nich i na pół się zsuwając, a na pół skacząc, zszedł po stromiźnie, która zaczynała się za murkiem. Wzbijał przy tym obcasami chmury sypkiego śniegu. Na dole rósł las, ale trzydzieści pięć czy może czterdzieści lat temu zdarzył się tutaj pożar i to duży. Drzewa i chaszcze odrosły jak popadło, walcząc ze sobą nawzajem o przestrzeń do życia i światło słońca. Wszędzie leżały pnie drzew połamanych przez wiatr. Często nie było ich widać spod śniegu, przez co Blaze musiał zwolnić tempo marszu, chociaż wiedział, że należy się spieszyć. Wicher wył, szarpiąc za wierzchołki drzew, których pnie jęczały z wyrzutem.

Joe zaczął kwilić gardłowym, zdławionym głosem.

– Już dobrze – uspokajał go Blaze. – Już blisko.

Nie był pewien, czy stare ogrodzenie z drutu kolczastego jeszcze stoi tam, gdzie stało, ale nie musiał się o to martwić. Było na swoim miejscu, chociaż zawiane śniegiem. Mało brakowało, a wlazłby na nie, wywalił się i upuścił dziecko prosto w zaspę. Udało mu się jednak tego uniknąć. Przekroczył ogrodzenie – ostrożnie – i zagłębił się w rozpadlinę, pęknięcie gruntu, w którym widać było same kości ziemi. Im dalej, tym rozpadlina robiła się głębsza, a śniegu ubywało. Wiatr świszczał im teraz gdzieś nad głowami.

– Jesteśmy – powiedział Blaze. – To już gdzieś tutaj.

Zaczął myszkować mniej więcej w połowie dna rozpadliny, które dalej znów się podnosiło. Zaglądał za zwały kamieni wystające z ziemi, na wpół odsłonięte korzenie, dziury zawiane śniegiem i sterty starych sosnowych igieł. Nie mógł znaleźć tego, czego szukał. Panika chwyciła go za gardło. Wiedział, że to upiorne zimno sączące się przez warstwy koców i ubranek dociera już do skóry Joego.

Może jeszcze trochę głębiej.

Zszedł kilka kroków niżej. Nagle poślizgnął się i wylądował na tyłku, nie wypuszczając przyciśniętego do piersi dziecka. Ostry ból ukąsił go w prawą kostkę, jakby ktoś wbił mu głęboko pod skórę rozpalone igły. Uniósł głowę – i ujrzał przed sobą trójkątną łatę cienia rozpiętą pomiędzy dwoma okrągłymi głazami, które wybrzuszały się ku sobie niczym kobiece piersi. Podpełzł bliżej, wciąż tuląc małego do siebie. Tak jest; tego właśnie szukał. Trzy razy tak. Skulił się i wgramolił do środka.

W jaskini było ciemno, wilgotno i nadspodziewanie ciepło. Jej dno gęsto pokrywały stare, miękkie sosnowe gałęzie. Blaze doznał silnego *déjà vu*. Przecież sam je tutaj przytaszczył, razem z Johnnym Cheltzmanem. Odkryli to miejsce przypadkiem, kiedy urwali się kiedyś do lasu, łamiąc regulamin Hetton House.

Blaze ułożył małego na posłaniu z gałęzi, poszperał w kieszeni i wyjął zapałki, które zawsze nosił przy sobie. Zapalił jedną. Jej migotliwe światło wydobyło napis na ścianie jaskini: równe, staranne pismo Johnny'ego.

Johnny C i Clay Blaisdell. 15 sierpnia. Trzeci rok w Piekle.

Litery wypisano kopciem ze świecy.

Blaze zadrżał – nie z zimna, tutaj nie było wcale zimno – i strzepnął dłoń, gasząc zapałkę.

Joe patrzył na niego, przebijając wzrokiem półmrok. Dyszał ciężko. W oczach miał strach. Aż w pewnej chwili dyszenie ucichło.

– Jezu, a tobie co? – krzyknął Blaze, a kamienne ściany huknęły mu tym krzykiem prosto nad samym uchem. – Co się stało? Co z tobą...

I nagle zrozumiał. Za mocno zawinął małego w te koce. I jeszcze poprawił, kiedy kładł go na gałęziach. Za mocno. Joe zaczął się dusić. Drżącymi palcami rozluźnił tobołek z dzieckiem. Joe wciągnął wielki haust wilgotnego jaskiniowego powietrza i rozpłakał się słabym, roztrzęsionym głosikiem.

Blaze wygarnął pampersy zza koszuli i wyjął butelkę z mlekiem. Joe nie chciał pić i odwracał głowę od smoczka.

– Poczekaj – powiedział Blaze. – Jedną chwilę.

Wziął swoją czapkę, wcisnął ją na głowę, przekrzywił na lewą stronę i wyszedł.

U wylotu jaru znalazł stertę uschniętego drewna, które było w sam raz. Wziął kilka gałęzi, a spod spodu wyciągnął parę garści suchych liści, które poupychał w kieszeniach. Wrócił z tym do jaskini i rozpalił małe ognisko. Nad otworem wejściowym znajdowała się szczelina, podobna kształtem do rozszczepionego podniebienia; nieduża, ale cug był i większa część dymu ulatywała na zewnątrz. Nie musiał się martwić, że ktoś to zobaczy, przynajmniej dopóki tak mocno wiało i padał śnieg.

Dorzucał do ognia patyk za patykiem, a kiedy płomienie zaczęły już dziarsko trzaskać, wziął Joego na kolana i rozgrzał porządnie. Chłopczyk oddychał już normalniej, ale cały czas grało mu w płucach.

– Zabiorę cię do doktora – zapowiedział Blaze. – Jak tylko to wszystko się skończy. Doktor cię wyleczy. Będziesz zdrowiutki jak rydz.

Joe znienacka uśmiechnął się do niego szeroko, pokazując swój nowy ząbek. Blaze też się uśmiechnął i westchnął z ulgą. Jak się śmieje, to chyba nie może być aż taki chory? Podsunął maluchowi palec. Joe capnął za niego.

– Przybij, chłopaku – zaśmiał się Blaze. Wyjął z kieszeni butelkę zimnego mleka i postawił blisko ognia, żeby się ogrzało. Z zewnątrz wiatr zawodził i skowytał, ale w jaskini powoli robiło się ciepło i miło. Szkoda, pomyślał, że od razu nie wpadłem na to, żeby się tu schować. To lepsze miejsce niż Hetton House. Źle zrobiłem, że zabrałem Joego do sierocińca. To zła karma, jak by powiedział George.

– No – mruknął – ale i tak nie będziesz tego pamiętał. Co nie?

Kiedy butelka była już ciepła, podsunął małemu smoczek. Tym razem Joe przyssał się do niego z wielką chęcią i pił, dopóki starczyło mleka. Kiedy znikały ostatnie krople, oczy chłopczyka zaszkliły się i nabrały nieobecnego wyrazu, który Blaze znał już bardzo dobrze. Wziął dziecko na ręce, ułożył sobie jego główkę na ramieniu i zaczął lekko kołysać. Chwilę później poczuł, że mu się odbiło: raz, potem drugi, a następnie Joe zaczął gaworzyć po swojemu, mamłając jakieś niezrozumiałe słówka. Po mniej więcej pięciu minutach uciszył się i z powrotem zamknął oczy. Blaze przyzwyczaił się już do tego rozkładu zajęć. Teraz Joe będzie spał przez trzy kwadranse – może nawet godzinę – a potem się obudzi i do południa będzie chciał coś robić.

Blaze bał się panicznie zostawić go samego, zwłaszcza po wczorajszym wypadku, ale sprawa była ważna. Tak podpowiadał mu instynkt. Położył malucha na kocu i nakrył go drugim kocem, który przycisnął do ziemi dużymi kamieniami. W ten sposób – miał nadzieję – nawet jeśli Joe się obudzi, nie da rady wypełznąć spod przykrycia. Nic innego nie można było zrobić.

Blaze wyczołgał się tyłem z jaskini i ruszył z powrotem po własnych śladach, które powoli znikały już pod śniegiem. Szedł szybko, a po wyjściu z rozpadliny puścił się biegiem. Był kwadrans po siódmej.

Kiedy Blaze ogrzewał mleko, żeby nakarmić malucha, Sterling jechał radiowozem, który stanowił centrum dowodzenia akcją odbicia porwanego dziecka. Samochód miał napęd na cztery koła. Sterling siedział przy kierowcy, tam, gdzie był uchwyt ze strzelbą. Prowadził jeden z funkcjonariuszy policji stanowej. Kiedy nie miał na głowie tej swojej wielkiej płaskiej czapki, wyglądał jak rekrut piechoty morskiej świeżo po pierwszym strzyżeniu. Dla Sterlinga większość policjantów ze stanówki przypominała rekrutów piechoty morskiej, tymczasem typowy agent FBI wyglądał przeważnie jak prawnik albo księgowy, słusznie zresztą, bo przecież...

Pozbierał rozproszone myśli i zwołał je z powrotem do szeregu.

– Nie można by tak trochę szybciej? – zapytał kierowcę.

– Można by – padła odpowiedź. – Akurat dobry poranek na szukanie zębów w jakiejś zaspie.

– Musicie do mnie mówić takim tonem?

– Denerwuję się przez tę pogodę – wyjaśnił policjant ze stanówki. – Gówniana śnieżyca. Pod tym, co napadało, jest twardo i ślisko jak cholera.

– W porządku. – Sterling rzucił okiem na zegarek. – Daleko jeszcze do Cumberland?

– Dwadzieścia cztery kilometry.

– Za ile tam dojedziemy?

Policjant wzruszył ramionami.

– Dwadzieścia pięć minut?

Sterling stłumił warknięcie. To miała być akcja FBI „przeprowadzona we współpracy" z lokalną policją stanową. Była jedna, jedyna rzecz, której agent Sterling nienawidził bardziej niż takiej „współpracy", a mianowicie kanałowe leczenie zębów. Kiedy w akcji bierze udział policja stanowa, rośnie prawdopodobieństwo tego, że wszystko totalnie się popieprzy (więcej ludzi – więk-

232

szy bajzel), które, rzecz jasna, dobija stu procent, jeśli zmusza się Biuro do owej koszmarnej „kooperacji" z lokalnymi służbami. Wystarczyło już to jedno, że trzeba było jechać na akcję z podrabianym komandosem, który bał się prędkości przekraczającej osiemdziesiąt kilometrów na godzinę.

Sterling zmienił pozycję w fotelu, przy czym rękojeść pistoletu wbiła mu się prosto w krzyż. Mimo takich niewygód zawsze nosił broń w tym miejscu. Agent Sterling ufał swojej broni, swojemu Biuru i swojemu nosowi. Miał nos jak dobry pies myśliwski. Dobry pies myśliwski potrafi więcej niż tylko wywęszyć kuropatwę czy indyka w zaroślach; on czuje strach podchodzonego ptaka i wie, w którym momencie i w którą stronę ptak rzuci się do ucieczki, nie mogąc dłużej znieść tego strachu. Wie, kiedy pragnienie zerwania się do lotu zwycięży nad koniecznością siedzenia cicho w bezpiecznej kryjówce.

Blaisdell też czai się w swojej kryjówce, którą najprawdopodobniej był ten zamknięty, zapomniany sierociniec. I dobrze, że się czai, tyle że musi nadejść moment, kiedy nie będzie mógł dłużej tego znieść. Tak mówił Sterlingowi jego nos. Ten dupek nie poleci, bo nie ma skrzydeł, ale ma nogi i może uciec.

Sterling ostatecznie nabrał też przekonania, że Blaisdell działa w pojedynkę. Gdyby był z nim ktoś inny – czyli mózg całej operacji, który z początku wydawał się agentom FBI zupełnie nieodzowny – to do tej pory na pewno odezwałby się już osobiście, chociażby dlatego, że ten Blaisdell był głupi jak but. Ale nie; wszystko wskazywało na to, że jest sam i wrócił do tego starego sierocińca (jak jakiś popieprzony gołąb pocztowy, pomyślał Sterling), pewien, że nikt nie będzie go tam szukał. Można było spokojnie założyć, że nakryją go jak przerażoną przepiórkę schowaną za krzakiem.

Chyba, że z tego strachu da nogę. Sterling wiedział, że tak może się zdarzyć.

Zerknął na zegarek. Właśnie minęła szósta trzydzieści.

Obława była tak ustawiona, żeby zamknąć trójkąt pomiędzy szosą numer dziewięć (od zachodu), drugorzędną drogą o nazwie Skrót Półgłówka (od północy) i starą drogą leśną (od południowego wschodu). Po dotarciu wszystkich funkcjonariuszy na wyznaczone stanowiska pętla zacznie się zaciskać, aż w końcu dotrze do Hetton House. Śnieg był upierdliwy jak drzazga w dupie, ale zapewni im osłonę, kiedy ruszą do akcji.

I to był dobry plan, tylko...

– Nie możecie trochę dać po garach? – zapytał Sterling. Wiedział, że nie powinien, że nie wolno popędzać kierowcy, ale nie mógł się powstrzymać.

Policjant spojrzał z ukosa na faceta, który siedział obok niego. Zobaczył ściągniętą twarz i rozgorączkowane oczy. I pomyślał: coś mi się wydaje, że ten zajadły skurwiel chce ukatrupić tamtego gościa.

– Pan zapnie pas, agencie – powiedział.

– Zapięty – odparł Sterling i wsadził za niego kciuk jak za kamizelkę.

Policjant westchnął i delikatnie docisnął pedał gazu.

O godzinie siódmej rano Sterling wydał rozkaz i zgromadzone siły ruszyły do akcji. Śnieg był bardzo głęboki – miejscami ponad metr dwadzieścia – ale obława brnęła dzielnie przez zaspy, utrzymując stały kontakt radiowy. Nikt się nie skarżył; chodziło przecież o życie małego dziecka. Śnieżyca narzucała im nienaturalną potrzebę pośpiechu. Sylwetki ludzi przedzierających się przez las wyglądały jak na starym niemym filmie, melodramacie w kolorze sepii, gdzie nikt nie ma żadnych wątpliwości, kim jest ten zły.

Sterling dowodził akcją jak zawodowy rozgrywający. Trzymał rękę na pulsie, kontrolując podwładnych przez krótkofalówkę. Ci, którzy szli od wschodu, mieli najłatwiejszy teren, więc kazał im zwolnić, chcąc zgrać ich w czasie z drugą grupą, idącą od strony szosy stanowej numer dziewięć i trzecią, która ruszyła ze Skrótu Półgłówka i musiała wejść na Pagór Półgłówka. Sterling chciał nie tylko otoczyć Hetton House. Ta obława miała też drugie zadanie: przetrząsnąć po drodze wszystkie zarośla i zagajniki, w których mógł się schować ścigany ptaszek.

– Sterling, tu Tanner, słyszysz mnie?

– Słyszę cię, Tanner, odbiór.

– Wyszliśmy na drogę prowadzącą do sierocińca. Ten łańcuch, który tu wisi, nie jest zerwany, ale kłódkę ktoś rozwalił. Facet na pewno tutaj przyjechał. Odbiór.

– Zrozumiałem – powiedział Sterling. Poczuł falę podniecenia biegnącą po zakończeniach nerwowych. Pomimo mrozu zaczął się pocić: pod pachami i w pachwinach. – Są tam jakieś świeże ślady opon, odbiór?

– Nie ma. Odbiór.

– Kontynuujcie. Bez odbioru.

Mają go. Najbardziej ze wszystkiego Sterling obawiał się, że Blaisdell znów się im wymknął – zabrał dziecko i uciekł – ale nie. Uniósł krótkofalówkę do ust i łagodnym głosem wydał polecenie. Obława przyspieszyła tempo. Policjanci brnęli w śniegu, dysząc jak psy.

Blaze przelazł przez murek pomiędzy ogrodem zwycięstwa a dziedzińcem na tyłach Hetton House i rzucił się pędem do drzwi. Myśli miał zalane przeraźliwą, trwożną wrzawą, a wszystkie nerwy na samym wierzchu, obłędnie tkliwe, jak stopy człowieka, który musiał przejść boso po tłuczonym szkle. W głowie tłukły mu się słowa George'a, raz po raz, jak zacięta płyta: *Już prawie cię mają, Blaze.*

Wbiegł po schodach, przeskakując jak wariat po kilka stopni naraz, wpadł z poślizgiem do gabinetu dyrektora i zaczął pakować wszystko – ubranka, jedzenie, butelki – na oślep do kołyski. Kiedy skończył, natychmiast zbiegł z wielkim hukiem na dół i z powrotem wypadł na dwór.

Była godzina siódma trzydzieści.

Siódma trzydzieści.

– Stać – powiedział cicho Sterling do mikrofonu swojej krótkofalówki. – Niech wszyscy na chwilę staną w miejscu. Granger? Bruce? Słyszysz mnie?

Głos człowieka, który mu odpowiedział, był potulny i skruszony:

– Tu Corliss.

– Corliss? Nie chcę gadać z tobą, tylko z Bruce'em. Odbiór.

– Agent Granger nie może iść dalej. Chyba złamał nogę. Odbiór?

– Co!?

– W tym lesie jest od cholery wykrotów. Agent Granger, ee... trafił na taką dziurę i noga mu tam wpadła. Co mamy robić? Odbiór.

Czas, czas ucieka. Nagle Sterling ujrzał oczyma duszy monstrualną klepsydrę wypełnioną śniegiem i Blaisdella przemykającego przez jej przewężenie. Na sankach, kurwa jego mać.

– Unieruchomić mu tę nogę i zawinąć go ciepło. Dasz mu swoją krótkofalówkę. Odbiór.

– Tak jest. Chce pan jeszcze z nim rozmawiać? Odbiór?

– Nie. Chcę się już ruszyć. Odbiór.

– Tak jest, zrozumiałem.

– W porządku – powiedział Sterling. – Dowódcy grup, gazu. Bez odbioru.

Blaze przebiegł z wywieszonym językiem na przełaj przez ogród zwycięstwa. Wdrapał się na zniszczony murek z kamieni. Na szczycie poślizgnęła mu się noga. Zleciał na dół i sturlał się po stromiźnie, przyciskając kołyskę do piersi. Wpadł pomiędzy drzewa.

Wstał i ruszył dalej przed siebie, ale po chwili przystanął. Postawił kołyskę na ziemi i wyciągnął zza pasa pistolet George'a. Niczego nie zobaczył ani nie usłyszał, ale nie wiadomo skąd – wiedział.

Stanął za pniem wysokiej sosny. Lewy policzek szybko mu zdrętwiał od zacinającego śniegu. Blaze czekał, nie ważąc się nawet drgnąć, ale jego myśli goniły wściekle jedna drugą. Wszystko w nim wyrywało się z powrotem do jaskini, gdzie został Joe, ale równie silny głos kazał stać cicho i czekać.

A jeśli Joe wyplącze się spod koca, zacznie raczkować i wejdzie w ogień?

Nie zrobi tego, uspokajał się Blaze. Nawet małe dzieci boją się ognia.

A jeśli wypełznie z jaskini prosto w śnieg? A jeśli właśnie teraz, w tej chwili, mały Joe umiera z zimna, kiedy on, Blaze, sterczy tu jak ten kołek?

Nie wypełznie. Przecież śpi.

Owszem, śpi. I nikt, absolutnie nikt nie wie, jak długo będzie jeszcze spał w obcym miejscu. A jeśli wiatr się zmieni i zacznie nawiewać dym z ogniska do jaskini? Ty tu sobie stoisz, w promieniu trzech czy ośmiu kilometrów nie ma żywej duszy, a...

To nieprawda. Ktoś był tutaj oprócz niego. Nie wiadomo kto. Ale las milczał. Gwizdał tylko wiatr, skrzypiały drzewa i szeptał padający śnieg.

Trzeba już iść.

Tylko, że to akurat taki moment, kiedy trzeba czekać.

Trzeba go było wtedy zabić, Blaze, tak jak mówiłem.

George. W mojej głowie. W takiej chwili? Jezu...!

Cały czas tutaj siedzę, nigdzie się nie ruszam. Idź już!

Blaze postanowił, że pójdzie. A potem wymyślił, że najpierw policzy do dziesięciu. Doliczył do sześciu – i nagle od szarozielonego tła drzew rosnących nieco niżej oderwał się jakiś kształt.

Był to policjant ze stanówki, ale Blaze nie poczuł strachu. Strach wypalił się w nim do cna; czuł już tylko śmiertelny spokój. Joe był w tej chwili najważniejszy, nic innego się nie liczyło, tylko to, że Joe potrzebuje opieki. Z początku myślał, że policjant go nie zauważy, ale nawet jeśli, to nie mógł nie zauważyć śladów, co w sumie było bez różnicy.

Blaze spostrzegł, że policjant minie go z prawej strony, więc przesunął się w lewo, jeszcze dalej za pień swojej wysokiej sosny. Przypomniało mu się nagle, jak kiedyś bawili się w tym lesie z Johnem, Farfoclem i innymi chłopakami: w Indian i kowbojów, w policjantów i złodziei. Krzywy patyk w garści, pif-paf i nie żyjesz.

A teraz wystarczy jeden strzał i będzie po wszystkim. Może być spudłowany, nie musi zabić, nie musi zranić. Wystarczy, że będzie słychać huk. Blaze poczuł pod kołnierzem ciężkie uderzenia pulsu.

Policjant przystanął. Zobaczył ślady. Nie mógł ich przegapić. A może mignęła mu zza drzewa poła kurtki? Blaze odbezpieczył pistolet George'a. Jeśli ten strzał naprawdę musi paść, to wolał, żeby to było z jego broni.

Ale po chwili policjant znów ruszył przed siebie. Od czasu do czasu zerkał w dół, na zasypaną śniegiem ziemię, ale przede wszystkim przyglądał się zaroślom. Był o pięćdziesiąt metrów. Nie, zaraz – bliżej.

Z lewej strony rozległ się hałas i przekleństwo; to ktoś wywalił się na zasypanym wykrocie albo potknął o nisko rosnącą gałąź. Blaze załamał się jeszcze bardziej. To znaczyło, że są w całym lesie. Ale jeśli... może gdyby wszyscy szli w tym samym kierunku...

Hetton! Chcą okrążyć Hetton House! Jasne! Więc jeśli teraz uda się wrócić do jaskini, to będzie znaczyło, że obława go minęła. A nie tak daleko stąd, może z pięć kilometrów, biegnie leśna droga...

Policjant zbliżył się na dwadzieścia pięć metrów. Blaze przesunął się jeszcze trochę bardziej, żeby drzewo go zasłaniało. Jeśli ktoś wyskoczy teraz z tych zarośli do drugiej stronie sosny, to będzie miał przesrane.

Policjant minął sosnę. Blaze słyszał wyraźnie, jak śnieg chrupie pod jego butami. Słyszał nawet, że coś brzęczy mu w kieszeni – drobny bilon albo może klucze. I jeszcze coś. Skrzypiący skórzany pas.

Małymi kroczkami Blaze wsunął się jeszcze kawałek dalej za drzewo. I czekał. Kiedy wyjrzał ponownie, policjant stał tyłem do niego. Nie zauważył jeszcze śladów, ale naprawdę nie mógł ich przegapić. Jeszcze chwila i dosłownie na nie wejdzie.

Blaze wyszedł zza drzewa i zbliżył się do policjanta wielkimi, bezszelestnymi krokami. Odwrócił pistolet George'a w dłoni i chwycił go za lufę.

Policjant spojrzał pod nogi i zobaczył ślady. Zesztywniał na całym ciele, a w następnej chwili sięgnął po krótkofalówkę wiszącą u pasa. Blaze zamachnął się mocno i wyrżnął go rękojeścią pistoletu prosto w głowę. Policjant stęknął i zatoczył się, ale jednak jego czapka z szerokim rondem osłabiła, i to całkiem poważnie, siłę uderzenia. Blaze zamachnął się jeszcze raz, z boku, trafiając go w lewą skroń. Rozległ się stłumiony, głuchy odgłos. Czapka obróciła się i spadła policjantowi na prawy policzek; Blaze zobaczył młodą, jeszcze prawie chłopięcą twarz. W następnej chwili kolana ugięły się pod nim i padł na ziemię, wzbijając tuman śniegu.

– Kurwa – powiedział Blaze, a z oczu trysnęły mu łzy. – Nie możecie zostawić człowieka w spokoju? Chwycił policjanta pod pachy i zaciągnął pod wysoką sosnę. Tam go usadził, opierając plecami o pień i włożył mu czapkę z powrotem na głowę. Krwi nie było znowu aż tak dużo, ale Blaze nie dał się nabrać. Wiedział dobrze, jaką siłę ma w ręce. Wiedział o tym lepiej niż ktokolwiek. Dotknął szyi policjanta i wyczuł puls, ale słaby. Jeśli koledzy go szybko nie znajdą, to umrze. No cóż, w sumie nikt go przecież tutaj nie zapraszał. Nikt go nie prosił, żeby wtykał nos w nie swoje sprawy.

Zabrał kołyskę i ruszył dalej. Kiedy dotarł do jaskini, dochodziła za kwadrans ósma. Joe wciąż jeszcze spał; widząc to, Blaze znów się popłakał, tym razem z wielkiej ulgi. Ale w jaskini było zimno. Do środka nawiało śniegu, który zgasił ognisko. Blaze zabrał się do rozpalania od początku.

Agent specjalny Bruce Granger patrzył, jak Blaze schodzi do rozpadliny i wpełza na czworakach do jaskini. Po wypadku mógł tylko leżeć bezczynnie i czekać, aż obława się skończy, żeby ktoś mógł po niego wrócić. Noga bolała go jak jasna cholera i czuł się jak kompletny osioł.

Ale to, co wydarzyło się przed chwilą, sprawiło, że poczuł się zgoła inaczej. Jakby wygrał na loterii. Sięgnął po krótkofalówkę, którą zostawił mu Corliss.

– Granger do Sterlinga – powiedział cicho do mikrofonu. – Zgłoś się.

Tylko szum. Przedziwny, ślepy szum.

– Albert, mówi Bruce, pilna sprawa. Zgłoś się.

Nic.

Granger zacisnął powieki.

– Sukinsyn – zgrzytnął zębami. A potem otworzył oczy i zaczął czołgać się w śniegu.

Dziesięć po ósmej.

Albert Sterling i dwóch policjantów ze stanówki stali z bronią w rękach na środku gabinetu Martina Coslawa. W jednym kącie leżał zwinięty koc. Sterling dostrzegł też dwie puste plastikowe butelki do karmienia dzieci i trzy puste puszki po mleku skondensowanym marki Carnation, które wyglądały tak, jakby ktoś je otworzył dużym składanym nożem. No i były jeszcze dwa puste pudełka po pampersach.

– Dupa – sapnął. – Dupa, dupa, dupa.

– Daleko nie uciekł – odezwał się Franklin. – Idzie na piechotę. Z dzieciakiem na ręku.

– A na dworze jest minus dwanaście – zauważył ktoś stojący na korytarzu.

Sterling pomyślał: A może by tak mi który powiedział coś, czego jeszcze, kurwa, nie wiem?

Franklin rozejrzał się dookoła.

– Gdzie jest Corliss? Brad, widziałeś Corlissa?

– Chyba został na dole – odpowiedział Bradley.

– Wracamy do lasu – zarządził Sterling. – Ten palant musi być w lesie.

I w tej chwili huknął strzał. Odgłos był słaby, stłumiony padającym śniegiem, ale nie można go było z niczym pomylić.

Wszyscy trzej spojrzeli po sobie. Przez pięć sekund milczeli zszokowani. A może przez siedem. Potem wszyscy jak jeden mąż rzucili się do drzwi.

Joe wciąż jeszcze spał, kiedy w ścianę jaskini uderzyła kula. Zrykoszetowała dwa razy, bzycząc jak rozwścieczona pszczoła i siejąc dookoła granitowymi odpryskami. Blaze akurat rozkładał pieluchy; chciał przewinąć małego, żeby upewnić się, że ma sucho, zanim ruszą w drogę.

Joe obudził się nagle i natychmiast zaczął płakać, wymachując rączkami. Jeden twardy odprysk skaleczył go w twarz. Blaze nie myślał, co robi. Zobaczył krew i procesy myślowe ustały całkowicie. To, co zajęło ich miejsce, było czarne i opętane żądzą mordu. Wypadł z jaskini i wyjąc jak potępieniec, rzucił się w kierunku, skąd padł strzał.

ROZDZIAŁ 22

Blaze siedział sobie przy barze u Moochiego, zajadał pączka i czytał komiks ze Spider-Manem; w takich to właśnie okolicznościach w jego życiu pojawił się George. Zaczął się już wrzesień. Od dwóch miesięcy Blaze nie miał żadnej roboty i było u niego cienko z forsą. Kilku jego znajomych cwaniaków, tak jak on stałych bywalców tego lokalu, przyskrzyniły ostatnio gliny. Blaze'a też wzięli na przesłuchanie w sprawie napadu na agencję kredytową w Saugus, ale ponieważ nie brał udziału w tamtej robocie, był tak szczerze zdumiony, że go puścili. Zaczynał myśleć, czy by nie wrócić do starej pracy w szpitalnej pralni.

– To on – usłyszał nagle czyjś głos. – To jest Diabeł.

Blaze odwrócił się. Za nim stał niejaki Hankie Melcher, a obok niewysoki gość w eleganckim garniturze. Miał ziemistą cerę i oczy, które wydawały się płonąć niczym węgle.

– Cześć, Hank – przywitał się Blaze. – Coś długo cię nie widziałem.

– Władza fundnęła mi wczasy – wyjaśnił Hank. – A teraz wyszedłem, bo te debile nie umieją liczyć. Co nie, George?

Niewysoki nie odpowiedział ani słowem, uśmiechnął się tylko blado, nie spuszczając wzroku z Blaze'a, który zaczynał czuć się nieswojo pod tym jego płonącym spojrzeniem.

Moochie podszedł do nowych gości, wycierając ręce w fartuch.

– Się masz, Hankie – mruknął.

– Daj mi koktajl czekoladowy – zarządził Hank. – Ty też chcesz, George?

– Dla mnie tylko kawę. Czarną.

Moochie poszedł przynieść zamówienie.

– Poznajcie się. – Hank przystąpił do prezentacji. – Blaze, to jest mój szwagier, George Rackley. George, to jest Clay Blaisdell.

– Cześć – powiedział Blaze. To już mu wyraźnie pachniało jakąś robotą.

– Się masz. – George skinął głową. – Ale z ciebie kawał byka, wiesz?

Blaze zaśmiał się, zupełnie jakby pierwszy raz w życiu ktoś mu powiedział, że jest z niego kawał byka.

– George to kawalarz – wyjaśnił Hank, szczerząc zęby. – Normalnie jak Bill Crosby, tylko że biały.

– Jasne. – Blaze wciąż się uśmiechał.

Wrócił Moochie. Postawił przed Hankiem jego koktajl, a przed George'em kawę. George upił jeden łyczek i skrzywił się z niesmakiem.

– Musisz srać do kawy, słoneczko? – Spojrzał na Moochiego. – Nie masz tam w kuchni nocniczka?

– George tylko tak mówi – uspokoił szefa Hank.

George pokiwał głową.

– Zgadza się. Bo ja jestem taki kawalarz i tylko tak mówię. Hankie, weź się czymś zajmij na chwilę. Idź sobie popykać na flipperach.

Hankie cały czas suszył zęby w tym swoim szerokim uśmiechu.

– Jasne, dobra. Nie ma sprawy.

Kiedy już go nie było, a Moochie poszedł sobie na drugi koniec baru, George znów zagadnął Blaze'a:

– Ten debil mówił mi, że szukasz roboty.

– Można tak powiedzieć – potwierdził Blaze.

Hankie stanął przed flipperem, wrzucił monety, a potem uniósł pięści w górę i zaczął nucić jakąś melodię, z grubsza przypominającą temat z „Rocky'ego".

George wskazał go skinięciem głowy.

– Wyszedł z kicia i znów ma ambitne plany. Stacja benzynowa w Malden.

– Mówisz?

– No. Po prostu zbrodnia stulecia. Chcesz do wieczora zarobić stówę?

– Jasne – odpowiedział Blaze bez chwili namysłu.

– Zrobisz wszystko, co ci powiem i dokładnie tak, jak powiem?

– Jasne. Co to za skok, panie Rackley?

– George. Mów mi George.

– Co to za skok, George? – Ale kiedy Blaze spojrzał ponownie w te płonące oczy, dodał szybko: – Tylko żeby nikomu nic się nie stało. Ja się nie piszę na mokrą robotę.

– Ja też nie. Tylko debile strzelają do ludzi. Dobra, słuchaj.

Tego samego dnia, po popołudniu, George i Blaze weszli do świetnie prosperującego domu towarowego Hardy's w Lynn. Wszyscy sprzedawcy nosili tam różowe koszule z krótkimi białymi rękawami i plakietki z napisem CZEŚĆ! JESTEM DAVE! albo JOHN! albo ktoś tam. George pod ubraniem miał taką samą koszulę z przypiętą plakietką, na której było napisane CZEŚĆ! JESTEM FRANK!. Kiedy pokazał ją Blaze'owi, ten skinął głową i powiedział:

– To takie coś jakby pseudonim, tak?

George uśmiechnął się – ale nie w ten sposób, jak uśmiechał się przy Hanku – i przytaknął:

– Właśnie, Blaze. Coś jakby pseudonim.

Było w tym uśmiechu coś uspokajającego. Nie był złośliwy, nie miał sprawić przykrości. A ponieważ skok robili tylko we dwóch, więc nikt nie trącał George'a łokciem, kiedy Blaze powiedział coś głupiego; zawsze czuł się wtedy jak jakiś wyrzutek. Wydawało mu się nawet, że George nie śmiałby się z jego odzywek nawet wtedy, gdyby był z nimi jeszcze ktoś, tylko powiedziałby tamtemu pewnie coś w rodzaju „Zaraz cię trącę, debilu". Blaze od razu wiedział, że polubił George'a. To był pierwszy człowiek, do którego poczuł tak szczerą sympatię od czasu śmierci Johnny'ego Cheltzmana.

George też miał w życiu mocno pod górkę. Urodził się w Providence, w katolickim szpitalu św. Józefa, na darmowym oddziale prowadzonym przez siostry miłosierdzia: nieślubne dziecko, ojciec nieznany. Jego matka nie dała się namówić zakonnicom, żeby oddać małego do adopcji; wolała go zatrzymać, chcąc w ten sposób ukarać swoją rodzinę. George wychował się w dziadowskiej części miasta, a w wieku lat czterech miał już za sobą swój pierwszy kant. Rozlał całą miskę owsianych płatków na mleku i matka zabierała się do bicia; wtedy on powiedział jej, że jakiś facet przyniósł dla niej list i zostawił go w przedpokoju, a kiedy poszła szukać, zamknął drzwi do mieszkania na klucz i zwiał po drabince przeciwpożarowej. Dostał później podwójne baty, ale i tak wiedział, że był górą, nawet jeśli tylko przez krótki czas. Była w tym porywająca, radosna euforia, której już nigdy nie zapomniał. Do końca życia gonił takie chwile triumfu: ulotne, ale zawsze upojne.

Był inteligentnym, lecz zgorzkniałym chłopakiem. Wiedział z własnego doświadczenia, że frajerzy pokroju Hanka Melchera nigdy się niczego nie nauczą. Kiedy miał jedenaście lat, on i trzej jego znajomi (George nie miał przyjaciół) ukradli samochód i pojechali nim na przejażdżkę. Dotarli z Providence do Central Falls i tam zgarnęła ich policja. Piętnastolatek, który prowadził, poszedł do poprawczaka. Reszta dostała kuratorów, a George dodatkowo zarobił ostre lanie od alfonsa z popielatą twarzą, który mieszkał wtedy z jego matką. Alfons nazywał się Aidan O'Kellaher i miał chronicznie chore nerki. Stąd wzięła się jego uliczna ksywa: Kelly Sikacz. Sikacz tłukł George'a, aż jego przyrodnia siostra Tansy zaczęła się drzeć, żeby przestał.

– Chcesz dostać to samo co on? – zapytał ją. Tansy pokręciła głową. – To zamknij mordę.

George już nigdy potem nie ukradł samochodu bez powodu. Ten jeden raz wystarczył, żeby się nauczyć, że jazda trefnym wozem dla hecy to żaden interes. Że heca szczęścia nie daje.

Kiedy miał trzynaście lat, złapali go na kradzieży w sklepie taniej sieci Woolsworth's. Znów dostał kuratora i łomot od Sikacza. Nie przestał po tym kraść w sklepach, ale wyrobił sobie technikę i już nigdy więcej nie wpadł.

Kiedy miał lat siedemnaście, Sikacz załatwił mu pracę przy prowadzeniu loterii. Był to czas, gdy miasto Providence przeżywało coś, co od biedy można by nazwać odrodzeniem; w wyniszczonych gospodarczo stanach Nowej Anglii mogło to nawet uchodzić za dobrobyt. Loterie to był dobry biznes, a George żył sobie z tego całkiem nieźle. Ubierał się porządnie, a po jakimś czasie zaczął fałszować książkę przychodów. Sikacz miał go za rzetelnego i przedsiębiorczego chłopaka; co środę dostawał przecież od pasierba sześćset pięćdziesiąt dolarów gotówką. W tajemnicy przed ojczymem George zgarniał do kieszeni kolejne dwie stówy. A potem na północ dotarła mafia z Atlantic City. Gangi przejęły biznes loteryjny, a niektórzy miejscowi, tacy ze średniego szczebla, wylecieli z obiegu. Kelly Sikacz wyleciał aż na złomowisko samochodowe, gdzie znaleziono go później w chevrolecie biscayne. Miał poderżnięte gardło i jaja w schowku na rękawiczki.

George stracił pracę i środki do życia. Przeniósł się do Bostonu i zabrał ze sobą swoją siostrę Tansy, która miała wtedy dwanaście lat. Jej ojciec także był nieznany, ale George żywił w tej kwestii pewne podejrzenia; Sikacz miał taki sam cofnięty podbródek.

Przez kolejnych siedem lat wyspecjalizował się w drobnych kantach; nie było chyba takiego, którego by nie spróbował. Wymyślił nawet kilka własnych. Zawsze kiedy było trzeba, matka, nie patrząc nawet, co robi, podpisywała mu zaświadczenie, że jest prawnym opiekunem Tansy Rackley, a on pilnował, żeby ta kurewka chodziła do szkoły. Aż pewnego dnia wyszło na jaw, że szprycuje się heroiną. Była też, o szczęsny dniu, w ciąży. Hankie Melcher powiedział, że chętnie się z nią ożeni. W pierwszej chwili George był zaskoczony, ale potem przestał się dziwić. Świat jest pełen idiotów, którzy wyłażą ze skóry, żeby tylko pokazać, jacy to oni są cwani.

George szybko polubił Blaze'a, ponieważ Blaze był głupkiem bez jakichkolwiek pretensji do świata. Daleko mu było do cwaniaka, karcianego szulera czy innego numeranta. Nie brał nawet lekkich dragów, o heroinie nie wspominając. Blaze był prostym frajerem. Narzędziem. I tak właśnie traktował go George, gdy działali razem: posługiwał się nim, ale nigdy w niewłaściwy sposób. Jak dobry stolarz, George kochał dobre narzędzia, takie, które za każdym razem robią dokładnie to, co trzeba. No i przy kimś takim jak Blaze nie musiał się pilnować na każdym kroku. Mógł spokojnie iść spać, wiedząc, że kiedy obudzi się rano, forsa ze skoku będzie tam, gdzie ją zostawił – pod łóżkiem.

Blaze działał też jak środek uspokajający na jego rozjuszoną, zajadłą duszę. A to już była naprawdę duża rzecz. Pewnego dnia George zrozumiał, że gdyby mu powiedział: „Blejziński, musisz teraz skoczyć z dachu, bo tak będzie po naszemu", to... to Blaze by skoczył. Był jak cadillac, którego George nie dorobił się przez całe życie – z wielkimi resorami, idealnymi na wyboiste drogi.

Po wejściu do Hardy's Blaze, zgodnie z planem, poszedł prosto do działu z odzieżą męską. Zamiast własnego portfela miał w kieszeni tani plastikowy szajs, a w nim piętnaście dolarów i prawo jazdy na nazwisko David Billings, zameldowany w Reading. Wchodząc pomiędzy wieszaki, włożył palce do kieszeni, jakby chciał sprawdzić, czy ma przy sobie portfel i wysunął go prawie w całości na zewnątrz. Kiedy pochylił się, żeby obejrzeć koszule na jednej z niższych półek, portfel wypadł na podłogę.

To była najbardziej delikatna część całej operacji. Blaze odwrócił się lekko, zezując na portfel, ale tak, żeby nikt tego nie widział. Postronny obserwator zobaczyłby tylko zwykłego klienta pochłoniętego oglądaniem koszul z krótkim rękawem firmy Van Heussen. George szczegółowo mu to wyłuszczył. Mogło tak się zdarzyć, że portfel na podłodze wpadnie w oko jakiemuś uczciwemu człowiekowi; wtedy akcja jest spalona i trzeba próbować gdzie indziej, na przykład w Kmarcie. Czasami dopiero za którymś tam razem wszystko wypali tak, jak powinno.

– Jeju – zdumiał się Blaze. – Nie wiedziałem, że jest aż tylu uczciwych ludzi.

– Aż tylu to nie ma. – George uśmiechnął się lodowato. – Wielu po prostu się boi. A tego portfela masz pilnować jak oka w głowie. Jak ktoś ci go podpieprzy, to jesteś do tyłu o piętnaście dolców, a ja straciłem prawo jazdy warte dużo więcej.

Tego dnia uśmiechnęło się do nich głupie szczęście debiutantów. W przejściu pomiędzy regałami pojawił się facet w koszuli ozdobionej na piersi wszywką z krokodylej skóry. Zauważył portfel i rozejrzał się w obie strony, czy nikt nie idzie. Było pusto. Blaze odłożył koszulę, którą oglądał, wziął z wieszaka następną i stanął przed lustrem, przykładając ją sobie do piersi. Serce waliło mu jak młotem. Poczekaj, aż schowa do kieszeni, mówił George. Wtedy zaczniesz rozróbę.

Facet w koszuli z aligatorem podsunął nogą portfel Blaze'a pod wieszak ze swetrami, które oglądał, a potem wyjął z kieszeni kluczyki do samochodu i upuścił je na podłogę: „oj, coś mi wypadło". Pochylił się i podniósł kluczyki, a razem z nimi zgarnął portfel. Schował jedno i drugie do kieszeni w spodniach i wolnym krokiem zaczął się wycofywać.

– Złodziej!! – ryknął za nim Blaze byczym głosem. – Okradł mnie! Tak, do ciebie mówię!

Klienci zaczęli wyciągać szyje, żeby zobaczyć, co się dzieje. Ekspedienci rozglądali się dookoła. Kierownik zmiany zlokalizował źródło zamieszania i szybkim krokiem ruszył w tamtym kierunku, zatrzymując się po drodze przy kasach, żeby wcisnąć klawisz z napisem „Tryb alarmowy".

Facet w koszuli z aligatorem na piersi pobladł... potoczył wzrokiem dookoła... i rzucił się do ucieczki. Zdążył zrobić cztery kroki. Blaze capnął go za kołnierz.

Przyłóż mu trochę, ale nie rób krzywdy, instruował go George. I w żadnym wypadku nie pozwól gościowi wyrzucić portfela. Jeśli zauważysz, że próbuje się go pozbyć, przykop mu w jaja.

Blaze złapał faceta za ramiona i zaczął nim potrząsać jak butelką z lekarstwem; widocznie trafił na miłośnika poezji Whitmana, bo wycisnął tym z niego przeraźliwe barbarzyńskie wycie. Na podłogę posypały się drobne monety. Facet z aligatorem na koszuli, tak jak ostrzegał George, wsadził rękę do kieszeni, w której schował portfel. Blaze uniósł kolano i wyrżnął go w jaja – z umiarem, nie za mocno. Facet wrzasnął.

– Ja ci dam kraść mi portfel! – ryknął mu Blaze prosto w twarz. Zaczynał się rozkręcać. – Zatłukę cię, gnoju!

– Zabierzcie go ode mnie! – wydarł się facet z aligatorem. – Niech ktoś go weźmie!

– Hej! – Jeden z ekspedientów postanowił się wreszcie wtrącić. – Starczy już tego!

Wtedy George, który tymczasem oglądał sobie ubrania w fasonie sportowym, rozpiął wierzchnią koszulę, ściągnął ją – nie próbując nawet się kryć – i schował pod stosik ubrań w dużych rozmiarach. I tak zresztą nikt nie zwracał na niego uwagi, bo wszyscy patrzyli na Blaze'a, który w tym momencie złapał swojego złodzieja pod szyją, szarpnął potężnie i rozdarł mu koszulę z aligatorem aż do samego pępka.

– Puść go pan! – krzyczał ekspedient, który wmieszał się już na dobre. – Tylko spokojnie!

– Sukinsyn ukradł mi portfel! – ryczał Blaze.

Dookoła zaczął się gromadzić tłum gapiów; chcieli zobaczyć, czy Blaze zdąży zabić faceta, którego złapał, zanim przyjdzie kierownik zmiany, detektyw sklepowy albo inny przedstawiciel władzy.

George podszedł do jednej z dwóch kas w dziale z odzieżą męską, wcisnął klawisz NS i zaczął wybierać pieniądze z szuflady. Spodnie, które miał na sobie, były za duże, a z przodu, na brzuchu, właściciel przyszył niedużą torebkę, coś w rodzaju wewnętrznej, ukrytej saszetki na pasek. Bez pośpiechu napchał ją banknotami: najpierw dziesiątki i dwudziestki – trafiło się nawet kilka pięćdziesiątek, po prostu głupie szczęście debiutanta – potem piątki i dolarówki.

– Puść go pan! – krzyczał kierownik zmiany, przedzierając się przez tłum gapiów. U Hardy'ego był też detektyw sklepowy, który szedł teraz krok za nim. – Dosyć tego! Przestań pan!

Detektyw sklepowy wcisnął się pomiędzy Blaze'a a faceta w podartej koszuli z aligatorem.

Jak tylko przyjdzie detektyw, przestaniesz go lać, pouczył George, ale dalej masz zachowywać się tak, jakbyś chciał mu zrobić kuku.

– Pan zajrzy mu do kieszeni! – zawył Blaze. – Obrobił mnie, sukinsyn!

249

– Na podłodze leżał portfel – zaczął wyjaśniać Aligator. – Rozglądałem się właśnie, szukając kogoś, kto mógł go upuścić, a wtedy ten... ten bandyta...

Blaze rzucił się na niego. Aligator cofnął się, skulony, a detektyw sklepowy odepchnął napastnika. Blaze'owi to nie przeszkadzało. Miał niezły ubaw.

– Spokojnie, wielkoludzie – powiedział detektyw. – Tylko bez nerwów.

Tymczasem kierownik zmiany zapytał Aligatora o nazwisko.

– Peter Hogan – padła odpowiedź.

– Proszę opróżnić kieszenie, panie Hogan.

– Nie ma mowy!

– Wyjmuj, co tam masz – powiedział detektyw – bo dzwonię na policję.

George niespiesznym krokiem oddalił się w stronę windy, robiąc wrażenie najlepszego, najbardziej dziarskiego i najbystrzejszego pracownika, jaki kiedykolwiek odbijał kartę u Hardy'ego.

Peter Hogan, przemyślawszy, czy warto bronić swoich praw, opróżnił kieszenie. Kiedy tłum zobaczył tani brązowy portfel, rozległo się chóralne „aaach".

– Jest – powiedział Blaze. – To mój portfel. Pewnie mi go wyciągnął z tylnej kieszeni, jak oglądałem sobie koszule.

– Znajdę tam jakiś dokument? – zapytał detektyw, otwierając portfel.

Przez jedną straszliwą chwilę Blaze poczuł w głowie absolutną pustkę. A potem usłyszał głos, jakby tuż obok niego stał George: *David Billings, Blaze.*

– Pewnie, że tak – odparł. – Na nazwisko Dave Billings. To ja.

– Ile miał pan tam gotówki?

– Nie za dużo. Jakieś piętnaście dolców.

Detektyw spojrzał na kierownika zmiany i skinął głową. Tłum achnął jeszcze raz. Portfel wrócił do Blaze'a, który schował go do kieszeni.

– A pan pójdzie ze mną. – Detektyw chwycił Hogana za ramię.

– Proszę się rozejść, proszę państwa – dodał kierownik zmiany. – Już po wszystkim. W tym tygodniu nasz sklep przygotował dla klientów wiele atrakcyjnych okazji. Zachęcam do zakupów. Facet ma zawodowy głos, pomyślał sobie Blaze, zupełnie jak spiker radiowy. Nic dziwnego, że pracuje na takim odpowiedzialnym stanowisku.

W tej chwili kierownik zmiany zwrócił się do niego:

– Mogę prosić pana ze mną?

– Jasne. – Blaze rzucił Hoganowi wściekłe spojrzenie. – Tylko kupię tę koszulę, co ją sobie upatrzyłem.

– Przypuszczam, że dostanie ją pan w prezencie od firmy. Chcielibyśmy jednak, żeby zajrzał pan potem na chwilę na trzecie piętro. Proszę pytać o pana Flaherty'ego. Pokój numer siedem.

Blaze skinął głową i wrócił do regału z koszulami. Kierownik zmiany wyszedł, a nieopodal jeden z ekspedientów już się szykował, żeby otworzyć kasę, którą przed chwilą okradł George.

– E! – zawołał Blaze i kiwnął na niego ręką.

Sprzedawca podszedł... ale nie za blisko.

– W czym mogę panu pomóc?

– Macie tutaj w tym sklepie jakiś bufet?

Ekspedient spojrzał na niego tak jakby z ulgą.

– Na pierwszym piętrze.

– Rządzisz, chłopak. – Blaze pokazał mu pistolet złożony z palców i mrugnął, po czym spacerowym krokiem pomaszerował do windy. Sprzedawca odprowadzał go wzrokiem. Zanim wrócił do swojej kasy i odkrył opróżnione przegródki w szufladzie, Blaze był już na ulicy. George czekał na niego w starym, przerdzewiałym fordzie. I tyle ich tam widzieli.

Zgarnęli trzysta czterdzieści dolarów. George podzielił urobek na dwie równiutkie połowy. Blaze szalał z radości. To była najłatwiejsza robota, jaka mu się w życiu trafiła. George był geniuszem. Teraz będą się wozić z tym numerem po całym mieście.

George przyjmował jego zachwyty ze skromnością godną trzeciorzędnego iluzjonisty, któremu wyszła sztuczka na dziecięcej imprezie urodzinowej. Nie powiedział Blaze'owi, że robił takie zagrywki jeszcze w podstawówce: dwóch chłopaków wszczynało bójkę w sklepie mięsnym, a trzeci czekał, aż rzeźnik pójdzie ich rozdzielić i wygarniał mu wszystko z kasy. Nie oświecił go też, że jeśli będą teraz znów próbować tego samego, to zwiną ich za trzecim razem, a jak będą mieli pecha, to już za drugim. Nie mówił nic, tylko siedział i napawał się podziwem wielkoluda. Podziwem? Nie. Blaze dosłownie lał po nogach z zachwytu.

Wrócili do Bostonu, wpadli do sklepu z alkoholem i kupili burbona Old Granddad: dwie butelki po trzy czwarte litra. A potem pojechali do kina „Constitution" na Washington Street, gdzie grali maratony z dwóch filmów. Blaze i George naoglądali się do syta pościgów samochodowych i facetów z karabinami maszynowymi. Wyszli o dziesiątej wieczorem, zalani w trupa. I odkryli, że ktoś zdjął im kołpaki z wszystkich czterech kół. George się wściekł, chociaż były tak samo zdezelowane jak cały ten rzęchowaty ford. Ale potem zauważył, że na dokładkę ktoś zeskrobał kluczem ze zderzaka naklejkę z napisem GŁOSUJ NA DEMOKRATÓW – i zaczął się śmiać. Usiadł na chodniku i ryczał ze śmiechu, aż po ziemistych policzkach popłynęły mu łzy.

– Jakiś reaganofil mi się trafił – wysapał w końcu. – Do jasnej, kurwa, ciasnej.

– Może ten koleś, co ci zesrobał nalepkę, to nie był ten sam, co ci buchnął te dekle – powiedział Blaze, siadając obok niego. W głowie kręciło mu się na potęgę, ale nie czuł się z tym źle, wręcz przeciwnie: bardzo przyjemnie.

– Zesrobał nalepkę! – zawył George. Zgiął się wpół, jakby dostał skurczu żołądka, ale to był tylko paroksyzm śmiechu. Zaczął tupać i wierzgać nogami. – Zawsze wiedziałem, że Barry Goldwater* ma jakieś hobby! Chodzi, kurwa, i srobie nalepki! – Nagle przestał się śmiać. Spojrzał na Blaze'a poważnym wzrokiem,

---

* Barry Goldwater (1909–1998) – konserwatywny senator z Arizony (pięć kadencji: 1953–65 i 1969–87). W roku 1964 wystartował w wyborach prezydenckich jako kandydat Partii Republikańskiej, przegrywając z Lyndonem B. Johnsonem. Przypisuje mu się główne zasługi w odrodzeniu amerykańskiego konserwatyzmu politycznego, jakie nastąpiło w latach sześćdziesiątych XX w. (przyp. tłum.).

choć oczy miał mokre od tej wesołości i oznajmił: – Blejziu, zlałem się w gacie.

Blaze ryknął takim śmiechem, że aż go skręciło i upadł na wznak prosto na chodnik. Nigdy w życiu nie śmiał się tak głośno, nawet z żartów Johna Cheltzmana.

Dwa lata później George wpadł obracając podrabianymi czekami. Blaze znów miał szczęście, bo chorował wtedy na grypę i George był sam pod tym barem w Danvers, spod którego zgarnęły go gliny. Dostał trzy lata; surowy wyrok za fałszerstwo bez recydywy, ale George był znanym oszustem, a sędzia znaną piłą. Kto wie, może nawet chodził i „skrobał" nalepki. Ostatecznie wyrok zamknął się w dwudziestu miesiącach, z uwzględnieniem czasu spędzonego w areszcie i z możliwością skrócenia odsiadki za dobre sprawowanie.

Przed ogłoszeniem wyroku George wziął Blaze'a na stronę.

– Idę do Walpole, drągalu. Co najmniej na rok, ale pewnie raczej na dłużej.

– Ale twój adwokat…

– Ten debil nie obroniłby samego papieża, gdyby jakaś dupa oskarżyła go o gwałt. Posłuchaj mnie: masz nie zaglądać do Moochiego.

– Ale Hank powiedział, że jak przyjdę, to mi coś…

– Od Hanka też masz się trzymać z daleka. Znajdź sobie jakąś normalną robotę, dopóki nie wyjdę. Na własną rękę nie próbuj żadnych numerów. Jesteś za tępy. Wiesz o tym, prawda?

– Wiem – powiedział Blaze z uśmiechem, ale w oczach kręciły mu się łzy.

George zauważył to i klepnął go w ramię.

– Poradzisz sobie – pocieszył go.

Blaze wrócił na swoje miejsce. George zawołał za nim, a kiedy się odwrócił, machnął niecierpliwie dłonią w kierunku jego czoła. Blaze skinął głową i przekrzywił daszek czapki na szczęśliwą stronę. Uśmiechnął się szeroko, ale dalej chciało mu się płakać.

Wrócił do swojej dawnej pracy, ale po tym, co robił z George'em, była już dla niego za nudna, więc ją rzucił i zaczął rozglądać się za czymś lepszym. Przez chwilę był bramkarzem w knajpie „Ring Wolny", ale nie sprawdził się jako wykidajło. Miał za miękkie serce.

Przeprowadził się z powrotem do Maine i znalazł robotę w tartaku przy produkcji ścieru drzewnego. Tam czekał, aż George wyjdzie na wolność. Lubił tę pracę, a największą frajdę miał wtedy, gdy jeździł z choinkami na południe. Przyjemnie było oddychać świeżym powietrzem i wędrować wzrokiem po horyzoncie niezasłoniętym przez żadne wieżowce. W mieście czasami czuł się całkiem dobrze, ale w lesie można było znaleźć ciszę. W lesie mieszkały ptaki, a czasami widywało się jelenia brodzącego nad brzegiem stawu i serce aż wyrywało się do tych dzikich zwierzaków. Blaze absolutnie nie tęsknił ani na metrem, ani za ludzką ciżbą, ale kiedy George napisał mu kilka krótkich słów – „Wychodzę w piątek, mam nadzieję, że się pokażesz" – rzucił wszystko i pojechał do Bostonu.

W Walpole George załapał wiele nowych pomysłów. Próbowali wszystkiego po kolei, jak stare damulki wybierające dla siebie nowy samochód. Najlepszy okazał się numer z obrabianiem geja; to był ich hit numer jeden przez całe trzy lata, dopóki Blaze nie wpadł, kiedy robili przekręt z „wielebnym Garym", który George nazywał „na Jezusa".

Z więzienia George wyniósł jeszcze coś: ideę. W skrócie wyglądała ona następująco: jeden duży numer i koniec. Nie mam ochoty, tłumaczył Blaze'owi, marnować najlepszych lat życia na kiwanie homoseksualistów w barach, gdzie każdy wygląda jak statysta z „Rocky Horror Picture Show". Albo na wciskanie ludziom fałszywych encyklopedii. Albo na wyłudzanie kasy od naiwniaków. Nie, zrobię jeden duży numer i koniec. Powtarzał tych kilka słów jak mantrę.

Niejaki John Burgess, poznany w pierdlu nauczyciel z liceum, odsiadujący wyrok za nieumyślne spowodowanie śmierci, podsunął mu pomysł z porwaniem.

– Kitujesz! – parsknął George, przerażony. Rozmawiali na porannym spacerze, o dziesiątej, wcinając banany i patrząc, jak paru napakowanych tłuków przerzuca się piłką.

– Porwania mają złą markę, bo zawsze biorą się do tego najwięksi idioci – wyjaśnił mu Burgess, drobny, łysiejący facecik. – A sztuka polega na tym, żeby porwać małego dzieciaka.

– Jasne, tak jak Hauptmann*. – George wyciągnął przed siebie ręce i zaczął dygotać, jakby siedział na krześle elektrycznym.

– Hauptmann to był kretyn. Zrozum, Rzęchu, do cholery! Jeśli porwiesz dziecko tak jak trzeba, to nie może się nie udać. Bo co taki szczyl powie, jak zapytają, kto go wziął? Gu-gu-gu? – Burgess zarechotał.

– To prawda, ale przecież od razu zrobi się gorąco – powiedział George. – Porwanie to nie w kij dmuchał.

– Jasne, że zrobi się gorąco – uśmiechnął się Burgess, sięgając dłonią do ucha; taki miał styl, że lubił ciągnąć się za ucho. – Masz rację, porwanie to nie w kij dmuchał. Morderców gliniarzy i porywaczy dzieci zawsze ścigają bez opieprzania się. Ale wiesz, co powiedział Harry Truman?

– Nie wiem.

– Powiedział tak: Jak ci za gorąco, to po co siedzisz w kuchni?

– I okupu też nie będzie można przejąć – zauważył George. – A nawet jeśli, to i tak forsa będzie znaczona. To chyba jasne.

Burgess profesorskim gestem uniósł w górę palec, a potem jak debil pociągnął się za ucho, psując cały efekt.

– Bo ty z góry zakładasz, że rodzina wezwie policję. Ale wystarczy ich dobrze postraszyć i załatwią wszystko po cichutku. – Zawiesił głos. – A nawet jak forsa będzie znaczona… to chyba nie chcesz mi powiedzieć, że nie masz odpowiednich znajomości?

---

* Bruno Richard Hauptmann – stolarz niemieckiego pochodzenia, skazany na śmierć za porwanie i brutalne morderstwo dwudziestomiesięcznego syna pary słynnych pilotów, Charlesa Lindbergha i Anne Morrow Lindbergh. Do porwania doszło 1 marca 1932 r., a 12 maja w lesie niedaleko domu państwa Lindberghów odnaleziono zwłoki chłopca. Porywacza ujęto, dzięki szczęśliwemu przypadkowi, dopiero ponad dwa lata później, we wrześniu 1934 r. Karę śmierci wykonano 3 kwietnia 1936 r. (przyp. tłum.).

– Może i mam. A może i nie mam.

– Są tacy, co kupują trefną kapustę. Na zasadzie inwestycji, tak jak się kupuje państwowe obligacje.

– Ale jak przejąć okup?

Burgess wzruszył ramionami i pociągnął się za ucho.

– Prosta sprawa. Niech go zrzucą z samolotu.

Wstał i zostawił George'a samego.

Za przekręt „na Jezusa" Blaze dostał cztery lata. George uspokajał go, że to pestka, wystarczy tylko w nic się nie mieszać. Wyjdziesz po dwóch latach, mówił i, jak się okazało, miał rację. W pierdlu było mniej więcej tak samo jak poprzednim razem, kiedy Blaze siedział za pobicie Koślawa; jedyna różnica polegała na tym, że jego współwięźniowie byli starsi niż wtedy. Nie trafił ani razu do karceru. Czasami zaczynały go dręczyć lęki, na przykład w długie wieczory albo kiedy za karę bezterminowo odwoływali wszystkie wyjścia z cel; siadał wtedy i pisał do George'a. Listy były długie i pełne straszliwych byków. George rzadko mu odpowiadał, ale z czasem samo pisanie, choć żmudne i mozolne, zaczęło przynosić Blaze'owi ukojenie. Wyobrażał sobie, że kiedy tak siedzi i pisze, George stoi nad nim i czyta mu przez ramię. Mówił wtedy na przykład tak:

– „W pralnii wieńziennianej". No, do jasnej, kurwa, ciasnej.

– Coś jest źle, George?

– P, r, a, l, n, i. Przez jedno „i". W pralni. W, i, ę, z, i, e, n, n, e, j. Więziennej.

– Aha, no tak. Fakt.

Z czasem Blaze podciągnął się z ortografii, a nawet przestał już robić tyle błędów interpunkcyjnych, chociaż nie miał żadnego słownika. Innym razem George zagajał:

– Blaze, nie korzystasz ze swojego przydziału papierosów. – Były to owe złote lata, kiedy niektóre firmy tytoniowe rozdawały darmowe próbki.

– Ja prawie wcale nie palę, George. Przecież wiesz. Tylko by mi taka kupka tych szlugów urosła.

– Posłuchaj mnie, Blejziu. Robi się tak: bierze się papieroski w piąteczek, a w następny czwarteczek, kiedy wszystkim chce się jarać jak sto choler, to wtedy się je sprzedaje. Tak masz kombinować.

Blaze posłuchał – i był bardzo zdziwiony, ile ludzie są gotowi zapłacić za zwykłe szlugi, po których nawet nie ma haju.

Innym razem:

– Coś dziwnie mówisz, George – zauważał Blaze. – Jakby coś ci było.

– Bo jest. Wyrwałem sobie cztery zęby. Boli jak diabli.

Blaze zadzwonił do niego, kiedy tylko zasłużył sobie dobrym zachowaniem na skorzystanie z telefonu (ale nie na koszt rozmówcy; sam zapłacił za połączenie z pieniędzy, które zarobił na czarnym rynku, handlując fajkami) i zapytał, co z jego zębami.

– Co z zębami? – powtórzył gderliwie George. – Dentysta sukinsyn pewnie zrobił sobie z nich naszyjnik, jak jakiś ludożerca.

– Urwał. – A skąd ty wiesz, że wyrwałem sobie zęby? Ktoś ci o tym mówił?

Blaze nagle poczuł drażniący niepokój, jakby już-już mieli go przyłapać na czymś wstydliwym, na przykład na waleniu konia w kaplicy.

– Taa – odpowiedział. – Ktoś mi mówił.

Po wyjściu Blaze'a z więzienia zaniosło ich do Nowego Jorku, ale nie podobało im się tam wcale. George doznał też, jak powiedział, osobistej zniewagi: okradł go jakiś kieszonkowiec. Potem urządzili sobie wycieczkę na Florydę i przesiedzieli cały nędzny miesiąc w mieście Tampa, kompletnie spłukani, wyglądając jak kania dżdżu okazji do zrobienia jakiegoś numeru. Z Florydy wrócili na północ, ale nie do Bostonu, tylko do Portland. George wymyślił, żeby spędzić lato w Maine, udając bogatego republikańskiego palanta.

Kilka dni po przyjeździe przeczytał w lokalnej gazecie artykuł o rodzinie Gerardów: dowiedział się, że są bardzo bogaci, a najmłodszy z nich właśnie ożenił się z jakąś makaroniarską cizią. Wtedy w jego głowie ożyła idea porwania, którą sprzedał mu John Burgess: ten jeden duży numer. Ale wtedy jeszcze u Gerardów nie było żadnego dziecka, więc wrócili do Bostonu.

Przez następne dwa lata regularnie zimowali w Bostonie, a lato spędzali w Portland. Wyjeżdżali na północ jakimś starym rzęchem mniej więcej na początku czerwca; co im zostało z zimowych profitów, jechało schowane w kole zapasowym. Za pierwszym razem było tego siedemset dolarów, za drugim dwa tysiące. Po zajechaniu do Portland, jeśli trafiła się okazja, robili jakiś skok czy przekręt, a jeśli nie, to Blaze łowił ryby, a czasami chodził do lasu i zastawiał pułapki. Były to dla niego szczęśliwe, cudowne wakacje. George wylegiwał się na słońcu i próbował złapać opaleniznę (beznadzieja; zawsze się tylko spiekł na raka), czytał gazety, polował na muchy i dopingował Ronalda Reagana (mówił na niego Stary Biały Tatuś-Elvis), żeby jak najszybciej wyciągnął kopyta.

Aż podczas ich drugiego letniego wyjazdu do Maine (było to dokładnie czwartego lipca) dowiedział się, że Joe Gerard III i jego żona parmenka zostali szczęśliwymi rodzicami.

Blaze siedział na ganku ich chałupy, układał pasjansa i słuchał radia. George podszedł i wyłączył odbiornik.

– Posłuchaj mnie, Blejziu – powiedział. – Mam pomysł.

Trzy miesiące później już nie żył.

Chodzili grać w kości do tego magazynu regularnie i nigdy nie mieli tam żadnych kłopotów. Gra była uczciwa. Blaze nie przyłączał się, ale często stawiał na George'a. George miał wielkie szczęście do kości.

Była październikowa noc. George zaliczył już sześć wygranych z rzędu. Facet, który na kocu do gry klęczał naprzeciw niego, za każdym razem obstawiał przeciwko niemu i zdążył już stracić czterdzieści dolarów. Grało się w portowym magazynie niedaleko doków. Było to miejsce pełne przeróżnych zapachów: woń zgniłych ryb mieszała się tam z oparami fermentującego ziarna i benzyny, czuć też było sól. Kiedy robiło się cicho, słyszało się, jak mewy chodzące po dachu robią *tuk-tuk-tuk* pazurzastymi łapami. Facet, który przegrał cztery dychy, nazywał się Ryder. Mówił, że jest półkrwi Indianinem z plemienia Penobscot i rzeczywiście na to wyglądał.

Kiedy George, zamiast w końcu opuścić kolejkę, wziął kości do ręki po raz siódmy, Ryder cisnął na koc kolejne dwadzieścia dolarów.

– Toczcie się, kości! – zawołał George, a raczej zanucił wabiąco. Jego pociągła twarz pojaśniała. Czapkę miał przekręconą daszkiem na lewo. – Przybądźcie, mnogie oczka, przybywajcie, teraz, zaraz, już! – Kości wystrzeliły na koc. Jedenaście oczek.

– Siódmy raz z rzędu! – zapiał triumfująco George. – Pozbieraj pieniążki, Blejziuniu, tatuś zaraz wygra ósmą kolejeczkę. Za chwilę oto będzie tu ósmy cud świata!

– Oszukiwałeś – oznajmił nagle Ryder łagodnym, czujnym głosem.

George, który właśnie sięgał po kości, zamarł w pół ruchu.

– Proszę?

– Podmieniłeś kości.

– Daj spokój, Ride – odezwał się ktoś – on wcale nie...

– Zabieram swoją forsę – zapowiedział Ryder, wyciągając rękę w kierunku puli leżącej na kocu.

– Zabierzesz, ale łapę w kawałkach, jak nie przestaniesz pieprzyć – powiedział George. – Tyle zabierzesz, słoneczko.

– Zabieram swoją forsę – powtórzył Ryder. Nie cofnął ręki.

To była jedna z chwil ciszy; Blaze słyszał mewy łażące po dachu: *tuk-tuk-tuk*.

– Spierdalaj – warknął George i napluł Ryderowi prosto na wyciągniętą dłoń.

Potem już poszło szybko, jak zwykle takie rzeczy. Kiedy coś się dzieje tak błyskawicznie, człowiekowi mąci się w głowie, a zmysły nie chcą przyjmować tego, co do nich dociera. Lśniąca, opluta dłoń Rydera zniknęła w kieszeni spodni, a kiedy po chwili pojawiła się z powrotem, był w niej sprężynowiec. Ryder wcisnął błyszczący chromem guzik na rękojeści wyłożonej imitacją kości słoniowej; grupka otaczająca koc rozprysnęła się na wszystkie strony.

– Blaze! – zawołał George.

Blaze wskoczył na koc i rzucił się na Rydera, a ten, nie wstając z kolan, pochylił się w przód i wbił George'owi nóż prosto

259

w brzuch. George wrzasnął. Blaze złapał nożownika i grzmotnął jego głową o podłogę. Czaszka trzasnęła jak pękająca gałąź.

George wstał z koca. Spojrzał na rękojeść sterczącą spomiędzy fałd koszuli. Chwycił za nią, pociągnął, skrzywił się z bólu. – Kurwa – stęknął. – O żeż kurwa. – I klapnął z rozmachem na podłogę.

Blaze usłyszał trzaśnięcie drzwiami, a potem tupot biegnących stóp na deskach mola.

– Zabierz mnie stąd – powiedział George. Żółty materiał koszuli czerwieniał dookoła sterczącej rękojeści. – Tylko zabierz forsę... O Jezu, boli!!

Blaze zgarnął porozrzucane banknoty i poupychał je w kieszeniach, zauważając, że zupełnie stracił czucie w palcach. George zaczął dyszeć, zupełnie jak pies w upalny dzień.

– George, daj, wyjmę ci to ...

– Zgłupiałeś? Flaki mi wypłyną! Weź mnie na ręce, Blaze. Jezu Chryste, kurwa mać!!

Blaze wziął go na ręce. George znów wrzasnął. Krew pociekła na koc i lśniące czarne włosy Rydera. Blaze czuł pod koszulą brzuch George'a, twardy jak deska. Zaniósł kumpla do drzwi magazynu, a potem wyszedł z nim na zewnątrz.

– Nie – odezwał się George. – Zapomniałeś o szmalcu. Musisz zabrać szmalec. – Blaze myślał, że chodzi mu o wygraną i już otworzył usta, żeby powiedzieć, że wszystko ma w kieszeni, ale w tym momencie George odezwał się znowu: – Ze skwarkami. – Zaczął oddychać szybko i gwałtownie. – Mam tę książkę, wiesz, którą.

– George!!

– Tę, gdzie jest zdjęcie tamte... – George nie skończył. Zakrztusił się krwią. Blaze położył go sobie piersią na jednej ręce i walnął w plecy. Nic innego nie przyszło mu do głowy. Ale kiedy obrócił go z powrotem, George już nie żył.

Ułożył ciało na pomoście, przed drzwiami do magazynu. Cofnął się, a potem wrócił i zamknął George'owi oczy. Znów się cofnął i znów wrócił. Ukląkł.

– George?

Cisza.

– George, nie żyjesz?

Cisza.

Puścił się pędem do samochodu. Dobiegł i wskoczył za kierownicę. Ruszył z piskiem opon, paląc gumę na pierwszych pięciu metrach.

– Zwolnij – odezwał się George z tylnego siedzenia.

– George?

– Zwolnij, do jasnej cholery!

Blaze zdjął nogę z gazu.

– George! Przejdź do przodu! Między siedzeniami. Albo zaczekaj, stanę.

– Nie – powstrzymał go George. – Dobrze mi tu z tyłu.

– George?

– No?

– To co my teraz zrobimy?

– Porwiemy dzieciaka – odparł George. – Zgodnie z planem.

ROZDZIAŁ 23

Kiedy Blaze wyczołgał się z jaskini i stanął na nogach, nie miał żadnego pojęcia, ilu ludzi spotka na zewnątrz. Spodziewał się tłumu, ale nie przejmował się tym. Pistolet George'a wypadł mu zza paska, ale tym też się nie przejął. Nastąpił na broń, wdeptując ją głęboko w śnieg, kiedy szarżował na pierwszego faceta, którego zobaczył. Facet leżał niedaleko, na brzuchu, podpierając się łokciami. Swój rewolwer trzymał w obu dłoniach.

– Ręce do góry, Blaisdell! Stój! – zawołał Granger.

Blaze rzucił się do niego.

Granger zdążył wystrzelić dwa razy. Pierwsza kula otarła się o przedramię Blaze'a. Druga gwizdnęła tylko w powietrzu i pokruszyła trochę spadających płatków śniegu. W następnej chwili Blaze dopadł człowieka, który zrobił krzywdę Joemu i przygniótł go do ziemi ciężarem swoich stu dwudziestu kilogramów. Rewolwer wyleciał w powietrze. Granger wrzasnął z bólu, gdy końce złamanej kości otarły się o siebie.

– Trafiłeś dziecko! – zaryczał mu Blaze prosto w pobielałą z przerażenia twarz agenta i zacisnął palce na jego gardle. – Trafiłeś dziecko, ty głupi sukinsynu, trafiłeś dziecko, trafiłeś dziecko, dziecko trafiłeś!

Głowa Grangera podskakiwała jak na sznurku. Można było odnieść wrażenie, że ten człowiek chce powiedzieć: tak, oczywiście, rozumiem. Twarz mu posiniała, a oczy wyszły z orbit.

Idą tutaj.

Blaze rozluźnił chwyt i rozejrzał się dookoła. Nie zobaczył nikogo. W lesie panowała cisza, przerywana tylko szumem wiatru i szmerem sypiącego śniegu.

Nie. Było słychać coś jeszcze. Głos niemowlęcia. Joe.

Blaze wbiegł z powrotem na skarpę i wcisnął się do jaskini. Joe miotał się na swoim posłaniu, zawodząc cienko i chwytając piąstkami powietrze. Odprysk skały zrobił mu większą krzywdę niż tamta drzazga, kiedy wypadł z kołyski; cały policzek miał zalany krwią.

– Jasna cholera! – zawołał Blaze.

Wziął małego na ręce, otarł mu buzię, po czym z powrotem zawinął w koce, a na główkę włożył swoją własną czapkę. Joe rozkaszlał się, a potem wrzasnął.

– Trzeba spadać, George – powiedział Blaze. – I to gazem. Dobrze mówię?

Cisza.

Blaze wypełzł rakiem z jaskini, przyciskając dziecko do piersi. Wstał i pobiegł pod wiatr, w kierunku leśnej drogi.

– Gdzie Corliss go zostawił? – wydyszał Sterling, patrząc na Franklina, gdy przystanęli, zziajani, na skraju lasu.

– Tam. – Franklin wskazał palcem. – Trafię.

– Powiadomcie swoich ludzi. – Sterling odwrócił się do Bradleya. – I szeryfa hrabstwa. Ta leśna droga miała być zamknięta z obu stron. A gdyby się przedostał, to co jest dalej?

Bradley roześmiał się szczekliwie.

– Nic. To znaczy rzeka. Royal River. Chętnie sobie popatrzę, jak próbuje ją sforsować.

– Zamarznięta?

– Jasne, ale nie aż tak, żeby można było przejść po lodzie.

– W porządku. Gonimy go dalej. Franklin, idź przodem. Trzymaj się blisko. To jest bardzo niebezpieczny typ.

Zeszli w dół po stromiźnie. Około pięćdziesięciu metrów za linią drzew Sterling nagle dostrzegł siedzącą pod drzewem postać w granatowoszarym mundurze.

Franklin dotarł na miejsce pierwszy.

– Corliss – oznajmił.

– Nie żyje? – zapytał Sterling, podchodząc.

– Jasne. – Franklin wskazał ślad: szereg dołków szybko znikających pod padającym śniegiem.

– Idziemy – zakomenderował Sterling. Tym razem sam ruszył przodem.

Grangera znaleźli pięć minut później. Ślady na jego szyi miały co najmniej dwa centymetry głębokości.

– Zwierzę, nie człowiek – odezwał się ktoś.

Sterling przebił wzrokiem zasłonę śniegu, wskazał coś ręką.

– Tam jest jaskinia. Jestem prawie pewny. Sprawdźcie, może zostawił dziecko.

Dwóch policjantów ze stanówki wdrapało się na skarpę, gdzie majaczyła trójkątna plama cienia. Jeden z nich przystanął, pochylił się i wygrzebał coś ze śniegu.

– Pistolet! – zawołał, unosząc broń do góry.

Chyba mu się wydaje, że my wszyscy jesteśmy ślepi, pomyślał Sterling.

– Mniejsza o ten cholerny pistolet, sprawdźcie, czy jest tam dziecko! – zawołał. – Tylko ostrożnie!

Jeden z policjantów ukląkł, włączył latarkę i wczołgał się do jaskini. Drugi schylił się, opierając dłonie na kolanach i zaczął nasłuchiwać. Po chwili odwrócił się w stronę, gdzie stali Sterling i Franklin.

– Tu go nie ma!

Zanim jeszcze tamten pierwszy policjant zdążył wyjść z jaskini, zauważyli ślady prowadzące w kierunku leśnej drogi – rządek niedużych dołków, już ledwie widocznych spod gęsto padającego śniegu.

– Wyprzedza nas najwyżej o dziesięć minut – powiedział Sterling do Franklina. – Rozstawić się szeregiem! – podniósł głos. – Wypłoszymy go na drogę!

Ruszyli naprzód szybkim tempem. Sterling stąpał po śladach, które zostawił Blaze.

Blaze biegł co sił.

Zataczał się i sadził wielkie susy; kiedy na drodze stanęły mu jakieś zarośla czy chaszcze, nie próbował ich obchodzić, tylko przedzierał się przez nie z wielkim trzaskiem, kuląc się nad dzieckiem przyciśniętym do piersi, aby je osłonić od dźgających na oślep gałęzi. Oddech rwał mu się w gardle. Nagle usłyszał za sobą stłumione odległością krzyki. Na dźwięk ludzkich głosów wpadł w panikę.

Joe krztusił się, kaszlał i wyrywał, ale Blaze trzymał go mocno. Jeszcze trochę, jeszcze kawałek i będzie droga. A na drodze – samochody. Właściwie radiowozy, ale tym się Blaze nie przejmował; byle tylko miały kluczyki w stacyjce. Wsiądzie i odjedzie jak najszybciej i jak najdalej, a potem pozbędzie się glinowozu i przesiądzie na coś innego; najlepsza byłaby ciężarówka. Wszystkie te myśli przemknęły mu przez głowę niczym ogromne, kolorowe rysunki z komiksu.

Przebrnął przez zamarznięte mokradło, gdzie musiał brodzić po kostki w lodowatej wodzie, bo cienki lód otaczający spiętrzenia pokruszonej kry załamywał się pod nim. Nie przystawał, szedł dalej, aż dotarł do zwartej ściany krzewów jeżynowych, sięgających na wysokość jego głowy. Przeszedł przez nią tyłem, żeby nie zrobić krzywdy Joemu, ale jedna gałązka ściągnęła chłopcu z główki czapkę i cisnęła ją jak z procy z powrotem w kierunku mokradła. Nie było czasu, żeby po nią wrócić.

Joe rozglądał się dookoła oczami szeroko rozwartymi z przerażenia. Kiedy zabrakło grubej czapki grzejącej mu głowę, oddychanie stało się większym wysiłkiem. Jego krzyki osłabły. Ponure głosy stróżów prawa dobiegające z tyłu były słabe i miały zupełnie inne znaczenie niż płacz dziecka. Nieważne. Dotrzeć do drogi. Tylko to było ważne.

Grunt zaczął się podnosić. Szło się teraz już trochę łatwiej. Blaze wydłużył krok, wiedząc, że stawką w tym wyścigu jest jego życie. I życie Joego.

Sterling też się nie oszczędzał. Wyprzedził wszystkich o dobre trzydzieści metrów. Doganiał zbiega. Nic zresztą dziwnego: ten wielki skurwiel przecierał mu szlak. Głośnik krótkofalówki wiszącej mu u pasa zatrzeszczał. Sterling chwycił radio, ale nie chcąc tracić oddechu, nacisnął tylko dwa razy przycisk nadawania.

– Tu Bradley, zgłoś się – usłyszał.

– No? – Nie próbował wysilać się na więcej. Potrzebował każdego oddechu, żeby nie ustać w biegu. Najbardziej spójna myśl, jaka tłukła mu się w tej chwili po głowie – tłumiąca wszystkie inne, oblepiająca je jakby szkarłatną błoną – brzmiała tak: ten pojebany morderca udusił Grangera. Zabił agenta FBI.

– Szeryf hrabstwa Cumberland przysłał ludzi na tę leśną drogę, szefie, a policja stanowa już jedzie. Odbiór?

– Dobrze. Bez odbioru.

Biegł dalej. Pięć minut później zauważył czerwoną czapkę leżącą na śniegu. Wsadził ją do kieszeni i znów ruszył biegiem.

Blaze wspiął się na wzgórze, po którym w tym miejscu biegła leśna droga. Musiał iść pod górę prawie pięćdziesiąt metrów i łapał oddech z najwyższym trudem. Joe przestał płakać; on też już nie mógł marnować tchu. Śnieg oblepił mu powieki i rzęsy, zamykając oczy.

Idąc pod górę, Blaze dwa razy upadł na kolana, rękoma podpierając się tak, żeby chronić dziecko. Wreszcie dotarli na górę: bingo! Na drodze parkowało co najmniej pięć pustych radiowozów.

Albert Sterling wypadł spomiędzy drzew u stóp zbocza. Uniósł wzrok, patrząc na ślady, które zostawił Blaze podczas wspinaczki. Jest, cholera, pomyślał. Jest ten wielki skurwiel.

– Stój, Blaisdell! – krzyknął. – FBI! Nie ruszaj się! Ręce do góry!

Blaze obejrzał się przez ramię. Stąd, z góry, ten gliniarz był śmiesznie malutki. Odwrócił się z powrotem i wybiegł na jezdnię. Zajrzał do pierwszego z brzegu radiowozu. I znów bingo: w stacyjce dyndały kluczyki. Już chciał położyć Joego na siedzeniu pasażera, obok księgi służbowej policjanta, który jeździł tym wozem, ale w tej samej chwili usłyszał warkot silnika pracującego na wysokich obrotach. Odwrócił się i zobaczył zbliżający się biały radiowóz. Spojrzał w drugą stronę: to samo.

– George! – wrzasnął. – Och, George!

Przycisnął dziecko do piersi. Joe oddychał teraz bardzo szybko i bardzo płytko, tak jak George, kiedy dostał kosę od Rydera. Blaze zatrzasnął drzwi radiowozu i obiegł maskę dookoła.

Z okna wozu nadjeżdżającego z północy wychylił się zastępca szeryfa. W ręce opiętej rękawiczką trzymał megafon na baterie.

– Stój, Blaisdell! – zagrzmiał jego rozkaz. – To już koniec! Ani kroku dalej!

Blaze przebiegł na drugą stronę drogi. Ktoś strzelił do niego, wzbijając obłok śniegu po jego lewej stronie. Joe zaczął posapywać i jednocześnie kwilić przez zaciśnięte gardło. Blaze dał nura pomiędzy drzewa, sadząc ogromnymi susami w dół po zboczu wzgórza. Kolejna kula warknęła mu nad głową, odłupując drzazgi i kawałki kory ze stojącej o krok sosny. Na samym dole potknął się o kłodę zakopaną w świeżym śniegu i runął prosto w zaspę, grzebiąc pod sobą malucha. Podźwignął się z wysiłkiem i starł śnieg z twarzy chłopczyka.

– W porządku, Joe? – zapytał.

Joe rzęził spazmatycznie. Wydawało się, że pomiędzy jednym a drugim oddechem upływa ze sto lat.

Blaze zerwał się do biegu.

Sterling wspiął się na wzgórze i przebiegł na drugą stronę jezdni. Jeden z radiowozów z biura szeryfa hrabstwa Cumberland zatrzymał się z poślizgiem, zarzucając tyłem, na poboczu. Wysiedli z niego dwaj zastępcy szeryfa. Stanęli nad brzegiem stoku, patrząc w dół i mierząc z wyciągniętej broni.

Sterling czuł, że mięśnie twarzy ma napięte, a dziąsła zaczynają mu marznąć; domyślił się, że to uśmiech.

– Mamy skurwiela – powiedział.

Rzucili się pędem w dół zbocza.

Blaze skręcił w biegu, prosto w kępę nagich szkieletów topól i jesionów. Przedarł się przez nią. Po drugiej stronie otworzyła się wielka pusta przestrzeń. Zniknęły drzewa i zarośla. Wprost przed nim, w płaskim, białym bezruchu, leżała rzeka. Jej przeciwległy brzeg porastała szarozielona gęstwina sosen i świerków, maszerujących hurmą aż po zasypany śniegiem horyzont.

Wyszedł na lód. Po dziewięciu krokach tafla załamała się pod nim i wpadł aż po uda w lodowatą wodę. Dysząc z wielkim wysiłkiem, wycofał się chwiejnym krokiem i wdrapał z powrotem na brzeg.

Spomiędzy nagich drzew wypadł Sterling, a za nim dwaj zastępcy szeryfa.

– FBI – powiedział agent. – Połóż dziecko na ziemi i cofnij się. Blaze odbił w prawo i rzucił się biegiem przed siebie. Każdy zaczerpnięty oddech palił mu już gardło. Wzniósł wzrok do góry. Chciał zobaczyć ptaki, chociaż jednego ptaka, ale niebo nad rzeką było puste. Zobaczył za to George'a. Stał jakieś osiemdziesiąt metrów od niego. Przesłaniał go sypiący śnieg, ale Blaze widział wyraźnie jedną rzecz: czapkę przekrzywioną daszkiem w lewo, na szczęśliwą stronę.

– Dawaj, Blaze! – krzyczał George. – Co jest, nogi wrosły ci w dupę? Pokaż im, jak się biega! Po naszemu, jego mać!

Blaze przyspieszył. Pierwsza kula trafiła go w prawą łydkę; strzelali nisko, żeby nie trafić w dziecko. Nie zwolnił, nawet nie poczuł. Druga kula weszła pod kolanem, wyrwała rzepkę i wyszła przodem w gejzerze krwi i odprysków kości. Blaze nie poczuł niczego. Biegł dalej. Sterling mówił później, że nigdy by nie przypuszczał, że coś takiego w ogóle jest możliwe, ale fakt był faktem: skurwiel biegł dalej. Jak postrzelony łoś.

– Pomóż mi, George! Nie jest dobrze!

George zniknął, ale podmuch wiatru przyniósł jego skrzeczący, zachrypnięty głos:

– Nie jest dobrze, ale już prawie im uciekłeś. Dawaj, stary.

Blaze przebiegł przez ostatni przesmyk. Odsadzał się od tamtych. Łapał drugi oddech. Uciekniemy, ja i Joe, pomyślał. Nieszczęście było blisko, ale wszystko się jeszcze ułoży. Spojrzał na rzekę, wytężając wzrok. Szukał George'a. Albo jakiegoś ptaka. Chociaż jednego.

Trzecia kula trafiła go w prawy pośladek, poszła w górę, roztrzaskała biodro i pękła. Największy fragment odbił w lewo i rozerwał jelito grube. Blaze zatoczył się, prawie upadł, ale odzyskał równowagę i pobiegł dalej.

Sterling opadł na kolano, trzymając broń w obu dłoniach. Złożył się szybko, niemalże na poczekaniu. Cała sztuka w tym, żeby za dużo nie myśleć. Polegać na koordynacji oka i ręki, zdać się na nią całkowicie.

– Panie Jezu, dziej się wola Twoja – powiedział.

Czwarta kula – pierwszy strzał Sterlinga – trafiła w lędźwie uciekającego i przerwała rdzeń kręgowy. Blaze poczuł to tak, jakby oberwał wielką rękawicą bokserską tuż nad nerkami. Padł na ziemię, wypuszczając z rąk dziecko.

– Joe! – zawołał i zaczął pełznąć w jego stronę, zapierając się łokciami. Joe leżał z szeroko otwartymi oczami; patrzył na niego.

– Chce wykończyć dzieciaka! – wrzasnął jeden z zastępców szeryfa.

Blaze wyciągnął do Joego swoją wielką dłoń. Znalazła ją rączka chłopca, szukająca na oślep czegokolwiek do schwytania. Maleńkie palce zacisnęły się na kciuku Blaze'a.

Zziajany Sterling stanął nad nim i wysapał, zniżając głos, żeby nie usłyszeli go zastępcy szeryfa:

– To za Bruce'a, serdeńko.

– George? – powiedział Blaze i w tym momencie Sterling pociągnął za spust.

ROZDZIAŁ 24

Fragment konferencji prasowej z dnia dziesiątego lutego:

– **Jak się czuje mały Joe, panie Gerard?**
Gerard: Lekarze zapewniają nas, że wyzdrowieje, dzięki Bogu. Był taki moment, kiedy wszystko mogło się zdarzyć, ale zapalenie płuc już minęło. Bojowy chłopak, nie ma co.
– **Jak pan skomentuje pracę agentów FBI?**
G: Krótko. Spisali się na medal.
– **Czy pan i pańska żona macie teraz jakieś konkretne plany?**
G: Jedziemy do Disneylandu!
[śmiech]
– **A poważnie?**
G: To było prawie całkiem poważnie! Kiedy tylko lekarze powiedzą, że Joe jest już zdrowy, pojedziemy na wakacje. W jakieś ciepłe miejsce, gdzie są ładne plaże. A potem, po powrocie, zrobimy wszystko, żeby wymazać z pamięci ten koszmar.

Blaze został pochowany na cmentarzu w South Cumberland, niecałe piętnaście kilometrów od Hetton House i mniej więcej w takiej samej odległości od kamienicy, w której ojciec zrzucił go ze schodów. Koszty pogrzebu pokryły władze miasta, tak jak to przeważnie się robi w przypadku biedaków. Tego dnia, kiedy go chowali, nie świeciło słońce, a trumny w ostatnią drogę nie odprowadzał nikt. Nikt oprócz ptaków. Najwięcej było wron, które zawsze gnieżdżą się w pobliżu wiejskich cmentarzy. Sfrunęły się i obsiadły gałęzie drzew, a potem odleciały tam, dokąd odlatują ptaki.

Joe Gerard IV leżał w łóżeczku za szybą szpitalnego oddziału. Wrócił już do zdrowia. Tego dnia mieli przyjść po niego mama i tata, ale on o tym nie wiedział. Wiedział natomiast, że ma nowy ząbek, bo go bolało. Leżał na plecach i patrzył na ptaki latające nad jego łóżeczkiem. Ptaki były zawieszone na drucikach i zrywały się do lotu, gdy płoszył je ruch powietrza. Teraz wisiały nieruchomo, więc Joe zaczął płakać. Zawisła nad nim jakaś twarz, a czyjś głos zaczął go uspokajać pieszczotliwymi słowami. To nie była ta twarz, o którą mu chodziło, więc rozpłakał się jeszcze głośniej. Twarz złożyła usta i dmuchnęła na ptaki. Ptaki zerwały się do lotu. Joe przestał płakać. Patrzył na ptaki. Kiedy je widział, chciało mu się śmiać. Zapomniał o twarzy, która nie była tą, o którą mu chodziło. Zapomniał o bólu, który sprawił mu nowy ząb. Patrzył, jak ptaki latają.

(1973)

21r